D1408107

Publié par:

Les Éditions E.T.C. Inc.

9675 av. Papineau, bureau 380

Montréal, Canada

H2B 1Z5

LISE BOURBEAU

Auteure des best-sellers
"ÉCOUTE TON CORPS ton plus grand ami sur la terre"
et "QUI ES-TU?"

JE
SUIS
DIEU
WOW !

ÉDITIONS E.T.C. INC.

DÉDICACE

À tous les hommes
de ma vie,

Grâce à vous, j'ai enfin
compris l'importance
d'accepter l'homme
en moi; je peux
maintenant aimer
cette partie de moi.
Je vous souhaite
de tomber en amour
avec vous-mêmes
tout comme vous
m'avez aidée à le
faire avec moi-même.

REMERCIEMENTS

Je remercie tous ceux et celles qui ont fait partie de ma vie jusqu'à aujourd'hui. C'est grâce à vous tous, même ceux qui ne sont pas mentionnés dans ce livre, que j'ai eu une vie si bien remplie.

Je remercie particulièrement ceux et celles qui m'ont aidée à réaliser ce livre: Odette Pelletier, Sylvie Besnard, Francis Leroux, Pierrette Taillefer, Marc Chevanelle, Élianne Leroux, Nicole Dumont, Christiane Tremblay et Diane Miller.

Un merci tout spécial à mon DIEU intérieur.

TABLE DES MATIÈRES

INTRODUCTION

"**Je suis DIEU, Wow!**" Quel titre prétentieux! Peut-être es-tu déjà en train de te faire cette réflexion? Mais n'es-tu pas aussi curieux, cher lecteur, de savoir qui est cette Lise Bourbeau qui se prend pour **DIEU**? Je considère que l'affirmation "Je suis **DIEU**" n'est prétentieuse que si l'on refuse d'accepter que tout ce qui vit peut aussi affirmer: "Je suis **DIEU**."

Le but de ce livre est de t'aider à prendre conscience de l'omniprésence de ton DIEU intérieur. **DIEU** est actif et présent en tout temps, en chacun de nous. C'est ce que nous avons à réaliser. Il m'a fallu plusieurs années de recherches pour finalement en devenir consciente. Tout ce qui s'est produit depuis mon enfance est simplement l'oeuvre de mon **DIEU** intérieur qui me guide sans relâche pour que je vive de plus en plus dans l'amour. Depuis mon tout jeune âge, il m'indiquait que non seulement je voudrais un jour "vivre l'amour" partout dans ma vie, mais aussi que je m'apprêtais à l'enseigner aux autres pour accélérer mon propre apprentissage. J'ai ainsi appris qu'un professeur doit toujours rester étudiant s'il veut continuer à apprendre.

Pour commencer, je brosse un tableau de mon enfance pour que tu puisses mieux me situer. Ensuite, j'utilise des faits vécus pour illustrer sous ses différents aspects l'expression du **DIEU** en moi. Mon objectif principal est de souligner l'importance de s'accepter soi-même, c'est-à-dire accepter **DIEU** dans tous les aspects de soi. C'est en suivant cette voie que l'être humain parvient à entrer en contact avec sa puissance divine.

JE SUIS DIEU, WOW!

Plus nous entrons en contact avec cette grande puissance et plus nous apprenons à l'accepter comme partie intégrante de soi. Graduellement, nous pouvons l'utiliser avec force et amour et, par conséquent, de façon bénéfique.

J'ai voulu utiliser l'histoire de ma vie, telle que je m'en souviens aujourd'hui, pour aider le lecteur à devenir conscient de **DIEU**. La plupart des gens que je rencontre sur ma route me mettent sur un piédestal. J'ai cru bon de me raconter afin que toi, le lecteur, tu réalises que je suis humaine et c'est ainsi que je me présente à toi, avec mes désirs, mes forces et aussi mes faiblesses. Ce qui m'arrive aujourd'hui est à la portée de tous!

Je dois t'avouer que dans l'aventure de ce livre, des hésitations et des craintes sont venues me travailler intérieurement. Une partie de moi veut tout raconter et une autre partie a peur d'être jugée, critiquée. Il serait tellement plus facile de ne raconter que ce qui fait l'affaire de tous. Vous auriez ainsi l'image d'une Lise parfaite. La partie de moi qui a décidé d'être vraie, il y a quelques années de cela, a gagné. Ce livre contient donc tout ce dont je peux me souvenir de ma vie. Tu y trouveras aussi mes réflexions sur les événements racontés dans ce livre.

Comme dans mes deux livres précédents, j'ai choisi de te tutoyer car je me sens très près de toi. D'ailleurs tu pourras certainement t'identifier à moi à plusieurs occasions.

Dans chaque page de ce livre, tu trouveras des passages qui sont mis en évidence. Tu pourras continuer de t'y référer plus tard. Quand tu en ressentiras le besoin, ouvre une page au hasard et lis les passages qui y sont soulignés. Ce que tu liras te guidera pour la journée ou sera la réponse à une de tes questions. Si tu as un problème particulier, ferme les yeux et ouvre le livre. Ton **DIEU** intérieur te guidera vers la pensée qui te convient le mieux pour l'instant présent.

Bonne lecture! J'espère que ce livre pourra t'aider à être plus en contact avec ton **DIEU** intérieur.

AVEC AMOUR,

Lise Bourbeau

LISE BOURBEAU

CHAPITRE 1
MON ENFANCE

Je suis née le 14 février 1941 à Richmond, une petite ville des Cantons de l'Est dans la province de Québec. J'ai inconsciemment choisi cette date symbolisant l'amour alors que j'étais bien loin de m'imaginer qu'un jour j'enseignerais l'amour. Je suis la quatrième fille à naître. Mes soeurs aînées et moi avons toutes un an et demi de différence. En ce début de guerre, les temps sont passablement difficiles et tout est rationné. Mon père, qui a les pieds plats, n'a pas eu à joindre l'armée. Mes parents sont très habiles et, à mes yeux, ils excellent tous deux dans plusieurs domaines. Je ne les entends jamais dire: "Je ne suis pas capable". Mon père est menuisier et il travaille dans une manufacture de chaises. Ma mère est une excellente cuisinière, elle gère le budget familial et confectionne tous nos vêtements. En plus de leurs occupations respectives, mes parents tiennent un restaurant à Richmond. Ma mère y travaille le jour et mon père l'aide les soirs et les fins de semaine. Ma mère est une bonne femme d'affaires et mon père est excellent pour la seconder dans toutes ses entreprises.

Aussi loin que je puisse me souvenir, j'ai toujours vu mes parents travailler énormément. Nous ne sommes ni riches, ni pauvres. Ma famille a tout juste assez d'argent pour vivre, sans plus. Bien que le travail domine leur vie – d'où ma croyance "vivre égale travailler" – mes parents savent également *se détendre et se distraire* en organisant des soirées de famille pour jouer aux cartes, danser ou *simplement avoir du plaisir ensemble.*

Même si ces années de guerre sont difficiles pour nous, la bonne organisation de ma mère et le soutien constant de mon père font que ma famille ne manque jamais de rien. Mes deux soeurs aînées sont placées au pensionnat du couvent quand ma mère accouche de sa cinquième fille qui arrive un an et demi après moi. Cette petite dernière est souvent confiée à la garde d'une de mes tantes. J'ai donc souvent l'impression d'être fille unique, les deux plus grandes étant au couvent, la plus jeune chez ma tante et mon autre soeur, d'un an et demi mon aînée, étant toujours sous les jupons de maman. La plupart de mes souvenirs d'enfance me ramènent aux côtés de mon père.

Fillette, je suis blonde, assez rondelette et j'obtiens beaucoup d'attention de lui. Je n'ai d'yeux que pour lui et le talonne partout. J'aime m'asseoir sur la petite chaise berçante qu'il a lui-même fabriquée et de là, observer tout ce qui se passe autour de moi. Je suis très attentive, je regarde tout et j'observe bien plus que je ne parle. Je ne me souviens pas de ce qui se passe dans ma petite tête d'enfant mais ce qui est clair dans ma mémoire, c'est que je ne suis pas toujours d'accord avec ce que je vois car je critique beaucoup et ce, depuis que je suis très jeune.

Ce qui me caractérise déjà, c'est ma détermination. Je suis une enfant très décidée, je sais ce que je veux et n'arrête qu'après l'avoir obtenu. Ma soeur qui a un an et demi de plus que moi finit toujours par plier. J'ai souvent le dessus sur elle. Mais bien que j'aie toujours l'air d'une petite fille remplie d'assurance qui fait son chemin, je suis aussi très sensible, chose qu'en général je cache assez bien. Ce que

16

MON ENFANCE

je ne sais pas encore c'est que *cacher sa vulnérabilité ne fait que renforcer la peur plutôt que de l'éliminer.* J'y reviendrai plus loin dans le livre.

À la venue de chaque nouvelle grossesse, maman porte toujours en elle l'espoir de mettre au monde un petit garçon car cela ferait très plaisir à mon père. Alors pour m'assurer l'amour de ce dernier, j'agis à la dure comme un petit garçon. D'ailleurs on m'appelle "le petit garçon manqué". Ce surnom a eu beaucoup d'influence sur ma vie par la suite car j'ai longtemps essayé de prouver que je n'étais pas "manqué" comme "homme". D'une part je veux être le garçon idéal que mon père attend et d'autre part, j'entends ma mère se plaindre de mon père qui n'est pas assez entreprenant. Je décide donc qu'un homme idéal est un homme entreprenant. En devenant ce genre d'homme je fais donc plaisir aux deux... mais à quel prix! Déjà très jeune je me force. À ce qu'on m'a dit, je pleure souvent vers l'âge de quatre et cinq ans. Je trouve peut-être déjà trop lourd ce contrôle que je m'impose pour être aimée davantage.

Me considérant trop pleurnicharde, ma mère prend donc la décision de me placer pensionnaire au couvent que mes soeurs fréquentent déjà, au village de Saint-Félix de Kingsey. Nous sommes en février 1946 et j'ai cinq ans. Ce couvent ne compte que deux classes, une classe pour les élèves de la première à la sixième année et l'autre pour ceux de la septième à la onzième année. La maternelle n'existe pas encore à cette époque. Ma mère a pris cette décision pour faciliter mon entrée en première année qui est prévue pour l'automne suivant. Il me reste quatre mois avant la fin de l'année pour suivre les religieuses pas à pas et m'habituer à la vie scolaire. Ma mère en a ainsi convenu avec les religieuses. En se libérant de cette façon, elle peut ainsi se consacrer davantage au restaurant et à mes trois autres soeurs cadettes.

Comme il n'y a pas de hasard, déjà à cette période de ma vie *tout se déroule en fonction de ce que je vais accomplir plus tard*. La religieuse qui enseigne la première année décide que je suis suffisamment intelligente pour faire ma première année pendant ces quatre mois-là. Elle me consacre tous ses moments de liberté pour m'enseigner les notions déjà vues avant mon arrivée. Je me revois encore debout à ses côtés. Elle est de garde au dortoir et s'occupe de moi tout en surveillant les autres élèves qui font leurs lits ou le ménage. Elle m'enseigne des prières. Après les heures de classe elle m'apprend à lire dans une grande salle où elle est de surveillance pendant que les élèves étudient en silence. Elle m'installe à son pupitre et, à la moindre erreur, me donne un bon coup de règle sur les jointures des doigts. Quand je n'apprends pas assez vite, je suis également punie. Aussi je trouve très difficile de m'adapter à la nourriture du couvent. Pour au moins un repas par jour, on me force la nourriture dans la bouche. Parfois mes soeurs aînées ont pitié de moi et offrent de manger mes repas à ma place. Je verse beaucoup de larmes. Je ne comprends pas ce qui m'arrive.

Je me sens poussée injustement et je critique beaucoup cette religieuse. Je ne réalise pas qu'*on devient ce qu'on critique* et que la pousseuse en moi est en voie de développement. Je dois constamment accélérer mon rythme d'assimilation si je veux réussir mon année pour la fin du mois de juin. Croyez-le ou non, je réussis mes examens! J'accède donc à la deuxième année aux côtés de ma soeur qui a un an et demi de plus que moi. En dehors de cette

MON ENFANCE

religieuse et de mes études qui se terminent généralement dans les larmes, je ne garde qu'un vague souvenir de mes activités de ce temps-là.

Les commentaires que mes soeurs et moi faisons à nos parents sur le couvent sont peu élogieux; nous y sommes malheureuses toutes les quatre. Ma mère met fin à nos supplications en nous transférant dans un autre couvent l'année suivante. Je suis externe cette fois-ci, dans la petite ville de Richmond où ma famille habite.

Malgré mon jeune âge je prends une grande décision: dorénavant, plus jamais personne ne me tapera sur les doigts sous prétexte que je ne vais pas assez vite ou que j'ignore quelque chose. Je n'accepte pas de me sentir abaissée ou niaiseuse. Après cet épisode je me fais un devoir de tout apprendre à fond et d'être la plus rapide de la classe. Dès lors je suis presque toujours arrivée première de classe.

Lorsque j'ai appris le pouvoir du pardon, j'ai enfin pu réaliser et reconnaître le bon côté caché de mon expérience avec cette religieuse. Auparavant, je ne parvenais à voir que son côté marâtre. Graduellement, j'ai fini par voir les punitions et les exigences de cette religieuse comme étant une expérience bénéfique pour moi. Elle a cru en moi, en mes capacités d'apprendre rapidement; elle était sûre que je pouvais réussir mon année scolaire en un temps record. J'avais besoin de quelqu'un comme elle sur mon chemin. Aujourd'hui je la remercie de tout mon coeur car elle m'a aidée à développer la croyance "je suis capable de réussir". Je lui en ai cependant voulu pendant plus de trente ans. Quel soulagement, ce pardon!

19

JE SUIS DIEU WOW!

Après cette décision de ne plus me sentir abaissée, j'apprends à devenir plus responsable et à prendre des décisions rapidement. Je réalise vite que plus j'attends avant de me décider, plus je doute et plus il m'est difficile de passer à l'action. Même très jeune, j'aime mieux me tromper que ne rien faire. J'ai vite compris que c'est dans l'expérience que nous apprenons le plus vite.

Tant que je suis dans l'action, je suis heureuse car j'apprends. Je ne sais pas, à ce moment-là, que *quand une personne hésite, ce sont souvent ses peurs basées sur de mauvaises croyances qui font surface, la font douter et finalement lui font prendre la mauvaise décision.*

Le fait d'être une enfant d'action m'aide beaucoup à être la préférée des religieuses. Ma ponctualité, mon dévouement, mon intérêt pour les études, font que je suis une élève privilégiée tout au long de mes études. Sans compter que je me démarque des autres avec mes excellentes notes. Grâce à ma soif d'apprendre, je suis facilement intéressée par tout ce qui est nouveau. Les sujets les plus divers me fascinent, à l'exception de l'écriture et la composition... Et pourtant me voilà aujourd'hui écrivain! On ne sait vraiment jamais ce que l'avenir nous réserve... C'est bien la preuve que l'on doit toujours laisser une porte ouverte à toute éventualité!

En septième année, la religieuse qui m'enseigne juge bon de me faire sauter une année scolaire et me faire passer directement en neuvième année. Elle me trouve assez intelligente et assez studieuse pour y parvenir. Pour la deuxième fois dans ma vie, je croise une religieuse qui croit en moi! En ce temps-là, la huitième année n'est pas très difficile, les matières ardues étant plutôt concentrées dans les septième et neuvième années. Un mois avant la fin de

MON ENFANCE

ma septième année, la religieuse en question m'offre donc l'opportunité d'assister aux examens de huitième année en me remettant tous les livres d'études nécessaires. "Lise, si tu as le goût, dans tes temps libres, tu peux étudier tous ces livres. Je te donne la permission de te présenter aux examens de huitième année. Si tu les réussis, tu iras directement en neuvième année!" WOW! Quelle chance! Je suis bien sûr très excitée. ("**WOW**" a toujours fait partie de mon vocabulaire). Je ne me laisse pas intimider par l'énormité du travail que tout cela peut représent

Le défi qui se présente à moi ne représente pas une corvée mais plutôt une chance inouïe, une faveur que l'on m'accorde. Résultat? L'année suivante, à l'âge de douze ans, j'entreprends ma neuvième année parmi les filles de quatorze et de quinze ans. Je me sens un peu dépaysée au début car depuis plusieurs années j'étais avec les mêmes compagnes. Maintenant, je fais partie des "grandes". Je me sens importante. Cependant, je ne me prends pas pour une autre. J'ai tellement entendu les religieuses me dire depuis plusieurs années que c'est le "petit Jésus" qui m'a donné tout ce talent, que ça ne vient pas de moi et que je dois m'en servir pour aider les autres. C'est une conviction qui m'a toujours suivie. Je me sens très vite acceptée par mes nouvelles compagnes de classe.

Malgré mon jeune âge, je fais preuve de beaucoup de maturité et me montre très responsable. Chaque année, les religieuses me mettent en charge de différentes activités incluant les récréations. Si je m'engage dans quelque chose, je m'en occupe jusqu'au bout. Mes qualités de chef sont déjà très apparentes et c'est avec beaucoup de joie que j'accepte chaque nouvelle responsabilité. Comme je mène à bien les tâches qui me sont confiées, les religieuses m'en délèguent d'autres en toute confiance.

Ma vie scolaire est bien importante mais je suis également très responsable dans mon entourage immédiat. Chez moi je me sens heureuse, je fais mes travaux scolaires assez rapidement, ce qui me laisse beaucoup de temps pour jouer ensuite. Je ne suis pas une enfant difficile. Je n'ai d'ailleurs aucun souvenir d'avoir été vraiment punie ou disputée par mes parents. Mes qualités de chef se manifestent aussi avec mes amis. J'ai l'esprit très entreprenant, je dirige les jeux et les autres enfants qui viennent jouer dans ma rue. Pour moi c'est naturel, inné. Que ce soit à l'école, à la maison ou dans la rue, j'aime mettre mes facultés de meneuse à l'épreuve. *Je suis déterminée et je m'arrange pour obtenir ce que je veux en passant à l'action.* Personne ne s'en plaint et j'ai beaucoup d'amies qui acceptent joyeusement mes suggestions de jeux et mon désir de diriger nos activités.

Parfois j'entends mes soeurs critiquer mes parents. Je ne peux pas concevoir comment et pourquoi elles se permettent de les critiquer alors qu'ils travaillent si fort pour s'occuper de nous tous. J'ai beaucoup de difficulté à accepter leur attitude. Je me souviens de l'époque où ma soeur aînée qui a environ seize ans réagit beaucoup à l'autorité de maman. J'ai à peu près douze ans et je vois ma mère en pleurer à plusieurs reprises. Si elle lui demande d'arriver à une certaine heure, ma soeur s'arrange immanquablement pour arriver beaucoup plus tard. Un jour ma mère lui demande pourquoi elle est rentrée si tard en lui disant: "Tu sais que je m'inquiète et que je n'arrive pas à m'endormir tant que tu n'es pas rentrée chez nous." Et ma soeur de lui répondre: "C'est ton problème si t'es pas capable de dormir et si tu t'inquiètes!" Comme je suis témoin de la scène, je ne peux m'empêcher de répliquer: "Ça n'a pas d'allure d'être sans coeur comme toi! Tu ne vois pas combien maman travaille fort, elle a une grosse tâche et elle a besoin de ses nuits de sommeil! Pourquoi es-tu si dure avec elle?" Et, me regardant de toute sa hauteur, elle réplique: "Toi la p'tite, mêle-toi donc de tes affaires, ça ne te concerne pas!" Elle a raison dans le fond. Mais je ne peux pas le voir ainsi car je vis toujours de la colère quand je vois ma soeur agir de façon si égoïste. Je la juge beaucoup. Je ne réalise pas que j'ai décidé d'être raisonnable pour être aimée davantage et ma soeur se permet quelque chose que je n'oserais jamais faire, ni dire.

Au moment de cet incident, mon père est dans la cuisine. La plupart du temps, quand il est à la maison c'est comme s'il était absent parce qu'il ne parle pas souvent. Mais cette fois-ci il s'écrie: "Elle est peut-être beaucoup plus petite que toi mais elle est "saprement" plus raisonnable!" Cette réflexion de mon père n'est pas tombée dans l'oreille d'une sourde. Cela m'a énormément impressionnée parce qu'en général c'est maman qui s'occupe des enfants et il est très rare que papa fasse des commentaires de ce genre. Il prend ma défense! WOW! Ce que j'entends, c'est qu'il m'aime parce que je suis une enfant raisonnable. Ça vient confirmer que ma décision d'être une enfant modèle est la bonne.

Plus tard, quand je commence à sortir à mon tour, je ne mens jamais à ma mère et je lui dis toujours l'heure à laquelle je prévois rentrer. Si je suis un peu en retard, je lui téléphone pour l'en aviser. Je veux être plus raisonnable que ma grande soeur, c'est-à-dire plus aimée de mon père et de ma mère. *Je juge ma soeur quand elle cache des choses à mes parents pour réaliser plus tard que je suis devenue experte à me mentir à moi-même.* Je suis devenue consciente avec le temps que *vouloir être aimée demande beaucoup de contrôle et qu'en conséquence je renie mes vrais besoins.* Beaucoup de choses nous arrivent quand nous sommes très jeunes et elles nous font prendre toutes sortes de décisions qui affecteront notre vie future. Nous découvrons ce que nous devons faire pour être aimés. Depuis notre jeune âge nous cherchons à être de plus en plus aimés et nous apprenons à faire toutes sortes de pirouettes pour l'être encore davantage. Pour en revenir à mes soeurs, aujourd'hui je réalise qu'elles avaient le droit de ne pas être d'accord avec l'attitude de ma mère et qu'elles avaient leur façon particulière de l'exprimer. Le problème était que mes parents n'avaient jamais appris à écouter véritablement et à voir ce qui se cachait derrière ces critiques. Et moi je n'agissais guère mieux. Je jugeais mes soeurs parce qu'elles critiquaient ma mère et je les critiquais de la juger. J'étais donc exactement pareille à elles. Je ne savais pas encore que *l'on devient ce que l'on critique, même si c'est souvent exprimé différemment.*

Maman est une femme d'affaires, une femme de carrière. Très avant-gardiste, rien ne l'empêche de s'occuper à la fois de ses commerces et de ses nombreux enfants. Jusqu'à mes onze ans, mes parents sont propriétaires de plusieurs restaurants. Maman arrête de travailler quelques semaines, tout juste le temps d'accoucher et elle repart de plus belle. Mon père travaille à l'usine de sept heures du matin à six heures du soir, pour ensuite travailler jusqu'à minuit au restaurant. Les fins de semaine, mes parents se relaient pour passer du temps avec nous. Mon père joue dehors avec nous. L'hiver il nous fait glisser. Quelle patience il a avec

MON ENFANCE

nous! Avec ma mère, je nous revois plutôt assises autour d'une table faisant des casse-têtes. Pour chaque dix morceaux trouvés nous avons droit à un bonbon! **WOW!** Quelle récompense! Les bonbons sont rares à cette époquelà.

J'ai surtout des bons souvenirs de mon enfance. Je me sens en sécurité avec mes parents. Tous deux démontrent peu leur affection et la vraie communication est rare mais leur présence est sécurisante. *Ils ont une grande volonté de nous donner le meilleur d'eux-mêmes.* Mes frères et soeurs gardent aussi les mêmes souvenirs sécurisants.

Ma mère peut tout confectionner: des uniformes de couvent aux ensembles de neige et des robes de toilette aux manteaux pour la messe du dimanche! Dès qu'elle a une minute de libre, elle coud. Elle utilise même des vêtements usagés qui lui sont donnés et les retaille. Elle est très créative. Son temps est partagé entre son restaurant, sa couture, les études des enfants, le budget familial, etc. Mes parents sont tous deux super actifs.

Je ne me souviens pas d'avoir souvent critiqué ma mère, sauf à deux occasions bien particulières:

J'ai neuf ans et je désire une paire de patins à glace. Comme j'hérite toujours des choses de mes soeurs aînées, j'ai à porter leurs souliers et leurs patins. Mais je grandis très vite et, avec des pieds proportionnels à ma grandeur, je ne suis plus confortable dans leur chaussures. Ne pouvant plus supporter d'avoir les pieds gelés dans des patins trop étroits, je décide que pour l'hiver suivant, j'aurai une paire de patins neufs, à ma taille. Il est bien entendu hors de question que mes parents me les offrent. Comme je suis une enfant décidée, *je passe à l'action!*

JE SUIS DIEU WOW!

Je cherche donc du travail pour me faire un peu d'économies. Je commence à me mettre de l'argent de côté en gardant les enfants des voisines. Je gagne de vingt-cinq à cinquante sous par soir. Comme je partage ma chambre avec trois de mes soeurs, il m'est impossible d'y cacher mon argent en toute quiétude et je le confie donc à ma mère. Je ne sais pas d'où vient cette peur de me le faire voler mais, au fur et à mesure que j'en gagne, je le remets aussitôt à ma mère. À l'approche de l'hiver et selon mes calculs, mes économies sont suffisantes pour me permettre de m'offrir mes patins. Je choisis la plus belle paire de patins blancs, de fantaisie, qui coûte alors dix dollars. Lorsque vient le temps de réclamer mes dix dollars à ma mère, elle me répond: "Quels dix dollars? Tu ne m'as jamais donné dix dollars!" Je suis stupéfaite: "Mais maman, je te donnais mon argent à mesure que je le gagnais. Ça fait des mois que tu le mets de côté pour moi. J'ai tout compté et il me revient dix dollars." Et ma mère de répondre: "C'est impossible, tu te trompes sûrement. Je me souviens d'avoir reçu des vingt-cinq sous et des cinquantes sous de temps en temps mais jamais dix dollars! Un ou deux dollars tout au plus!" Je suis renversée! J'en pleure toutes les larmes de mon corps.

Il faut dire qu'en ce temps-là, nous sommes sept enfants et nourrir une famille de neuf personnes coûte environ vingt-cinq dollars par semaine; alors mon dix dollars représente beaucoup d'argent. Je suis dans tous mes états. J'en veux à ma mère. Je la trouve injuste, d'autant plus qu'elle n'offre même pas de m'acheter d'autres patins même moins dispendieux! J'ai l'impression que je ne suis pas importante. Elle ne s'aperçoit même pas de mon désarroi! Je ne savais pas, à l'époque, que *la peur a un grand pouvoir de créer* et que ma peur de me faire prendre mon argent s'est manifestée.

Le mois suivant, je suis clouée au lit avec une amygdalite. Je passe tout le temps des fêtes au lit, puis je dois être opérée. Je sais aujourd'hui que cette maladie est la conséquence physique de cet incident. Je vivais une grosse colère envers ma mère, sans pouvoir l'exprimer car une petite fille raisonnable ne dit pas à sa mère qu'elle lui en veut. Cet incident a eu un gros impact dans ma vie. J'ai pris la ferme décision que, pour faire de l'argent, je dois m'en charger moi-même, qu'il faut travailler fort, que c'est très difficile et qu'il faut surtout que je fasse attention de ne pas me le faire enlever par les autres.

Aussi, au même moment, ma mère vient d'accoucher de son neuvième enfant qui est le premier garçon de la famille. Tous disent qu'enfin mon père doit être heureux d'avoir son fils tant désiré. J'ai très peur de perdre ma place. La forte fièvre qui accompagne mon amygdalite représente la colère que je vis face à la peur de perdre ma place auprès de mon père. Les deux incidents arrivent presque simultanément. Je crois qu'ils sont soulagés par cette fameuse fièvre car j'ai appris depuis que le corps se libère souvent d'une colère refoulée par une poussée de fièvre.

L'autre point sur lequel je juge ma mère, c'est l'attitude qu'elle a face à mon père. Je suis en adoration devant mon père et je ne peux lui trouver aucun défaut. Bien qu'il soit peu démonstratif, il appuie son épouse dans toutes les décisions qu'elle prend. Il est toujours là pour la seconder, dans l'ombre mais toujours présent. Pourtant, quand elle parle de lui, c'est souvent en des termes peu élogieux: "Une chance que vous m'avez les enfants... si c'était seulement de votre père, vous n'auriez pas tout ce que vous avez!" ou bien "Une chance que je suis là pour veiller à ce qu'il y ait assez d'argent pour tout le monde!" Ma mère est certes plus entreprenante que mon père, mais j'ai su beaucoup plus tard qu'il lui arrivait d'avoir peur. Cependant, son courage est tellement grand et elle se montre si sûre d'elle que personne ne s'en aperçoit. D'ailleurs, c'est volontairement qu'elle cache à mon père ses peurs et les risques qu'elle prend, pour ne pas l'inquiéter. Même s'il parle peu, elle peut sentir son inquiétude. Ils sont comme bien des couples: *au lieu de se partager ce qu'ils vivent, ils se le cachent, se créant l'illusion que le problème n'existe pas.*

Comme je ne sais rien de ces détails-là plus jeune, je reproche à ma mère d'être injuste envers mon père, de trop le dominer et de tout décider pour lui. Cependant je n'ose pas le lui dire, je le garde en moi. D'un autre côté je reproche aussi à mon père, intérieurement, de ne pas s'affirmer assez devant ma mère, se taisant au lieu de répondre quand ça serait bon de le faire. Comme l'on devient ce que l'on critique, vous verrez dans un prochain chapitre que je suis devenue dominante comme ma mère et que j'ai adopté avec mon conjoint la même attitude qu'elle avait avec mon père.

Un autre événement qui se passe au couvent me marque beaucoup. J'ai neuf ans et je suis en cinquième année, occupée à faire mon examen de fin de mois. Je suis très ambitieuse face à mes études et cet examen compte beaucoup pour moi, d'autant plus qu'il est minuté et qu'il me faut performer à mon maximum. Nous avons un temps limité pour répondre aux questions et, aussitôt que la minuterie sonne, nous devons remettre nos copies sur le bureau de la religieuse. À cette époque nous n'avons pas le droit de faire nos examens avec des stylos à bille. Nous

MON ENFANCE

utilisons de vraies plumes à pointe que nous devons tremper dans un encrier. J'ai à peine commencé mon examen quand la pointe de ma plume se casse entre mes doigts. J'ouvre vite mon pupitre pour prendre une nouvelle pointe; plus de pointes! Prise de panique, je me mets à pleurer. La religieuse arrête la minuterie et me demande: "Lise, pourquoi pleures-tu?" En sanglotant, je lui explique ce qui m'arrive: "Ma pointe est cassée et je n'en ai pas d'autre!" Elle me dit: "Viens ici, en avant!" Elle me place en face de toute la classe qui compte une trentaine d'élèves puis elle dit tout haut: "Voulez-vous voir de quoi ça a l'air un grand bébé qui pleure pour rien?" Puis se tournant vers moi, elle ajoute: "Tu ne pouvais pas lever la main et demander une pointe?" "Bien... je croyais que je n'avais pas le droit de le faire puisque vous avez dit que pendant les dix minutes de l'examen il devait y avoir silence complet." "Oui, mais quand ai-je dit que je ne donnerais pas de plume si quelqu'un en avait besoin?" Tu ne peux pas toujours avoir les deux pieds dans la même bottine comme ça, il faut que tu apprennes à te débrouiller! Tout ce que tu avais à faire, c'était de lever la main et demander une plume. J'aurais alors demandé à quelqu'un de t'en prêter une!" La religieuse me fait retourner à ma place, j'emprunte une pointe d'une compagne de classe et l'examen continue. Je me sens très humiliée. Imaginez! Une première de classe qui se fait traiter de la sorte devant les autres. Je vois seulement qu'elle me fait passer pour niaiseuse et ça, je ne le digère pas, moi qui fais tout pour être la plus intelligente, la plus capable, la plus raisonnable!

Je ne réalise pas encore que *tant qu'un incident n'est pas accepté dans l'amour, il continue de se reproduire dans notre vie.* Je n'avais pas accepté la religieuse de

29

première année qui me traitait de bébé parce que je pleurais souvent alors il a fallu que j'en croise une autre sur ma route. *Tout ce que j'avais à faire c'était de voir leurs bonnes intentions et le désir de m'aider* mais je ne l'avais pas encore appris à cette époque-là.

Cet incident marquant me fait prendre une autre décision: celle de m'arranger pour ne plus jamais passer pour un grand bébé parce que je pleure. Je n'ai plus pleuré jusqu'à l'âge de dix-sept ans. Même une fois adolescente, avec l'avènement de la télévision, je ne verse pas la moindre petite larme en regardant certaines émissions pourtant tristes. Tout le monde pleure (la sensibilité est de famille) mais pas moi parce que personne ne doit me prendre pour un grand bébé. Alors je refoule beaucoup et je contrôle mes larmes. Aussi, comme je désire secrètement être un garçon, c'est une raison de plus pour ne pas pleurer. Un homme ça ne pleure pas (je n'avais encore jamais vu mon père pleurer).

Pendant plusieurs années, je fais tout pour projeter l'image de quelqu'un de très fort. *J'essaie toujours de me prouver que je suis capable et forte car je n'y crois pas vraiment. Quand on y croit, on n'a plus besoin de le prouver.* Je ne suis pas encore consciente de cette force, de cette puissance intérieure en moi.

DIEU a une grande place dans ma vie. C'est évident pour moi, avec mes parents catholiques et pratiquants (nous allons à la messe tous les dimanches) et mes études dans des couvents tenus par des religieuses. Malgré tout, je me questionne beaucoup et souvent. J'entends les religieuses parler du "petit Jésus qui va te punir" et je n'y comprends rien. D'un côté, on enseigne que **DIEU** est la bonté même, que Jésus est venu sur la Terre pour sauver les hommes et

MON ENFANCE

d'un autre côté, j'entends aussi: "Tu risques d'aller en enfer où tu vas brûler pour l'éternité si tu commets un péché mortel". Pour nous le prouver, on nous montre des dessins du démon au milieu des flammes de l'enfer avec sa fourche brûlante et beaucoup de feu, d'où les âmes damnées ne reviennent jamais! Je ne peux croire qu'un **DIEU** si juste ne donne de chance à personne. Et si parfois on est méchant – mais pas trop – on court la chance d'aller au purgatoire, entre l'enfer et le ciel. Après une très longue attente au purgatoire, on a la chance d'aller au ciel. Voilà mon éducation religieuse.

Une fois par mois, nous devons aller nous confesser pour pouvoir communier sans aucun péché sur la conscience. Je passe des journées complètes à me trouver des péchés parce qu'il faut que j'aie quelque chose à me faire pardonner. On nous dit qu'il est impossible d'être de nature suffisamment bonne pour n'avoir commis aucun péché. Je m'accuse donc d'avoir menti ou vécu de la colère ou parfois d'avoir pris des cinq sous dans le portefeuille de ma mère. Il faut même mentionner combien de fois. Je n'aime pas aller à la confesse. Ça m'humilie d'aller parler de mes choses intimes à un inconnu. *Je veux tellement être parfaite que j'ai peur d'être mal jugée en avouant des choses pas correctes.*

Plus tard, adolescente, j'ai une peur bleue de me confesser car j'ai de vrais péchés! Embrasser un garçon ou avoir des mauvaises pensées (penser au sexe) sont de graves péchés et j'ai honte d'avoir à m'accuser de cela. Je continue à me confesser régulièrement car j'ai peur de mourir en état de péché. J'ai du mal à croire que **DIEU** puisse être si sévère et que nous devons l'appeler le "bon **DIEU**". Aussitôt que j'ai une pensée de doute envers la religion, les religieuses ou **DIEU**, je me sens coupable car qui suis-je pour oser contester **DIEU** ou les représentants de **DIEU**? J'étouffe cette petite voix en moi. Je ne sais pas que cette petite voix est la chercheuse en moi qui veut tout savoir. *Chercher et vouloir trouver la vérité est une partie de soi très importante à écouter et à respecter.*

Comme je l'ai mentionné plus tôt, j'ai un sens inné de l'observation. Déjà je fais beaucoup de synthèses dans ma tête. À l'école, je regarde les élèves (couvent pour filles seulement) et il y en a qui viennent de familles si pauvres qu'elles n'ont même pas de souliers. L'hiver quand elles enlèvent leurs bottes, elles doivent rester en pied de bas (chaussettes). D'autres portent de vieux souliers tout troués. Il m'est difficile de me laisser aller à aimer ce *DIEU* même si mon coeur le désire beaucoup, car je le trouve très injuste. Les religieuses isolent celles qui ont des poux pour nous éviter de les attraper. Celles qui ont des difficultés d'apprentissage deviennent la cible des moqueries les plus diverses. Et moi je me vois avec beaucoup de talent, toujours première de classe, toujours "chouchoutée", bénéficiant de faveurs spéciales des religieuses, de mon père (dont je suis aussi la préférée) et aussi de ma mère. Je trouve tout ça vraiment injuste et je me dis intérieurement: "Mais c'est ça la justice divine?" Je trouve inégal, injuste, que certains viennent au monde avec tant d'épreuves à surmonter, tant de douleurs et de choses difficiles à vivre, et que ce soit en plus ceux-là qui ont le plus de travail à faire.

Les religieuses nous apprennent que nous n'avons qu'une vie à vivre et qu'il faut tout accomplir dans cette vie, sinon l'enfer ou le purgatoire nous attendent. Comment arriver à trouver un sens ou expliquer la vie de ces gens qui n'ont rien, qui naissent dans un milieu défavorisé et qui

MON ENFANCE

sont continuellement mis à l'épreuve? Leur cheminement est beaucoup plus difficile comparé à celui des plus fortunés comme moi et, en plus, ils commencent leur vie avec des points en moins. Dans tout ça, il m'est impossible de trouver la justice divine. Je me sens donc coupable d'avoir tant reçu et je décide que c'est ma responsabilité d'aider ceux qui sont moins fortunés. Ce n'est que plus tard que je réaliserai que *ma motivation pour aider les autres n'est pas la bonne. Elle est basée sur la culpabilité*. Je m'attends que la personne aidée soit reconnaissante et devienne plus heureuse.

Cette fameuse recherche de justice divine se règle finalement quand, plusieurs années plus tard, je découvre la théorie de la réincarnation. Quand j'en entends parler au début, j'ai peur d'y croire. Changer de croyance fait souvent peur à l'être humain. Le jour où finalement je rencontre quelqu'un qui peut me l'expliquer de façon satisfaisante, j'éprouve un immense soulagement intérieur.

Je recommence à être bien face à **DIEU**. Enfin je comprends qu'en réalité l'âme est éternelle mais qu'elle revient sur la terre des milliers de fois pour vivre plusieurs expériences dans toutes sortes de situations différentes, de corps différents, de milieux différents, de pays différents, etc. L'âme continue à revenir et à chaque fois, elle prend une enveloppe différente car notre corps est tout simplement un véhicule nous permettant de vivre sur le plan terrestre. Notre âme utilise ce véhicule pour apprendre à aimer dans des situations diverses. C'est comme à chaque jour de ma vie, je change de vêtements selon les circonstances de la journée mais sous ces vêtements, je suis toujours la même personne.

JE SUIS DIEU WOW!

La personne très spéciale qui m'a expliqué la théorie de la réincarnation fut le Dr. Herbert L. Beierle, docteur en théologie, en parapsychologie, en psychologie et en philosophie. Il réside en Californie mais enseigne à travers le monde. Il a su mettre en lumière tous les points qui n'étaient pas encore clairs pour moi. Alors j'ai réalisé que tout ce qui nous arrive fait partie d'un plan divin et qu'il existe une suite logique d'une vie à l'autre. *Ce plan divin veut que tout soit vécu dans l'amour et la compassion envers soi et les autres.* Ceux qui refusent cette voie choisissent des routes plus difficiles, plus souffrantes. Si quelque chose n'est pas réglé dans l'amour dans une vie, ça devra l'être tôt ou tard, dans une autre vie. C'est comme quand je n'ai pas terminé quelque chose une journée; je peux continuer le lendemain. L'âme a donc une vie mais elle ne meurt jamais. Elle doit vivre plusieurs vies terrestres pour arriver à sa perfection divine. C'est le corps physique seulement qui meurt et qui retourne à l'énergie terrestre. Une vie terrestre pour l'âme peut être comparée à une journée pour le corps physique. Alors, croire à la réincarnation a été très bénéfique pour moi jusqu'ici. Je continuerai à y croire tant que ça le sera. J'ai appris que c'est la seule raison pour laquelle on doit garder une croyance. *Pour le moment, ça m'aide à développer ma foi en DIEU et à prendre ma vie en mains* car je sais que tout s'enchaîne d'une vie à l'autre et que je récolte toujours ce que j'ai semé. *Le simple fait de savoir que ma vie est ma responsabilité, mon choix fut la clé pour m'ouvrir la porte vers ma liberté.* Je peux créer ma vie selon mes choix! **WOW**!

La recherche de la justice a marqué ma jeunesse et elle s'est poursuivie jusque dans ma vie d'adulte. Même si tout était en ma faveur, en réalité je trouvais ça injuste que j'aie quelque chose et qu'un autre ne l'ait pas. Aussi j'avais trouvé injuste que ma mère ne garde pas mon argent pour mes patins. Par la suite, *j'ai eu tellement peur d'être injuste que je le suis devenue.* J'en reparlerai plus loin dans le livre.

À l'été de mes onze ans, mes parents vendent le restaurant qu'ils exploitent depuis quelques années et louent un chalet au bord d'un grand lac dans la région d'Asbestos. Ce chalet comprend aussi un restaurant d'été avec une façade ouverte vers l'avant. Les gens viennent en voiture et font leur commande. En arrière du restaurant se trouve l'appartement pour la famille avec une cuisine, un salon et plusieurs chambres à coucher. Nous sommes alors neuf enfants, huit filles et un garçon, et nous déménageons là pour l'été seulement. C'est une fête extraordinaire. Nous sommes tous tellement excités que nous dormons à peine la première nuit. C'est comme si nous partions pour trois mois de vacances avec nos parents!

Pendant tout l'été nous aidons ma mère à s'occuper du restaurant et mon père voyage soirs et matins pour aller travailler à la manufacture, ce qui donne à peu près une demi-heure de route. Je me fais de nouveaux amis, des filles et des garçons très intrépides et plus âgés que moi. Avec eux, j'apprends à nager et comme je suis très souvent dans le lac, je découvre ma passion pour l'eau. En cachette de mes parents, je nage très loin de la rive et je plonge en profondeur. C'est un été de rêve.

Ce qui est encore plus excitant, c'est que cet été-là mes parents achètent une maison. Nous n'avons encore jamais eu notre propre maison. La pensée de quitter un appartement de cinq pièces et demie pour déménager dans une grande maison de dix pièces, située en pleine campagne, me remplit de bonheur! La maison où nous emménagerons a une immense cuisine, une cuisinette d'été, un salon, sept chambres à coucher, un garage et un atelier pour mon père. C'est le grand luxe, le paradis! Toute la famille est heureuse. Deux déménagements dans la même année peuvent sembler beaucoup mais *la nouveauté apporte souvent plus de piquant que de problèmes.* En plus, pour la première fois depuis ma naissance, ma mère n'aura pas de commerce! Avec les profits de la vente du restaurant, mes parents peuvent s'acheter cette maison-là et vivre du salaire de mon père.

Le souvenir de notre arrivée dans notre nouvelle maison est encore vibrant en moi. Nous courrons d'une chambre à l'autre, essayant de deviner quelle chambre sera la nôtre. Naturellement ce sont mes parents qui ont le dernier mot pour le choix des chambres. C'est quand même très excitant parce que nous allons être seulement deux par chambre plutôt que quatre comme dans l'autre appartement! Je sens que maman est très heureuse dans cette maison. Elle a aussi plus de temps pour s'occuper d'elle-même maintenant qu'elle n'a plus de commerce.

Pour moi c'est le grand bonheur parce qu'il y a une rivière derrière la maison et de belles montagnes à l'avant. *J'ai beaucoup d'occasions pour développer mes talents d'aventurière, mes qualités de courage et d'audace, de détermination.* Aussi je peux réaliser à quel point mes parents me font confiance.

La rivière Saint-François, à l'endroit où nous vivons, est considérée dangereuse. Il n'y a aucune plage sur les rives et elle est très profonde. Le père d'une de mes amies a un chalet sur une île située au milieu de la rivière. J'apprends très vite à traverser la rivière à la nage pour aller rejoindre

MON ENFANCE

mon amie. Parce que ma mère a une peur bleue de l'eau et ne veut pas nous acheter un bateau, elle me dit: "Eh bien, si tu es si sûre de toi, vas-y, tu peux continuer mais ne me le dis pas quand tu le fais, j'ai trop peur!" *Ce fut pour moi une belle preuve d'amour et de confiance.* Je me suis sentie très importante. Je ne savais pas dans le temps que c'est le genre d'amour que nous recherchons tous, c'est-à-dire être acceptés même si l'autre n'est pas d'accord.

La même confiance règne lorsque je me promène en forêt. Je peux partir très tôt le matin pour ne revenir qu'au coucher du soleil. Je pars avec un sac de nourriture sur le dos et j'emmène souvent mes jeunes frères et soeurs avec moi. Je me sens très responsable quand ma mère dit: "Avec Lise, je sais que vous pouvez y aller parce qu'elle ne se perd pas et qu'elle retrouve toujours le chemin du retour." Je me revois encore prendre soin de marquer les arbres ou de laisser des points de repère pour être sûre de bien m'y retrouver, au retour.

Pendant ces années passées à la campagne, je me vois aussi utiliser les vieux skis de mon père qui n'ont même plus de bâtons. Je pars faire du ski toute la journée. Je pourrais tomber, me blesser et geler sur place mais je m'en sors toujours bien même si j'ai parfois de petits accidents. Une fois, entre autres, je fais du ski une journée où il y a une épaisse croûte de glace sur la neige. Je suis très excitée car je peux aller plus vite. Comme ces vieux skis sont abîmés, leurs bouts sont plats. Je cogne une bosse dans la neige et les skis glissent sous la croûte. Je me retrouve les deux skis plantés sous la croûte jusqu'aux bottes (je n'ai pas de bottines de ski). Ça m'arrête sec, je tombe tête la première sur la croûte. J'ai très peur car je suis dans une position pour me casser les deux jambes. C'est très douloureux et je dois me sortir de cette situation toute seule et sans bâtons! Quand je rentre chez moi, ma mère fait presque une syncope en me voyant. Je ne le sais pas mais j'ai le visage plein de petites coupures; j'ai saigné et le sang a gelé et durci sur mon visage sur le chemin du retour. Ça paraît pire que c'est. Elle ne me dispute pas. C'est comme si elle s'attend à tout venant de moi et elle l'accepte. Je me suis toujours considérée chanceuse. *Je n'étais pas consciente de toute la protection que j'avais autour de moi.*

Il y a aussi un de mes oncles qui a acheté une terre en face de chez nous. C'est un homme très autoritaire et toujours de mauvaise humeur (j'ai su plus tard qu'il avait le cancer). En cachette de lui, mon cousin et moi prenons souvent les deux chevaux qu'il a sur la ferme et nous nous enfonçons dans le bois. Comme ce sont des chevaux de ferme, ils n'ont pas de selles. À plusieurs reprises je tombe de cheval, étant soit surprise par un orage ou par le galop du cheval quand je n'y suis pas encore habituée. Je rentre chez moi coupée par mes chutes ou par des branches d'arbres. Ma mère me regarde et me demande: "Bon, qu'est-ce que tu as fait encore?" Mais ce n'est pas vraiment dit sur le ton de la réprimande. Je sens qu'elle a peur pour moi mais qu'elle accepte mon côté aventurier. Elle ne me défend pas de faire quoi que ce soit. J'aime beaucoup essayer de nouvelles choses. Je n'arrête jamais. Je suis super active. Avec mes parents comme modèles, c'est bien sûr qu'il m'est difficile de rester inactive.

Je ne me souviens pas d'avoir eu peur de me faire réprimander par ma mère. C'est peut-être la raison pour laquelle elle ne me disputait pas.

Alors comment rester insensible à tant de marques de confiance? Au couvent, le même phénomène se produit.

MON ENFANCE

En septième année, la religieuse me regarde droit dans les yeux en me disant: "Toi Lise, tu vas en faire du chemin dans la vie. Tu vas en faire des choses! Tu vas voir, tu auras une vie bien remplie." Je sens qu'elle a une grande confiance en moi et ça me touche beaucoup.

Ces quelques exemples illustrent bien combien je suis gâtée par le support et les encouragements qui me sont accordés, pour que je dépasse toujours mes propres limites, que je devienne de plus en plus consciente de mes capacités. *Tout autour de moi cherche à me transmettre le message que DIEU est en moi et qu'Il peut tout faire.* Il s'agit que je prenne conscience de cette puissance. Tout est là pour ça. En réalité, les gens reflétaient ce que je savais de moi, sans y croire encore!

Ce que je ne sais pas à l'époque, c'est que j'utilise surtout ma puissance mentale pour prouver que je suis bonne, que je suis un garçon "non manqué", que je ne suis plus un bébé pleurnichard ni une niaiseuse. *Plus on veut prouver quelque chose et plus cela signifie que l'on n'y croit pas. Lorsque nous nous mettons à y croire, nous n'avons plus besoin de forcer pour le prouver.* C'est tout simplement là, ça vient naturellement!

En conclusion de mon enfance, il est assez facile de se faire le portrait de la petite fille blonde, très vivante, énergique et déterminée, qui sait où elle s'en va, qui sait ce qu'elle a à faire, qui s'occupe de ses études... qui est aventurière mais qui s'arrange pour être acceptée par ses parents et ses professeurs... qui se montre forte et ne pleure plus pour rien. Je ne réalise pas dans le temps que je n'aime pas être critiquée et que je fais tout pour arriver à mes fins. Je dois souvent manipuler pour faire ce que je veux tout en m'assurant que ce soit accepté par les autres. Déjà c'est important pour moi de ne pas déranger la vie des autres. J'en ai déduit que si je ne dérange pas trop les autres et qu'ils me trouvent raisonnable, ils me laisseront plus libre de faire ce que je veux. Déjà je montre les caractéristiques d'une enfant "Teflon doux"[1] (j'en reparlerai plus au prochain chapitre). Aussi, dès ce jeune âge, je me demande souvent: "Comment se fait-il que je sois venue au monde en fille? Il me semble que la vie est plus juste et plus facile pour un garçon!" Ça ne me dérange cependant pas au point de me rendre malheureuse.

Je me souviens d'une enfance généralement heureuse et je crois sincèrement que ce fut une période équilibrée pour moi. J'y ai trouvé un peu de tout et j'ai pris plusieurs décisions qui ont influencé ma vie future... comme pour tout le monde d'ailleurs. On dit que *notre vie d'adulte est le résultat des décisions que l'on a prises étant très jeunes, inconsciemment bien sûr...* On regarde ce qui se passe autour de soi, on écoute et on prend des décisions. On décide de ce qui est bien, ce qui est mal, on décide de nos croyances. Selon nos croyances, nos valeurs se développent.

1. Ce terme a été inventé par Daniel Kemp, l'auteur de plusieurs oeuvres sur l'enfant Teflon. Pour en connaître plus, se référer aux Éditions E= MC^2.

CHAPITRE 2
MON ADOLESCENCE

En commençant ma neuvième année, à l'âge de douze ans, je me lie d'amitié avec une jeune pensionnaire. Elle ne retourne chez elle qu'une fin de semaine par mois. Je suis très heureuse qu'elle me choisisse comme amie, d'autant plus qu'elle provient d'une famille beaucoup plus riche que la mienne. J'en suis même surprise et honorée car pour moi les gens riches appartiennent à un autre monde. Elle est très grande et toujours habillée à la mode. Elle a l'allure d'un vrai mannequin. Un jour, elle me demande de l'accompagner chez elle une fin de semaine. Dans ma famille, il existe un règlement qui veut qu'aucune des filles n'aille coucher chez des amies. Maman croit qu'en acceptant une invitation, on se crée l'obligation de la retourner par politesse.

J'ai aussi longtemps cru que dans la vie, si je donne je peux m'attendre à un retour. Donc, si quelqu'un d'autre me donne quelque chose, il s'attend à ce que je lui retourne la faveur. *Cette habitude de donner avec attentes cause souvent des problèmes et des émotions.*

Maman nous explique qu'au nombre où nous sommes, elle ne peut pas se permettre de recevoir les amies de chacune de nous. Elle croit aussi que si elle dit oui à l'une d'entre nous, elle ne peut dire non aux autres. Ayant onze enfants, son raisonnement est très logique. Bien que je connaisse ce règlement, j'insiste beaucoup auprès de ma mère, car je désire ardemment aller chez mon amie et je suis déterminée à obtenir sa permission. Alors j'organise tout d'avance et j'explique à ma mère l'entente que j'ai prise avec mon amie: "Elle comprend tout. Elle sait que chez nous on est trop nombreux pour inviter nos amies mais chez elle, ils ne sont que trois enfants. Je lui ai expliqué qu'il n'y a pas assez de place chez nous. Elle comprend très bien que si elle m'invite chez elle, moi par contre je ne peux pas l'inviter ici. C'est bien correct; il n'y a pas de problèmes. Comme elle n'a qu'une seule fin de semaine par mois pour aller chez elle, elle préfère y aller que de venir ici." Maman est rassurée et accepte ma demande.

Une fois de plus, je viens de la convaincre. Cette réussite me fait réaliser que pour la première fois à la maison, on accorde cette permission spéciale, malgré le règlement. Je n'ai jamais osé demander quelque chose de ce genre auparavant. Je suis fière de moi car je défie un règlement mais en ayant la permission de le faire. Je ne suis pas comme ma soeur la plus vieille qui défie les règlements mais sans en avoir la permission. *Ce simple incident me fait prendre conscience de mon pouvoir de créer ma vie. Je comprends que si je veux quelque chose, je dois aller le chercher moi-même plutôt que de m'asseoir et de pleurer dans mon coin en pensant que la vie est injuste.* C'est sûr qu'à la maison il y en a qui se sont plaintes de mes "traitements de faveur": "On le sait bien, elle a toujours ce qu'elle veut, elle!" Ce n'était pourtant pas des passe-droits ni du favoritisme, j'étais tout simplement plus déterminée que les autres.

Aux parents qui ont des enfants faisant preuve d'une pareille détermination, je vous conseille de ne pas les réprimander en leur disant que c'est un vilain défaut. Au

MON ADOLESCENCE

contraire, il est bon de les encourager. De toute évidence, vous n'accédez à leurs demandes que dans la mesure du possible, selon vos capacités et vos limites. Soyez heureux et fiers de vos enfants qui démontrent tant de volonté pour arriver à leurs buts. Ce sont des chefs-nés; ils deviendront capables d'accomplir beaucoup de choses!

Depuis, j'ai appris que les enfants très déterminés sont souvent des enfants Teflon ou enfants nouveaux. Un enfant Teflon est un enfant sur qui la culpabilité ne colle pas. On ne peut pas le manipuler en le faisant sentir pas correct. Un enfant Teflon n'accepte pas un règlement général pour tous, c'est-à-dire une croyance généralisée comme "Telle chose ne se fait pas!" Il dira: "Bien sûr que ça se fait, je viens de le faire!" Pour qu'un enfant Teflon aime ses parents, il doit pouvoir les respecter. Il ne peut respecter un parent que si celui-ci le respecte en premier. Voilà la logique de cet enfant qui, à mon avis, est basée sur la communication vraie. Ce que l'enfant Teflon a besoin d'apprendre et d'accepter est le fait que les parents ne savent pas comment le faire.

Certains sont des Teflon durs ou révoltés et d'autres des Teflon doux. *Ce qui me dérange le plus* chez ma soeur aînée *c'est qu'elle est comme moi mais elle l'exprime d'une façon différente*, c'est-à-dire d'une façon révoltée et ouverte tandis que de mon côté, lorsque je n'accepte pas un règlement ou une façon d'agir des adultes, je m'arrange pour contourner la situation d'une façon plus douce, en essayant de ne pas trop déranger le monde des adultes. Je les critique mais intérieurement. Je finis cependant par faire ce que je veux, tout comme ma soeur. Je me suis vite rendue compte que ma façon était plus facile car j'avais tout le monde de mon côté. L'enfant Teflon dur ne peut pas s'adapter à l'ancienne méthode d'éducation mais le Teflon doux peut s'y ajuster sans trop en souffrir. Une autre caractéristique de l'enfant Teflon est son intelligence et sa capacité d'apprendre vite, sur le tas. Il a aussi une grande soif d'apprendre. Ma soeur aînée a dû interrompre ses études très jeune pour aider ma mère. Je constate aujourd'hui que ce fut sûrement très difficile pour elle. Tandis que moi, j'ai eu les religieuses de mon côté qui m'ont permis d'aller plus vite, au rythme de mon apprentissage. Mise à part la première année où je me suis sentie poussée, je suis heureuse quand je peux en apprendre plus au couvent. Je m'ennuie quand la religieuse doit répéter les mêmes explications. J'ai de la difficulté à comprendre la lenteur de plusieurs élèves.

Je suis toujours première de classe. Je me souviens qu'à cette époque je partage non seulement ma classe mais aussi ma chambre avec ma soeur aînée d'un an et demi. Nous nous suivons depuis des années. *Nous sommes très près l'une de l'autre malgré nos grandes différences de caractère.* Bien qu'elle ne m'en ait jamais parlé, je crois qu'à l'époque il lui est difficile de tout à coup accepter de se retrouver en huitième année à quatorze ans alors que je suis en neuvième à douze ans. En effet, c'est cette même année qu'elle demande à maman de la retirer du couvent. Elle quitte ses études pour aider maman à la maison, pour finalement se joindre à nos soeurs aînées qui travaillent dans une manufacture de couture. À ce moment-là, je sais déjà que je ne suis pas faite pour passer ma vie dans une manufacture. J'ai vu mon père y travailler toute sa vie et maintenant mes soeurs; cela ne correspond pas du tout à mes ambitions. Mes soeurs sont pourtant bien payées et semblent s'y plaire mais mon idée là-dessus est déjà faite et classée. Je me dis: *"Non, ce n'est pas ce que je veux."* Ce n'est pas que je les critique ou que je les juge dans ce qu'elles ont choisi de faire, ce n'est pas non plus que je veux leur prouver que je peux faire autre chose, c'est tout simplement une question de goût personnel. Il est impossible pour moi de m'imaginer en train de faire ça. Mon plus grand rêve est de continuer à étudier aussi longtemps que possible.

Ma soif d'apprendre est déjà très évidente. D'un autre côté, j'envie mes soeurs d'avoir de l'argent pour s'acheter du beau linge et pour sortir mais ce à quoi j'aspire est plus important à mes yeux.

Je continue mes études jusqu'à la onzième année. Le système scolaire ne payant les études des enfants que jusqu'en onzième année, si on veut poursuivre passé ce stade, les parents doivent en défrayer les coûts. Je suis tellement avide d'apprendre que je veux étudier encore longtemps. Ma mère m'annonce qu'après ma onzième année, je devrai aller travailler comme mes soeurs, vu qu'elle ne peut me payer d'autres études.

Je ne suis pas surprise car je vois bien qu'à la maison on arrive toujours juste. Ma mère parle souvent d'argent. Elle ne se plaint pas vraiment mais elle doit faire tant de prouesses uniquement pour arriver, qu'elle se trouve chanceuse d'en avoir assez. Mais tout ça veut dire: "Ne me demandez pas de surplus."

Comme je suis décidée, je n'abandonne pas pour autant. Je fais part de la situation aux religieuses. Pour m'aider, elles prennent l'initiative d'appliquer pour différentes bourses en mon nom. Elles m'ont obtenu une bourse pour pouvoir faire ce qu'on appelle à l'époque le cours de l'école normale, pour devenir enseignante. Ce cours représente deux années d'études en dehors de Richmond, soit à Sherbrooke ou à Montréal. Ma demande est acceptée mais la bourse ne comprend pas le transport et les dépenses sur place. Si je vais à Sherbrooke qui est à 40 km de Richmond, les frais de transport que représentent l'aller-retour par autobus à chaque jour, sans compter que je dois aussi renouveler ma garde-robe car mon uniforme du couvent ne se prête plus à ces circonstances. Je ne peux même pas penser à Montréal car c'est à plus de 150 km de chez moi et il me faudrait demeurer là-bas, donc payer une pension.

Quand je soumets le tout à ma mère, elle s'y oppose en me disant: "Même si tes études sont payées par le gouvernement, ton père et moi n'avons pas assez d'argent pour payer le transport puis tes dépenses là-bas, les livres, les vêtements et tout ça... On ne l'a jamais fait pour tes autres soeurs et on ne peut pas le faire pour toi non plus." J'ai dû refuser la bourse. J'accepte donc d'aller travailler.

J'ai quinze ans quand je termine ma onzième année. J'apprends que Bell Canada cherche des opératrices. Comme les nouveaux emplois sont rares, je me présente à leur bureau de Richmond pour y être engagée. Pour moi cette expérience est très marquante. Comme Richmond est un petit village peuplé de beaucoup de citoyens anglais, Bell Canada n'embauche que des personnes anglophones ou parfaitement bilingues. J'ai appris à parler anglais au couvent mais de façon rudimentaire. Je suis meilleure pour le comprendre et pour l'écrire. Je me souviens d'avoir pensé que c'était l'occasion idéale pour apprendre cette langue. À cette époque j'ignore encore pourquoi je veux tant apprendre l'anglais, car il est très peu utilisé dans mon entourage. *C'est mon DIEU intérieur qui me guide car Il sait que*

MON ADOLESCENCE

j'en aurai besoin plus tard. J'ai toujours cette soif d'apprendre quelque chose de nouveau.

Donc, je me présente à quinze ans au bureau de Bell Canada et je postule pour un emploi d'opératrice. J'ai beaucoup de difficulté à m'exprimer pendant l'entrevue, je cherche mes mots. Je tente de parler du mieux que je peux car la directrice ne parle que l'anglais. *Je me sens très nerveuse* mais je veux tellement ce poste que *je suis prête à faire face à n'importe quoi.* Devant mon handicap, elle me dit qu'elle ne peut retenir mes services car je ne suis pas parfaitement bilingue. En ce temps-là, tous les raccordements d'appels se font manuellement. Lorsque les gens appellent, l'opératrice répond "number please?" et non pas "quel numéro s'il-vous-plaît?" et ensuite elle branche l'appel pour faire le contact. Tout se fait en anglais et c'est ce qui représente une difficulté dans mon cas.

J'insiste auprès de la personne responsable de l'embauche parce que je connais leur besoin d'opératrices et je sais que je suis capable d'accomplir la tâche, car j'apprends vite. Les fonctions d'une opératrice consistent aussi à calculer sur papier le coût des interurbains. Il faut minuter chaque appel pour ensuite donner le montant total aux gens qui s'en informent à la fin de leur appel. Donc, en plus d'être bilingue, je dois montrer des facilités pour le calcul rapide. Bien qu'elle soit convaincue que je ne ferai pas l'affaire, elle me fait quand même passer l'examen écrit, qui est minuté. Je n'y vois rien d'inquiétant car je suis bonne à l'anglais écrit et excellente en calcul rapide. C'est à l'oral que j'ai plus de difficulté. J'obtiens un résultat de 98.5% et la dame s'est vue obligée de m'embaucher. Elle ne semble pas de très bonne humeur mais elle n'a pas vraiment le choix, ma note étant la plus haute enregistrée au bureau de Bell Canada (je ne l'apprendrai qu'un peu plus tard). Toujours convaincue de mon incompétence, elle me dit: "Bon d'accord, tu peux commencer. Je t'avertis pourtant que je vais devoir te surveiller car j'ai bien l'impression que tu ne feras pas l'affaire." Elle se trompe. Tout se passe très bien. J'insiste même auprès des autres opératrices, pour qu'elles me parlent uniquement en anglais afin de pouvoir m'améliorer rapidement. Je travaille dans ce bureau de Bell Canada pendant un an, juste assez pour apprendre à parler anglais.

Quand je commence à travailler pour Bell Canada, vu que j'ai des heures irrégulières, j'ai l'idée que peut-être je peux travailler et suivre mon cours commercial en même temps. Il faut que j'arrive à faire coïncider mon horaire de travail et mes heures d'études sans que l'un n'empiète sur l'autre. Pour mon travail d'opératrice mes heures sont très variées; je travaille de 8h00 à 17h00 ou le matin et le soir, ou de 16h00 à minuit et j'obtiens une journée de congé la semaine parce que je travaille une fin de semaine sur deux. Je fais un bref calcul pour conclure que mes disponibilités sont de deux jours et demi par semaine. Je vais voir la religieuse en charge du cours commercial au couvent de Richmond et je lui demande s'il est possible de faire ma douzième année commerciale tout en travaillant à temps plein à Bell Canada. Non seulement elle accepte mais en plus elle modifie son horaire pour le faire coïncider avec le mien. Jamais au couvent on avait accordé un tel privilège! Une autre première!

Au moment où toutes ces choses-là arrivaient, je ne me suis jamais vraiment arrêtée à penser: "Oh **WOW**! *Je suis une personne spéciale. Regarde ça, tout ce que je réalise* et que les autres ne font pas!" Tout ça me semblait normal.

MON ADOLESCENCE

Ce n'est que beaucoup plus tard, lorsque j'ai commencé à prendre du recul et à regarder ma vie, que *j'ai réalisé combien j'avais du potentiel et à quel point je l'utilisais déjà à l'époque, bien qu'inconsciemment. J'ai surtout réalisé que quand on veut quelque chose et qu'on passe à l'action, on n'a qu'à faire nos demandes et elles finissent par se réaliser.*

Lorsque je me présente au cours, la religieuse consacre beaucoup de son temps à me faire rattraper la matière des cours pendant que les autres élèves passent aux exercices pratiques de dactylo. Nous devons faire un minimum d'heures de pratique par semaine, autant pour la dactylo que pour la sténographie. Comme je suis au couvent environ deux jours et demi par semaine, la religieuse s'arrange pour avoir du temps seule avec moi pendant que les autres pratiquent leur dactylo. Voilà une répétition de ma première année scolaire, mais quelle différence. Cette fois-ci, tout se passe dans l'amour et dans la joie d'apprendre. Je commence déjà à me pratiquer à être occupée quatre-vingts à quatre-vingt-dix heures par semaine. *J'ai plein d'énergie car j'ai un but et je le réalise.*

Comme je dois pratiquer la sténo et la dactylo par moi-même, à la maison, je fais l'acquisition d'une dactylo. J'ai quinze ans et c'est mon premier achat à crédit. Je suis vraiment fière de moi. Aussi je suis bien heureuse car mes parents me voient prendre toutes sortes de décisions et me laissent faire. Cette dactylo me coûte cent dollars. Je fais des versements de dix dollars par mois, mon prêt étant échelonné sur dix mois. Aussitôt que j'ai un moment de liberté, je me pratique. *Toutes les occasions sont bonnes.* Je me promène dans la maison avec une tablette et un crayon pour transcrire en sténo tout ce que je peux capter des conversations entre mes frères et soeurs, ou les émissions de télévision et même le sermon du curé à la messe du dimanche!

Nous sommes en 1956 et je gagne un salaire de vingt-trois dollars par semaine à Bell Canada. Mes soeurs aînées gagnent beaucoup plus parce qu'en tant que couturières, elles sont payées au morceau. Comme elles travaillent bien et très vite, elles gagnent beaucoup d'argent. L'entente chez nous c'est que nous devons verser une pension de vingt dollars par semaine. C'est une somme élevée pour cette époque mais ma mère a calculé qu'elle a besoin de ce montant-là en plus du salaire de mon père pour pouvoir payer toutes les dépenses de la famille. Nous sommes à une période où mes parents n'ont pas de commerce. Quand je commence à travailler, ma mère m'autorise à ne donner que quinze dollars de pension par semaine parce que j'ai mes études à payer. Cela provoque des réactions chez nous... encore des passe-droits pour moi! Sur mes vingt-trois dollars, il ne me reste plus que huit dollars par semaine, sans compter que je dois me reconstituer une garde-robe. En douzième année commerciale, je ne suis plus tenue de porter l'uniforme du couvent. Aussi ai-je décidé de commencer à coudre pour réaliser que j'ai aussi du talent dans ce domaine.

Je surveille mon budget de très près. Dix dollars par mois au couvent, dix dollars pour la dactylo, soixante dollars pour ma pension, et payer mes livres. Tout compté, il ne me reste que douze dollars par mois pour mes autres dépenses. *Encore une autre expérience bénéfique pour moi. J'en suis fière car j'apprends toujours!*

Cette année- là je ne vois pas le temps passer car je suis super occupée. Je travaille et j'étudie à temps plein et malgré tout, je ne manque jamais un seul de mes engagements scolaires ou professionnels. Je réussis même à faire mes devoirs à tous les jours. Je termine ma douzième année commerciale, première de classe. J'obtiens la plus grande vitesse en sténographie et un rythme très satisfaisant à la dactylo. J'ai peine à y croire, le temps m'ayant paru si court pour réaliser tout ça! Mais je voulais réussir et j'y suis arrivée! *Les efforts que j'ai fournis durant cette année très mouvementée ont été hautement récompensés.* **WOW!**

Tout semblait se précipiter. Les circonstances faisaient que tout s'arrangeait et se mettait en place comme je le désirais mais là encore, je ne m'étais jamais vraiment arrêtée pour réaliser ce qui m'arrivait. Ça me semblait tout à fait normal. C'était logique; c'était le résultat logique de mes décisions et de mon travail. Je ne prenais pas du tout conscience de tout ce que je réussissais à obtenir, comparativement aux autres. *J'étais spéciale, sans même m'en apercevoir.* Ce n'est que bien des années plus tard que j'ai commencé à saisir que j'avais toujours utilisé mon potentiel d'une façon bénéfique pour moi et ce, même à un très jeune âge.

Graduellement, *je constate que je suis capable de mener plusieurs activités de front.* Quand je veux réaliser quelque chose, rien ne m'arrête. Il me semble que c'est facile, qu'il n'y a pas beaucoup d'obstacles. Je possède de grandes capacités qui se manifestent selon le besoin. Lorsque je veux quelque chose, je m'interroge: "Bon, comment faire pour le faire arriver?" *Je ne me demande jamais "si" je peux le faire arriver, mais plutôt "comment" le faire arriver.* C'est le comment qui prime pour moi, rien d'autre. Cette façon de m'y prendre me permet de développer mon imagination car je dois sans cesse imaginer des moyens efficaces pour atteindre mes buts.

JE SUIS DIEU WOW!

Je réalise aujourd'hui que je ne doutais pas de mes capacités. Je me faisais confiance. Mais encore, tout se faisait sans que je sois vraiment consciente de ce qui se passait en moi. J'étais surtout consciente de mes actions. Je ne savais pas que j'étais branchée à mon **DIEU** intérieur quand je pensais toujours à la solution. Je n'étais pas dérangée par mon mental qui aurait pu me faire douter de moi ou me faire peur.

Je termine donc ma douzième année commerciale à seize ans. Je suis bien heureuse d'obtenir tout de suite un travail chez un avocat de Richmond. Cet avocat a deux secrétaires qui travaillent pour lui et l'une d'entre elles est malade depuis un certain temps. Je débute donc avec l'autre secrétaire. Elle a une quarantaine d'années, jamais mariée et vit avec ses vieux parents. C'est une personne très austère, le type même de la vieille fille comme il y en a beaucoup à l'époque. Elle ne semble pas voir ma venue d'un très bon oeil et sans doute ses craintes sont-elles justifiées. J'arrive fraîche et pimpante, tout droit sortie du couvent avec plein d'idées nouvelles en tête, vêtue de belles petites robes que j'ai moi-même confectionnées. Cet avocat m'aime tout de suite beaucoup et ne s'en cache pas, au grand mécontentement de la demoiselle en question. Après quelques semaines d'embauche dans son bureau, l'idée me vient de suggérer à mon patron un nouveau système de classement et je lui en fais part. Je lui propose un système très pratique qui lui facilitera la tâche et il accepte volontiers. *Je suis fière de moi car c'est ma création, je l'ai imaginé moi-même.* Il me donne carte blanche et c'est le grand chambardement dans le bureau. Toutefois, la demoiselle n'apprécie pas mon esprit d'initiative et donne sa démission.

MON ADOLESCENCE

Je fais un salaire de vingt-cinq dollars par semaine, et je gagne donc deux dollars de plus qu'à mon ancien travail. Puisque je n'ai plus de frais d'études à débourser, je dois payer les vingt dollars de pension à ma mère. Lorsque la secrétaire démissionne, soit deux mois après mon arrivée, je dis à mon patron qu'il est inutile pour lui d'engager une nouvelle secrétaire puisque je suis assurée que je peux faire tout le travail seule. Il accepte de me soumettre à une période d'essai de quelques semaines, pour finalement me garder comme unique employée. Il décide d'augmenter mon salaire à trente-cinq dollars par semaine, ce qui est un très bon salaire pour un travail de bureau à cette époque. Wow! Je suis toute excitée. J'ai hâte d'annoncer la nouvelle à mes parents. *Mon patron en sort gagnant et je suis heureuse de constater que les efforts fournis commencent à me rapporter.*

Il n'en faut pas plus pour que les rumeurs se mettent à circuler. Dès que je dépose mon premier chèque de trente-cinq dollars à la banque, tout Richmond sait que j'ai eu une augmentation de dix dollars, ce qui est énorme. J'ai semé l'émoi. A mon insu, dans le village, la rumeur circule qu'il se passe peut-être quelque chose entre cet avocat et moi. C'est un homme de l'âge de mes parents, marié à une très jolie femme et père de dix enfants. Il aime beaucoup sa famille et m'en parle souvent.

Ce n'est pas ce que les gens croient et les rumeurs persistent. Certaines personnes peuvent être très cruelles parfois! Lui, il ne cesse de vanter mes mérites et de dire à tout le monde qu'il n'a jamais eu de secrétaire aussi bonne, aussi débrouillarde et même aussi jolie... Ma mère, qui le connaît bien, me dit de lui qu'il est un homme très démonstratif, qu'il a toujours aimé complimenter les femmes mais qu'il est loin d'être dangereux.

Toujours sans que je le sache, sa femme reçoit de plus en plus d'appels anonymes qui l'affectent au point qu'un jour elle dit à son mari: "Tu dois choisir entre ta secrétaire et moi." Alors pour la première fois de ma vie, je vois un homme pleurer. Je n'avais jamais vu mon père pleurer. Il pleure dans son bureau quand il m'annonce mon congédiement. J'ai alors dix-sept ans. J'ai travaillé un an dans ce bureau. Ce fut un événement très difficile à accepter! Comme je ne suis pas du tout au courant des rumeurs et que j'ai toujours fait confiance aux gens, au point de passer pour naïve, quand mon patron m'annonce la nouvelle, je suis atterrée. Je ne peux y croire. Je ne peux même pas finir ma journée de travail. Je ramasse mes effets personnels et je vais me réfugier chez une de mes soeurs qui est mariée et qui demeure près de mon lieu de travail. Je pleure pendant plusieurs heures. Je pleure surtout de rage. Ce qui me dérange le plus, c'est la cruauté des gens et l'injustice subie. C'est une bonne occasion de me défouler car je n'ai pas pleuré depuis plusieurs années. Il se passera un autre trois ans avant que je pleure à nouveau.

Je prends la décision de ne plus jamais travailler à Richmond. Je ne veux plus vivre dans ce monde méchant. Ma seule consolation c'est que cette période m'a permis de découvrir mes dons d'organisatrice et ma capacité de prendre en mains un bureau entier et de le restructurer. *Ma confiance en moi a augmenté et je sens que je peux travailler n'importe où.*

Comme "par hasard", je rencontre un jeune homme de Montréal, qui me rend visite toutes les fins de semaine à Richmond. Je le connais déjà depuis quelques mois et

MON ADOLESCENCE

quand je perds mon emploi, il me suggère de chercher du travail à Montréal. Pour les gens de Richmond, Montréal représente la grande ville, un endroit qui fait peur, un endroit où l'on peut se perdre et non seulement perdre sa route, mais aussi son âme... Mais pas pour moi qui veut à tout prix quitter Richmond! "Il n'en n'est pas question!" me dit ma mère. "Tes soeurs aussi ont voulu partir. Ici, personne ne quitte la maison avant d'avoir eu vingt et un ans." Quelques semaines passent. J'ai des offres pour aller travailler mais je les refuse. Encore par hasard une de mes tantes maternelles nous téléphone de Longueuil, en banlieue de Montréal. Elle vient d'accoucher prématurément. Elle doit rester alitée à l'hôpital et n'a personne pour s'occuper de ses quatre autres enfants à la maison. Ma mère me demande d'aller en prendre soin et j'accepte. Évidemment, ça fait bien mon affaire puisque je me rapproche de mon ami qui demeure à Montréal. Je me rends donc chez ma tante pour deux semaines. *Je ne sais pas encore que ce qui m'arrive fait partie d'un plan bien défini pour moi.*

Durant mon séjour, mon ami me dit: "J'ai une idée! Je vais prendre une journée de congé pour t'aider à te trouver du travail dans un bureau d'avocat." L'idée me plaît, je me dis: "Oui, c'est pas bête, si je me trouve un travail et que je mets maman devant le fait accompli, elle dira peut-être oui." J'en parle d'abord avec ma tante: "Si je me trouve un travail à Montréal, accepterais-tu de me garder chez toi? Je pourrais t'aider avec les enfants." Elle ne peut refuser ma demande, d'autant plus que son mari travaille régulièrement à l'extérieur de la ville et que mon aide n'est pas un luxe pour elle. Elle me chargerait douze dollars de pension par semaine, ce qui est le prix habituel pour l'époque. Mon ami et moi prenons une journée pendant laquelle nous sollicitons les avocats de Montréal pour me dénicher du travail.

Croyez-le ou non, je me trouve un emploi la journée même. Après l'entrevue, l'un des avocats m'annonce que justement ils devaient de toute façon congédier une des secrétaires et que c'est pour eux l'occasion idéale de le faire tout de suite. Elle serait avisée le lendemain de ma visite et ils m'appelleraient pour m'indiquer ma date d'embauche, selon que la secrétaire décide de travailler sa semaine d'avis ou non. Le lendemain, je reçois un appel: "Pouvez-vous commencer à travailler dès lundi prochain?" Je suis aux anges! Encore une fois, merci mon **DIEU**! Je suis tellement heureuse de la grande aventure qui s'annonce que j'ai peine à y croire. *Mon DIEU intérieur faisait arriver un incident après l'autre pour m'amener au bon endroit pour moi. WOW!*

Maintenant je dois persuader maman à tout prix. Voici comment je m'en tire: "...et tu ne sais pas quoi maman, je gagnerai quarante-cinq dollars par semaine, dix dollars de plus qu'à Richmond! Puis j'ai pensé à une chose. Comme je ne paierai que douze dollars de pension ici, j'ai pensé t'envoyer dix dollars par semaine. Je te donnais vingt dollars par semaine mais tu sais aussi combien je mangeais... Je suis sûre que je mangeais pour au moins dix dollars juste à moi toute seule. Tu n'auras plus mon vingt dollars comme avant mais ce que je t'enverrai pourra sûrement t'aider. Et je suis encore gagnante car je fais un meilleur salaire..." Elle n'est pas capable de refuser. Je saute de joie! Je savais, car elle en avait parlé à quelques reprises, qu'en réalité l'une des raisons pour lesquelles elle tenait à nous garder à la maison était la sécurité financière que nos pensions lui apportaient. Cet argent lui permettait de boucler les fins de mois. *Notre nouvelle entente nous profite à toutes les deux. Encore une fois, je réussis à obtenir ce que je veux mais d'une façon douce.*

Ce nouveau tournant dans ma vie me fait réaliser, encore une fois, qu'à force de désirer quelque chose, ça finit toujours par se concrétiser. J'avais souvent dit plus jeune que quand je serais grande, j'aimerais vivre dans une grande ville. Ce n'est que beaucoup plus tard, quand j'ai étudié la puissance du subconscient, que je suis devenue consciente de comment j'arrivais à obtenir ce que je voulais. Je n'étais pas consciente non plus de mon pouvoir de persuasion mais je savais inconsciemment qu'*il est important que les deux parties soient gagnantes quand on négocie.* Je comprends aujourd'hui que mon désir devait être très grand car toutes les circonstances pointaient dans cette direction, sans que je le sache consciemment.

Récapitulons. D'abord, j'obtiens un poste d'opératrice où je dois apprendre l'anglais, ce que je fais. Un nouveau travail se présente à moi et mets en lumière mes capacités, ma fiabilité et mon sens des responsabilités. Mon **DIEU** intérieur me fait rencontrer un jeune Montréalais que j'aime bien et qui me rend visite toutes les fins de semaine. Ensuite, une de mes tantes accouche avant terme et on sollicite mon aide. Je me retrouve chez cette tante, à Longueuil, à deux pas de Montréal où m'attend mon troisième emploi, obtenu grâce à la coopération de mon ami. Et cette firme d'avocats cherche une employée bilingue car elle a une forte clientèle anglophone. Mon désir est donc réalisé! Je suis dans une grande ville. *C'est aussi une belle opportunité pour devenir plus consciente de toutes mes capacités.* Mes nouveaux patrons me font vite confiance. Je suis l'une des seules, avec une autre secrétaire, à qui l'on confie les travaux les plus importants.

C'est sûr qu'intérieurement j'ai une peur bleue. Je commence une vie nouvelle dans une grande ville et je suis désorientée par le système de transport. C'est tellement différent de tout ce que j'ai connu! Je dois partir de Longueuil et faire un transfert d'autobus une fois rendue à Montréal car je travaille en plein centre-ville. Malgré mes peurs, j'agis comme si je suis en pleine possession de mes moyens et comme si je suis au-dessus de tout ça. Je fais la grande brave quand en réalité, intérieurement j'ai vraiment peur. Je suis tellement excitée de ma nouvelle vie que je peux facilement refouler mes peurs. Une partie de moi sait que je peux m'habituer à la grande ville. C'est une occasion magnifique pour développer mon courage; trait de caractère nécessaire pour pouvoir aller toujours plus loin. *C'est ça, être en contact avec DIEU. C'est développer toutes ses qualités pour devenir toujours plus conscient de cette puissance intérieure, de ce grand pouvoir créateur en soi.* **WOW!**

Ma vie est remplie à souhait. J'ai un ami que je fréquente régulièrement, je demeure chez ma tante que j'aide de mon mieux, en plus de travailler au bureau. Parfois je fais même du temps supplémentaire au bureau, ce qui me donne une plus grande aisance financière. Je me sens bien heureuse.

Peu après, ma soeur aînée décide de venir travailler à Montréal et elle partage ma chambre chez ma tante. Un an plus tard, lorsque j'ai dix-huit ans, ma soeur préférée, celle qui est mon aînée d'un an et demi, et une de ses amies de Richmond décident de venir vivre à Montréal. Nous décidons toutes les quatre de louer un appartement à Montréal ensemble. À cette époque, je laisse mon premier petit ami

MON ADOLESCENCE

de Montréal et je mène une vie de jeune fille remplie de sorties et de plaisir avec mes soeurs. Je rencontre plusieurs jeunes hommes, mais rien de sérieux.

À vingt ans, je fais la rencontre de celui qui allait devenir mon mari. C'est le coup de foudre pour tous les deux. Il est anglais, anglican non pratiquant. *C'est un défi de taille pour moi*, toute catholique que je suis! Mais nous nous aimons beaucoup et je le vois tous les jours. Nous nous sommes rencontrés au mois de mars. Trois mois plus tard, en juin, nous décidons de nous unir pour la vie. Il m'offre de se convertir au catholicisme, pour me faire plaisir. Je ne le lui ai jamais demandé, il le fait de son plein gré. D'ailleurs, comme il ne pratique pas sa propre religion, il ne voit pas quelle différence cela peut bien faire pour lui. Il va sans dire que cette conversion a facilité bien des choses et surtout l'approbation de mes parents qui trouvent notre décision très rapide. Ma mère est bouleversée à l'idée que je me marie avec un anglais non catholique.

Nous avons suffisamment d'argent pour nous marier mais rien pour nous meubler! Et c'est mon entrée dans la vie d'adulte! Je suis mariée à quelqu'un que je connais très peu, d'une éducation tout à fait contraire à la mienne, sans un sou en banque, sans voiture et rien pour égayer l'intérieur de notre logement. J'ai également décidé de quitter mon emploi car mon époux travaille à l'aéroport de Dorval comme contrôleur et il a un horaire irrégulier qui le fait travailler le soir et les fins de semaines. Nous voulons tellement être ensemble le plus possible que nous décidons qu'il est mieux que je quitte mon emploi car mon horaire ne coïncide pas avec le sien.

Jusqu'ici, je vous ai surtout raconté le côté sérieux et raisonnable de mon adolescence mais *j'ai aussi pris le*

JE SUIS DIEU WOW!

temps de m'amuser, tout comme aujourd'hui d'ailleurs.
J'aime bien danser, jouer aux cartes, aller au cinéma et j'aime tout autant les activités extérieures comme la glissade, le ski, le patinage, les excursions dans la nature. Lorsque j'ai quatorze ans, nous avons notre première télévision. **WOW!** Comme c'est excitant d'avoir un cinéma dans notre salon. *Je m'enthousiasme facilement!*

Il y a aussi, particulièrement excitante, la fameuse "exposition de Richmond" qui a lieu au mois d'août de chaque année. C'est un cirque complet avec manèges, etc. Je ne sais pas comment mes parents font mais ils s'arrangent toujours pour avoir assez d'argent pour y emmener toute la famille. Si nous voulons y aller plus d'une fois, nous devons cependant économiser nos sous pour y aller à nos frais. C'est d'ailleurs ce que je fais. Je m'arrange pour y aller parfois trois ou quatre fois car j'aime beaucoup la vitesse des manèges.

J'ai aussi plusieurs amies et vers l'âge de quatorze ans, je commence à sortir avec des garçons pour vrai! Bien que Richmond soit un petit village, il y a un cinéma, une aréna où il y a le patinage en couple avec musique et aussi un club pour danser. Nous dansons beaucoup. C'est le début d'Elvis et du rock'n roll!

À chaque fois que c'est la fête d'une personne de notre groupe d'amis, il y a un "party" organisé chez elle (avec des chaperons cependant). Comme j'ai plusieurs amis et amies, il y en a souvent. Je me souviendrai toujours de la fête organisée chez moi pour mes seize ans. Tous mes amis y sont. C'est une surprise totale! Pendant l'écriture de ce livre, j'ai vécu une autre surprise du genre quand toute l'équipe d'ÉCOUTE TON CORPS et ma famille ont fêté

MON ADOLESCENCE

mon cinquantième anniversaire de naissance. Une surprise très agréable pour moi! Même si nous sommes plusieurs enfants, maman n'oublie pas une fête. Il y a toujours un gâteau pour chacun de nous. Nous savons cependant que nos parents ne peuvent se permettre financièrement de nous organiser des "parties". C'est pourquoi quand je vois cette fête qu'elle a organisée sans me le dire, je suis profondément touchée. Elle l'a peut-être fait pour mes autres soeurs lors de leur seizième anniversaire mais je ne m'en souviens pas. Tout ce que je sais c'est qu'encore une fois je me trouve extrêmement chanceuse. *Je crois déjà à ce moment-là que j'ai un DIEU juste pour moi. Plus j'y crois et plus il m'arrive de belles choses.* Tant que je ne suis pas devenue consciente que DIEU existe en tout ce qui vit, j'ai pensé très longtemps que j'avais un DIEU juste pour moi. Merci mon DIEU faisait et fait encore partie de mon vocabulaire.

Chez nous, les cadeaux sont réservés pour Noël. Quelle fête! Maman commence à faire ses achats plusieurs mois à l'avance pour ne pas avoir à tout acheter à la dernière minute. Chaque année, elle doit trouver des nouvelles cachettes car nous réussissons presque toujours à deviner nos cadeaux avant qu'ils ne soient placés sous le sapin de Noël. Même emballés, il est assez facile de deviner ce qu'ils renferment, surtout les miens. Je demande toujours la même chose: un gros livre à colorier (j'ai toujours adoré le dessin), une nouvelle boîte de crayons Prismacolor et un immense casse-tête. Je sais d'avance ce que je vais recevoir mais c'est toujours une grande joie de déballer les cadeaux.

Même si nous ne sommes pas riches, il y a de la nourriture en abondance. Tous les vendredis soirs, nous avons bien hâte de voir quelle surprise maman nous réserve en faisant son épicerie. Elle revient toujours avec une gâterie pour toute la famille.

Nous demeurons en campagne mais cela ne nous empêche pas d'avoir des visiteurs chez nous presque toutes les fins de semaines. Je me souviens que l'année de mes onze ans je demande à maman de me laisser cuisiner des desserts. Depuis quelques années, j'apprends à cuisiner au couvent avec les religieuses et je réussis bien. Ma mère me fait confiance et chaque samedi, je cuisine douze tartes et deux gâteaux; ça ne dure que la fin de semaine! Le reste de la semaine, je prépare le dessert du souper en revenant de l'école. Encore aujourd'hui, j'aime cuisiner. *Bien que j'ai eu pour exemple des parents très actifs et très vaillants, ils savent aussi s'amuser.* Ce que je n'oublierai jamais, ce sont les "party" du temps des fêtes quand mes oncles, mes tantes, mes cousins et mes cousines viennent chez nous. Nous sommes souvent une trentaine de personnes pendant quelques jours. Les adultes fêtent tellement qu'ils en oublient notre présence. Quelle fête pour des enfants et des adolescents!

Durant mon adolescence, je me souviens plus de ma mère que de mon père car ce dernier est surtout présent lors des repas. En plus de son travail à l'usine, papa est toujours occupé à faire du bricolage, du jardinage et du nettoyage. À notre arrivée à la campagne, il construit une petite étable pour y élever des poules et un veau. Nous avons toujours des oeufs frais du jour. Quand il est à la maison, il parle très peu. Avec dix femmes dans la maison, il n'a pas souvent l'occasion de placer un mot! Voici un souvenir encore très vivant en moi. Il se lève très tôt le matin pour s'occuper du bébé et donner à maman une chance de dormir. Ils nous réveille à tour de rôle pour aller travailler

64

ou pour aller au couvent. Il doit souvent revenir dans nos chambres deux ou trois fois avant que tout le monde soit levé. Quelle patience! Un bon gruau frais qu'il vient de nous préparer et des oeufs frais du poulailler nous attendent sur la table pour notre déjeuner. *Tout ce qu'il fait, il le fait dans le silence, sans bruit, avec le moins de mots possible. Je n'entends jamais mon père gaspiller son énergie pour dire des choses inutiles.* Sa patience fait qu'il se choque rarement mais lorsqu'il élève le ton, c'est si inhabituel que nous l'écoutons sans tarder.

Un autre souvenir très précieux que j'ai de lui date de l'époque où je travaille pour Bell Canada. Vu que j'ai des heures de travail inhabituelles, partagée que je suis entre le couvent et mon travail, il s'arrange toujours pour m'apporter un repas chaud au travail, quand je ne peux pas aller chez moi. Je travaille à environ cinq kilomètres de chez nous. Maman s'occupe, elle, de me le préparer et de bien l'envelopper dans du papier d'aluminium pour le conserver au chaud le plus longtemps possible. Aussi, chaque soir où je travaille jusqu'à vingt-trois heures ou minuit – de deux à trois fois par semaine – il m'attend dans sa voiture pour me ramener à la maison car il n'y a pas d'autobus qui se rende en campagne à cette heure-là. Comme je me sens aimée de mon père cette année-là! Je veux lui dire combien je l'aime mais j'en suis incapable. J'y pense, je me promets bien de le lui dire mais je n'y parviens pas! C'est pourquoi aujourd'hui, je ne ressens pas le besoin de me faire dire "je t'aime". Je sais exactement ce que peut ressentir une personne qui ne peut pas le dire. J'aime me le faire dire mais je n'en ai pas besoin pour savoir si quelqu'un m'aime ou non.

Pour moi, mon plaisir est dans le fait de me sentir aimée. Ça me comble. Je réalise que ce n'est pas acquis pour tout le monde de se sentir aimé. Ça s'acquiert quand nous croyons que nous pouvons être appréciés, aimés pour ce que nous sommes. Plusieurs en doutent toute leur vie. Ces personnes ont davantage besoin de se le faire dire sans cesse car ils n'y croient pas.

Ma difficulté de dire "je t'aime" fréquemment vient du fait que mes parents ne me le disaient pas mais je savais, je sentais combien ils m'aimaient. Mes premiers contacts avec les mots "je t'aime" furent au cinéma et à la télévision; ça me semblait tellement artificiel. J'entendais plutôt: "Je veux que tu m'aimes."

Je suis bien consciente aujourd'hui que "je t'aime" peut être très sincère et qu'il peut monter tout droit du coeur. Mais je n'ai pas encore terminé de changer ma croyance à ce sujet. Je crois encore que si j'ai besoin de me le faire dire, c'est parce que je n'y crois pas. Cependant la partie de moi qui aime se le faire dire veut croire le contraire, c'est-à-dire qu'on peut aimer dire et se faire dire "je t'aime" et y croire aussi. Je m'accepte donc plus dans le fait que je ne dis pas toujours "je t'aime" à tous ceux qui veulent l'entendre. Plus je m'accepte et plus ça devient facile de le dire.

Pour résumer, je considère avoir eu une adolescence bien remplie et heureuse. C'est aussi durant mon adolescence que j'ai appris, à mon insu, la loi de la manifestation. Ce n'est que plusieurs années plus tard, quand j'ai commencé à travailler dans la vente et à lire des livres sur la puissance du subconscient que j'en suis devenue plus consciente. J'ai compris que j'avais mis en application les *règles de la loi de manifestation, c'est-à-dire décider ce que je veux, le visualiser comme si c'était déjà arrivé, vérifier si je me sens bien, le désirer et le sentir intensément malgré les objections et les obstacles et faire des actions en conséquence.*

Je réalise que je tiens cela de ma mère. Quand une situation difficile se présente, elle cherche tout de suite la solution. Après avoir déménagé à la campagne, elle a eu deux autres enfants. Nous sommes donc neuf filles et deux garçons. Elle a toujours su composer avec chacune des situations et même si papa n'est pas toujours d'accord avec elle, il la soutient tout de même de son mieux.

Je constate aujourd'hui que tout au long de mon enfance et de mon adolescence jusqu'à mon mariage, à vingt ans, les peurs que j'ai eues furent de courte durée. J'étais presque toujours en contact avec **DIEU**, sans le savoir. Ce n'est que plus tard dans ma vie d'adulte que j'ai commencé à oublier **DIEU** davantage en me laissant envahir par les doutes, la critique, les peurs et la culpabilité. Heureusement que j'ai eu cette bonne base solide qui vient de mon éducation, de l'exemple de mes parents et de ma foi en **DIEU**, même si inconsciente. Cette base m'aidera toute ma vie à revenir vers **DIEU**.

CHAPITRE 3
JE SUIS DIEU DANS MES ÉTUDES
ET MON TRAVAIL

Suggestion au lecteur:

Pour ce chapitre ainsi que pour les suivants, je te suggère de prendre des notes sur tout ce qui te fait réagir. En utilisant ce livre de cette façon bien précise, tu apprendras à te connaître davantage. Je l'ai déjà longuement expliqué dans mes deux premiers livres, mais je tenais à te le rappeler: lorsque l'attitude ou le comportement de quelqu'un d'autre te dérange, c'est signe que ça réveille un aspect de toi que tu n'acceptes pas, que tu préfères refouler. Renier un aspect de soi n'est pas une solution. Il est plus sage de faire face à tous les aspects en soi et d'apprendre à les accueillir, en voyant leur bon côté.

J'ai pu constater que pour l'humain, la vie professionnelle est la continuité de la vie scolaire. Nous y transposons la même attitude. Nous vivons dans notre milieu de travail les mêmes peurs et les mêmes passions que nous ressentions jadis à l'école. Mes études et ma vie professionnelle m'ont sans cesse orientée vers la découverte d'idées nouvelles. Aussi loin que je puisse me souvenir, j'ai toujours été fascinée par la recherche. Vers l'âge de onze ou douze ans, je rêvais de devenir technicienne de laboratoire. J'ai dû y renoncer assez tôt car mes parents ne pouvaient pas me payer ce genre d'études. Je voulais découvrir de nouveaux moyens et de nouveaux médicaments pour alléger la souffrance des gens. Déjà germe en moi ce désir puissant d'aider les gens d'une façon nouvelle. Cette passion pour la découverte m'a toujours caractérisée et j'ai réalisé plus tard que c'est vers l'étude de l'âme de l'être humain que je me dirigeais réellement depuis mon plus jeune âge. Tout au long de ma vie je fais des recherches en ce sens. Déjà très jeune, je possède le don de pressentir jusqu'où je peux aller avec mon entourage, ce qui m'aide presque toujours à convaincre les adultes du bien fondé de mes plans et à obtenir ce que je veux en bout de ligne. Quand mes demandes vont un peu trop loin, je comprends de façon intuitive que les gens ont atteint leurs limites et je n'insiste plus. Je cherche d'autres façons de m'y prendre. *Mon DIEU intérieur sait de quelles expériences je vais avoir besoin* pour en arriver à fonder le centre Écoute Ton Corps et toutes les expériences que je vis me poussent effectivement dans cette direction.

Il y a, je vous en ai parlé, ce travail d'opératrice qui me permet de devenir bilingue. Cet avantage linguistique m'est très bénéfique tout au long de ma carrière, en plus de me donner accès à beaucoup de cours que je peux suivre aux États-Unis. Je quitte ensuite la petite localité de Richmond pour connaître la vie dans une grande ville. Cet éloignement n'est qu'un pas de plus vers la découverte de mon plein potentiel. Il me permet aussi de commencer à entrer en contact avec mes forces et mes faiblesses.

Ce besoin de "prendre contact" m'a graduellement fait connaître les différentes personnalités qui m'habitent. Tout au long de ma recherche intérieure, j'ai pu constater que depuis son jeune âge, l'être humain développe plusieurs personnalités pour protéger la vulnérabilité de l'enfant qu'il était alors. *Plus la vulnérabilité de l'enfant est forte et plus la personnalité qu'il développe pour lui venir en aide est forte elle aussi.*

JE SUIS DIEU DANS MES ÉTUDES
ET DANS MON TRAVAIL

L'enfant en moi étant très vulnérable, j'ai développé plusieurs aspects ou personnalités fortes. Et chaque personnalité forte a sa personnalité contraire. Ce sont justement ces personnalités contraires que l'on doit apprendre à reconnaître, accueillir et accepter tout au long de notre vie. Pour illustrer un peu les personnalités très fortes que j'ai découvertes en moi, il y a l'homme en moi (sujet d'un prochain chapitre), la travaillante, l'ambitieuse, l'intelligente, la courageuse, la perfectionniste, la persévérante, la pousseuse, la contrôleuse... Mais j'ai aussi dû faire face à d'autres personnalités en moi, comme la femme en moi, la paresseuse, la niaiseuse, la peureuse, la négligente, la pleureuse, la lâcheuse. Tant que je ne les ai pas acceptées et que je leur ai manifesté de la résistance, j'ai dû faire face à des complications dans plusieurs de mes projets. Cette résistance m'a coûté énormément d'efforts et d'énergie.

C'est en apprenant à accepter mes différentes personnalités que je développe ma véritable individualité. Je réalise qu'en acceptant et en exprimant ouvertement seulement certains aspects de moi, j'ai développé une certaine personnalité limitée ne montrant que ce que je veux que les gens voient de moi. Entretemps, je ne suis pas vraiment moi-même. Je ne m'accepte pas dans ma totalité. En le faisant, *en reconnaissant et en me donnant le droit d'avoir certains aspects de moi jugés "moins désirables", je développe mon individualité et je peux redevenir moi-même. C'est pourquoi je veux me faire des alliées de mes personnalités contraires plutôt que de continuer à les renier.* J'ai appris à travailler avec elles sans les laisser avoir le contrôle total sur moi. Aujourd'hui je me donne le droit de les exprimer. Pas encore assez souvent dans le cas de certains aspects mais au moins je suis consciente de leur présence et mon degré d'acceptation grandit sans cesse.

Au début de mon mariage, je suis volontairement sans emploi pour être avec mon époux le plus souvent possible. Lui, de son côté, travaille avec un horaire irrégulier les soirs et les fins de semaines. Il apprécie beaucoup ma présence à la maison. Durant les cinq premières années de notre mariage, je donne naissance à mes deux premiers enfants. De temps en temps je travaille pour la compagnie Office Overload qui place des secrétaires pour quelques semaines à la fois. Je jouis ainsi d'une grande liberté car je travaille quand ça me plaît ou quand le besoin d'argent se fait sentir. Avec mon expérience de secrétaire légale, les ouvertures sont nombreuses et j'ai l'occasion de vivre une multitude de situations avec des patrons tout aussi différents les uns des autres. J'ai le loisir d'étudier le comportement humain à mon goût pendant cette période-là.

Nous voilà à l'été 1966. Mon premier enfant a maintenant trois ans et demi et le plus jeune, à peine quelques mois. Je suis d'une nature tellement active que le fait de m'occuper de la maison et des enfants ne me tient pas assez occupée. Même si j'aime beaucoup coudre et cuisiner, je m'ennuie.

Alors quelqu'un me parle de la compagnie Tupperware et m'offre d'y travailler en faisant des démonstrations à domicile. Je n'avais jamais pensé à travailler dans la vente auparavant. *Cette nouvelle orientation fait vraiment partie de mon plan de vie. Le divin en moi me guide.* Après avoir consulté mon mari et obtenu son approbation, j'accepte avec joie. Je le fais aussi pour le surplus d'argent que ça rapporte. Il y consent à la condition que ça ne m'occupe pas plus d'un soir par semaine. Comme je ne sais pas

JE SUIS DIEU DANS MES ÉTUDES
ET DANS MON TRAVAIL

encore si je vais aimer cela, j'accepte sa condition. Elle est maintenue jusqu'au jour où il m'accompagne à une soirée pour les représentants et où plusieurs vendeuses reçoivent des cadeaux. Il est surpris de constater que je ne reçois rien. Je lui explique alors qu'en ne travaillant qu'un soir par semaine, je ne peux me qualifier pour aucun des concours. À partir de ce moment, mon mari ne voit aucun inconvénient à ce que je travaille plusieurs soirs par semaine. C'est tout ce dont j'ai besoin... ma carrière dans la vente commence pour vrai!

Dans ce métier, *je me découvre à la fois une nouvelle passion et un nouveau talent.* Ce qui me plaît le plus, c'est la possibilité de rencontrer une grande variété de gens et de faire face à ma peur de parler en public. C'est à ma première démonstration que je découvre que j'ai peur de parler debout devant un groupe de personnes. Mes genoux claquent. Je dois arrêter en plein milieu pour aller aux toilettes. *J'apprends peu à peu à faire face à ma peur de ne pas être à la hauteur.* Aussi, ce que je découvre chez les gens me fascine.

Durant mes quinze années dans le milieu de la vente, je calcule avoir rencontré environ 40,000 personnes de toutes les races, de tous les âges et de toutes les classes sociales. J'ai travaillé dans des taudis et dans des châteaux! En français et en anglais... Durant cette période, j'étudie beaucoup le comportement humain et j'accumule des trésors de connaissances même si tout se fait alors au niveau inconscient. Je ne réalise pas combien tout ça va me servir un jour. Je me considère privilégiée de pouvoir approcher autant de gens et d'avoir l'occasion de visiter leurs domiciles. Pour moi, c'est quelque chose de spécial. En donnant des démonstrations à domicile, je peux voir évoluer les gens dans leur propre milieu et ils se montrent tels qu'ils sont dans leur cadre familial. Je trouve cependant difficile de convaincre quelqu'un d'organiser une démonstration. Je me sens quêteuse. J'ai l'impression de déranger. Toutefois, je n'arrête pas. *Ce que j'apprends est plus important à mes yeux que ma peur.* Chaque démonstration rassemble environ une douzaine de femmes. Quel que soit le groupe, on n'y parle bien souvent que de choses désagréables. Je réalise qu'il est très rare que tout aille bien lorsque dix ou douze femmes se réunissent pour parler entre elles. Elles se plaignent de leur poids, de problèmes de santé, des enfants, de l'incompréhension du conjoint, du manque d'argent, etc. Je constate qu'en réalité l'être humain, qu'il soit pauvre ou riche, jeune ou vieux, instruit ou non, est toujours préoccupé par les mêmes problèmes. Avec du recul, je constate que l'idée de donner des cours comme il s'en donne à Écoute Ton Corps a certainement commencé à germer pendant cette période de ma vie. Une foule d'idées s'accumulent ainsi avec les années. Cependant je ne suis pas encore consciente du lien entre ces observations et les cours à venir.

Au fait, pendant que j'emmagasine intérieurement tout ce que je découvre, je ne pense alors qu'à une chose: ma carrière! Mon ambition grandit. *Je réalise que je suis une personne à défis, je veux toujours me surpasser.* Alors je suis naturellement très heureuse et très flattée lorsqu'on m'offre le poste de gérante de Tupperware. Ce poste représente un meilleur salaire et une belle grosse voiture. Pour y accéder, il me faut maintenir un minimum de cinq démonstrations par semaine pendant deux mois. Cela signifie que je dois travailler tous les soirs de la semaine. En plus de cela, je dois recruter six nouvelles personnes pour

JE SUIS DIEU DANS MES ÉTUDES
ET DANS MON TRAVAIL

débuter mon équipe. Mon mari accepte que je relève ce défi. Comme toujours, je réussis à le convaincre. Il s'intéresse à ce que je fais et m'apporte souvent son aide.

Pour arriver à ce but, je dois changer ma perception et croire que je ne dérange pas quand je demande à quelqu'un d'organiser une réception pour moi. Je finis par croire que je rends service et qu'aussi, personne ne me fait la charité car je leur donne un beau cadeau en retour. Je crois beaucoup au produit que je vends. Je suis promue gérante en mars 1967 et je m'engage à continuer à tenir un minimum de cinq démonstrations par semaine et de continuer à recruter d'autres vendeurs. Ceci signifie travailler à temps plein et demi. Je suis tellement heureuse lorsque je reçois ma belle grosse voiture familiale Station Wagon Ford! Quand j'avais dit à ma famille qu'un jour j'aurais cette voiture, on avait ri de moi en disant que j'étais bien naïve et que je me ferais avoir. C'est avec plaisir que je fais la tournée de la famille avec ma belle voiture. Je flatte ainsi beaucoup mon orgueil.

Je cesse donc de compter mes heures de travail. Quelques mois plus tard, vers la fin d'août 1967, mon mari m'accompagne pour assister au Jubilé annuel de Tupperware à Orlando en Floride, leur bureau chef mondial. Là-bas je suis témoin de performances du tonnerre. Certaines personnes ont eu des ventes extraordinaires pendant tout l'été, alors que dans mon cas, j'ai à peine réussi à obtenir deux ou trois démonstrations par semaine. Ma patronne me rappelait mon engagement mais je croyais qu'en cette saison, les gens n'étaient pas très enthousiastes envers les démonstrations et je comptais bien me rattraper plus tard.

Cette expérience me permet de prendre contact avec le pouvoir de l'être humain, de réaliser que "quand on veut, on peut!" Je réalise aussi que si je n'ai pas accompli beaucoup de choses pendant l'été, c'est bien à cause d'une croyance que j'avais achetée des autres: le fait que l'été n'est pas un bon temps pour les démonstrations à domicile. Je quitte Orlando plus enthousiaste que jamais, super motivée à changer mes croyances et fermement décidée à faire de mon prochain été le meilleur été que Tupperware ait jamais connu.

Quelques mois après mon retour, je me retrouve avec une très bonne équipe qui se classe parmi les dix meilleures au Canada. À cette époque, il y a environ quatre cents équipes canadiennes. Chaque semaine, je reçois par la poste le classement des dix meilleures équipes. Je sens mon coeur battre très fort dans ma poitrine à chaque fois que je décachette l'enveloppe en provenance du bureau de Tupperware-Canada. J'ai peine à croire que mon équipe continue de s'y classer semaine après semaine. Je me souviens avoir pensé, dans les débuts, que la chance était de mon côté. Mon équipe avait dû se classer parce que les autres n'avaient pas accompli grand chose...

Je suis tellement occupée à toujours me surpasser que je ne réalise pas à quel point je le fais effectivement. Je suis en train de dépasser toutes les autres équipes, l'une après l'autre, semaine après semaine. Je dis sans cesse "Merci mon **DIEU!**"; je parle à un **DIEU** qui habite quelque part dans le ciel et qui me couvre de sa bonté. Je continue à croire que j'ai un **DIEU** juste pour moi. Si on m'avait dit que c'était le **DIEU** en moi qui réalisait tout ça, je ne l'aurais pas crû. J'aurais eu bien trop peur de me prendre pour quelqu'un d'autre!

L'été suivant, en 1968, même si je suis enceinte de ma fille Monica, je continue à travailler sans arrêt. J'aime de

JE SUIS DIEU DANS MES ÉTUDES
ET DANS MON TRAVAIL

plus en plus mon travail. Je bats sans cesse mes records personnels et ceux de mon équipe. *Je découvre en moi des talents que j'ignorais posséder.* Avec toutes les qualités que je développe, on me compare à la femme bionique! Pour ma part, *je suis surprise de cette admiration que les autres ont à mon égard car j'ai nettement l'impression de ne faire que mon travail.* Je dois dire que mon mari m'encourage et m'aide, surtout avec les livraisons. Il est heureux car nous pouvons maintenant nous permettre de payer une gardienne à temps plein. Il n'a donc plus à me donner un coup de main pour l'entretien de la maison, tâche qu'il déteste. S'occuper de Tupperware l'intéresse beaucoup plus que les tâches ménagères.

Les résultats que j'obtiens cet été-là sont tout à fait à l'inverse de ceux de l'été précédent. J'atteins tous les buts que je me suis donnés. Je suis très fière de moi. Je suis à quelques jours seulement de mon accouchement lorsque je retourne en Floride pour le Jubilé d'août 1968. Je suis reconnue comme étant la gérante numéro un du Canada et des États-Unis! Je reçois tous les trophées attribués pour les meilleures ventes et le meilleur recrutement de personnel. Dans cette même année j'ai droit à tous les honneurs qu'il est possible de recevoir. **WOW!** Quel enchaînement de moments heureux! Je savais que j'avais bien travaillé mais je suis bien surprise d'avoir dépassé tout le monde!

Deux jours après mon retour chez moi, j'accouche de ma fille. Bien que je sois heureuse de ce qui m'arrive, je n'y trouve rien de vraiment si extraordinaire. *Mon implication est telle que tout ce qui m'importe est de toujours me dépasser.*

Pour réussir dans la vente, on nous conseille fortement de lire des livres traitant de la puissance du subconscient

(Joseph Murphy), des livres qui aident à devenir plus enthousiaste et positif dans la vie. J'apprends donc à développer ces aspects-là. Je m'intéresse de plus en plus à ce genre de livres mais très peu au genre spirituel et ésotérique. Plus je lis des livres de motivation et plus je me sens prête à tout. Je suis surtout consciente de ma force mentale. Je ne sais même pas faire la différence entre le mental et **DIEU**. Je ne sais pas que *la voix du mental peut nous jouer des tours. Nous faire arriver des choses par le biais du mental nous demande bien plus d'efforts que nous en remettre à notre DIEU intérieur qui connaît nos vrais besoins.* J'ai mis plusieurs années de contrôle et d'efforts pour parvenir à découvrir ce principe. J'y reviendrai plus loin dans le livre.

Voici, pour vous donner une idée du volume de travail que j'accomplis cette année-là, un aperçu de mon horaire hebdomadaire en tant que gérante Tupperware. Il est facile de constater que je crois qu'il faut travailler dûr pour réussir. J'y ai toujours cru. *C'est dans l'action que je me dépasse sans cesse.*

Lundi matin, 9h, réunion au bureau de Tupperware. Comme je me suis engagée à toujours avoir de nouvelles recrues dans l'équipe, le meilleur moyen est d'inviter plusieurs personnes à notre réunion du lundi matin. Ma patronne, qui dirige tout le centre de distribution Tupperware, nous rappelle constamment qu'elle s'attend à ce que ses gérantes utilisent l'auto fournie par la compagnie à cet effet. Il n'est pas rare que je fasse une ou deux heures de route le lundi matin pour aller chercher mes invitées. Certaines attendent la toute dernière minute pour m'annoncer qu'elles ne viendront pas. Quand j'arrive à la réunion sans aucune invitée, ma patronne me dit en me regardant

TUPPERWARE

Lundi	Mardi	Mercredi	Jeudi	Vendredi	Samedi	Dimanche
7h à 9h Invités **9h à midi** Réunion **midi à 2h** Reconduire invités et manger une bouchée **2h à 5h** –Téléphones –Devoirs enfants –Préparer souper **7h à 11h** Démonstration	**9h à midi** –Téléphones –Rapport de gérante **midi à 1h** Dîner enfants **1h à 4h** Bureau Tupperware réunion avec nouvelles recrues **4h à 7h** –Devoirs enfants –Préparer souper **7h à 11h** Démonstration	**9h à midi** Préparer commande à livrer **midi à 1h** Dîner enfants **1h à 4h** Entraînement des nouvelles vendeuses **4h à 7h** –Devoirs enfants –Préparer souper **7h à 11h** Démonstration	**9h à 12h** –Téléphones **midi à 1h** Dîner enfants **1h à 4h** Livraisons **4h à 7h** Devoirs enfants Préparer souper **7h à 11h** Démonstration	**9h à midi** –Appels et livraisons **midi à 1h** Dîner enfants **1h à 4h** –Réunion gérante –Courses **4h à 7h** Finaliser semaine –Souper **7h à 11h** Démonstration	–Magasinage –Sorties ou inviter amis à la maison	–Compilation des ventes de la semaine Soirée de téléphones

de travers: "Où sont tes invités?" Je me sens toute croche, prise en défaut, déçue de moi. J'admire beaucoup cette femme et je tiens à tout prix à ne pas la laisser tomber. *Je n'ai pas encore appris à m'accepter quand je ne réponds pas à mes attentes ou à celles des autres.* La seule raison pour laquelle j'offre à mes invités de les conduire, c'est que je veux m'assurer de leur présence. Nos réunions sont toujours très motivantes, énergisantes, bien entraînantes. Quand j'ai des invitées le lundi matin, je sens que je fais vraiment bien mon travail de gérante. Je reconduis mes invitées et je reviens chez moi avec ma commande. Tous les lundis je ramène la commande à être livrée cette semaine-là. Cette commande représente les ventes faites il y a deux semaines. Je vends à l'époque entre 600$ et 1 000$ de produits Tupperware par semaine. La marchandise arrive dans de grosses boîtes où tout est mélangé. Nous devons nous-mêmes séparer les commandes individuelles des clientes, ce qui représente environ une soixantaine par semaine.

Le lundi après-midi, j'ai aussi à faire plusieurs appels pour rejoindre les vendeuses qui étaient absentes à la réunion du matin. Chaque semaine, chaque gérante doit soumettre un rapport sur ses ventes et celles de son équipe en plus des démonstrations prévues pour les trois semaines à venir. Vu que j'ai une équipe variant entre cinquante et quatre-vingts vendeuses et qu'elles ne sont pas toutes présentes aux réunions, j'en ai généralement une vingtaine à rejoindre par téléphone à chaque semaine. Je dois aussi confirmer les démonstrations que j'ai à donner personnellement durant la semaine. J'appelle mes hôtesses de la semaine, question de vérifier si tout se déroule normalement. En faisant ces appels, je ressens toujours une peur,

JE SUIS DIEU DANS MES ÉTUDES
ET DANS MON TRAVAIL

un pincement dans le ventre. Je crains qu'elles m'annoncent qu'elles ont changé d'idée.

Cette peur va me talonner pendant toutes mes années dans la vente, même si je sais fort bien que je m'en sors toujours. *Je ne m'arrête pas assez souvent pour vérifier ce que je ressens. Cette peur continue de m'habiter aussi longtemps parce que je ne fais pas assez confiance en mon DIEU intérieur* pour trouver mes clients. Une annulation de dernière minute crée toujours un stress car je dois alors me dépêcher pour trouver une nouvelle hôtesse ou rejoindre une de mes connaissances qui pourrait m'en organiser une de dernière minute. En tant que bonne gérante, je me dois de maintenir ma moyenne de cinq démonstrations par semaine. Le lundi soir je vais faire ma première démonstration.

Le mardi matin, je termine mon rapport de gérante. J'ai plusieurs autres appels à faire et quand je le peux, je commence à préparer les commandes à livrer plus tard dans la semaine. J'utilise la table de ping-pong du sous-sol pour étaler tous les produits. Le mardi après-midi, je me rends au bureau qui est tout de même assez loin de chez moi pour remettre mon rapport de gérante. J'assiste aussi à la rencontre pour les nouvelles recrues. Il y a souvent jusqu'à quatre nouvelles vendeuses par semaine qui débutent dans mon équipe. Je profite de cette journée pour leur remettre leur équipement, leur montrer comment s'en servir, comment faire une commande et répondre à leurs questions. Je passe quelques heures avec elles et j'ai souvent à ramener chez elles celles qui n'ont pas de voiture. Le mardi soir, je fais une autre démonstration.

Le mercredi est réservé à la finalisation de mes commandes. Je passe ensuite à l'entraînement des nouvelles recrues. À l'époque, celles qui sont intéressées à devenir vendeuses doivent avoir un minimum de six réceptions planifiées d'avance pour pouvoir obtenir leur équipement. Je dois donc les aider à faire leurs appels téléphoniques, à aller voir des voisines, ou bien encore je leur montre comment faire le porte-à-porte pour qu'elles aient leurs six réceptions. Le mercredi soir, je fais encore une autre démonstration.

En tant que gérante, je dois aussi voir à ce qu'une des nouvelles vendeuses de mon équipe m'accompagne à chaque démonstration que je fais. Je suis responsable non seulement de mes recrues personnelles mais aussi de toutes les nouvelles recrues de mon équipe. Elles doivent au moins observer trois ou quatre démonstrations avant d'en faire une à elles seules. Comme il y a plusieurs nouvelles par semaine, j'ai presque toujours quelqu'un avec moi en entraînement. Dans la vente, il y a un gros roulement parmi les employés. Les gens démissionnent vite et on les remplace aussi vite. On dit que seulement 3% des vendeurs en font une carrière à long terme.

C'est une époque très occupée. Je n'ai pas assez de temps pour moi mais j'en suis inconsciente. Je me sens généralement heureuse. Je ne sais pas que *je peux être plus heureuse en étant tout aussi active mais en m'accordant des temps d'arrêts, des moments pour me retrouver seule avec moi-même*.

Et le jeudi venu, je fais des livraisons. Le soir, j'ai bien sûr une autre démonstration à faire. J'ai constamment des appels à faire parce que pour maintenir un horaire d'au moins cinq réceptions par semaine, il faut faire en moyenne vingt-cinq appels par semaine.

Le vendredi, je termine les dernières livraisons et je vais au bureau de Tupperware pour la réunion des gérantes cette

JE SUIS DIEU DANS MES ÉTUDES
ET DANS MON TRAVAIL

fois-ci. Cette réunion a lieu tous les vendredis après-midi. Je rentre chez moi à toute vitesse, le temps de préparer le souper (comme tous les autres soirs d'ailleurs) et c'est reparti pour une autre démonstration. Comme tu peux le voir, *je ne m'arrête pas souvent. Je ne m'aperçois pas encore que je prends tout sur mon dos et que c'est la cause du mal de dos que j'aurai jusqu'à ce que je commence à faire de la croissance personnelle.*

Je m'occupe en même temps de la famille. Je m'arrange pour être toujours chez moi vers les quatre heures de l'après-midi pour voir à ce que les enfants étudient leurs leçons et fassent leurs devoirs. Je prépare le souper. Pour moi une bonne mère de famille doit être toujours là pour faire de bons repas. Je n'achète pas de mets déjà cuisinés. Il y a toujours des desserts maison, tous les jours de la semaine. La plupart du temps, je cuisine tout en faisant mes appels téléphoniques. Il faut dire que j'ai une gardienne à temps plein qui s'occupe du ménage et qui garde les enfants en mon absence. Quand mon mari peut m'aider avec la préparation des commandes et les livraisons, j'en suis bien heureuse.

Il m'arrive assez souvent de faire des réceptions pendant la fin de semaine. Le dimanche je reçois beaucoup d'appels. Les personnes de mon équipe m'avertissent de leur absence à la réunion du lundi. J'apprécie beaucoup celles qui me donnent leur rapport à l'avance car ça me sauve du temps le lundi. Le dimanche, je fais aussi des appels pour m'assurer que j'aurai des invités pour la réunion du lendemain. Je trouve particulièrement difficile de faire tous ces appels quand il fait beau l'été. Lorsque nous mangeons dehors ou que nous avons des activités en plein air, il faut que je me discipline beaucoup pour tout lâcher et aller m'atteler au téléphone. Aussi la fin de semaine je compile mes ventes personnelles car je dois apporter cette commande le lundi pour m'assurer qu'elle sera prête la semaine suivante.

Pendant toutes ces années, je trouve toujours le temps de m'occuper de mes trois enfants. En plus de leurs études, je vois à leur éducation, leur linge, le lavage, le repassage. Je ne veux pas que la gardienne touche à ces aspects de notre vie familiale parce que je n'aurais pas été à la hauteur de mon code d'éthique pour être une bonne mère.

Je m'occupe entièrement du budget familial et je prends toutes les décisions concernant la maison et la famille. Je ne délègue presque rien. Comme j'aime tout contrôler, faire toutes ces choses-là moi-même me donne l'illusion d'avoir plus de contrôle. Je dis illusion car *maintenant que j'ai appris à déléguer et à croire aux capacités des autres, je réalise qu'en voulant tout contrôler autour de moi, je m'emprisonne moi-même.*

Il est facile de voir que la pousseuse en moi est très forte. Cette partie me rappelle toujours ce que je dois faire pour ne pas faillir à mes engagements, ceux envers moi-même et ceux envers les autres. Je développe de plus en plus mes qualités de travailleuse assidue, courageuse et perfectionniste. Comme je ne me donne pas le droit d'être paresseuse ou négligente, je tolère très difficilement ces aspects chez les autres. Je déplore d'ailleurs la négligence et la paresse de mon mari et de mes enfants. Ils sont paresseux, selon ma perception. Ça ne veut pas dire qu'ils l'étaient réellement. *En réalité, je les vois comme ça pour me signaler que je dois accepter ces aspects de moi que je refoule.* Je sais cela aujourd'hui mais je n'en connaissais rien à l'époque.

JE SUIS DIEU DANS MES ÉTUDES ET DANS MON TRAVAIL

C'est pendant que je travaille pour la compagnie Tupperware que je commence à envisager qu'un jour peut-être je voyagerai de par le monde, par affaire. Je me dis souvent: "Un jour je vais faire le tour du monde et ce sera la compagnie qui va payer!" À l'époque, je croyais que ça se produirait avec la compagnie Tupperware parce qu'elle était internationale. J'ai toujours travaillé pour des compagnies internationales. C'est d'ailleurs pourquoi je suis persuadée qu'Écoute Ton Corps deviendra à son tour une compagnie internationale. C'est sûrement mon statut d'auteure et de conférencière qui m'ouvrira cette voie. Et qui sait... peut-être les cours suivront-ils!

Après treize années de carrière au sein de la compagnie Tupperware, n'ayant plus de nouveau défi à relever et ayant atteint les sommets les plus hauts, l'aventure n'a plus le même intérêt. *Je n'en retire plus beaucoup de satisfaction et je ne m'y sens plus heureuse; je décide donc que je suis prête pour un changement.* Je quitte donc la compagnie Tupperware. Je suis alors séparée de mon mari (j'en parle dans un autre chapitre) et j'ai trois enfants à ma charge. Je refuse plusieurs offres d'emploi venant de compétiteurs pour accepter l'offre d'une compagnie internationale dont le siège social est en Suisse. Je leur avais fait parvenir mon curriculum vitae suite à une annonce parue dans un journal.

À l'époque, la compagnie Alpha Metalcraft (AMC) vend le système de cuisson le plus sophistiqué au monde. Son chiffre d'affaires annuel atteint les six cent millions de dollars et sa clientèle est presqu'exclusivement européenne. C'est une compagnie dont j'ignorais totalement l'existence avant de voir leur annonce. Depuis quelques années, ils planifiaient le développement du marché canadien et j'ai la chance de rencontrer – et d'être engagée par

JE SUIS DIEU WOW!

– le président lui-même, qui est de passage à Toronto. La personnalité de cet homme de soixante-deux ans me plaît beaucoup. Il m'offre le poste de gérante régionale pour la province de Québec, pour y développer le marché. Il m'explique qu'ils viennent d'implanter leur bureau chef canadien et leur entrepôt à Toronto. Pour moi c'est un nouveau défi de taille car je devrai développer un marché à partir de rien. J'accepte son offre.

Le fait que je sois ambitieuse, courageuse, persévérante et travaillante m'a été très utile et m'a permis de viser toujours plus haut et de passer à l'action. En réalité il s'agit de **DIEU** en moi, Lui qui peut tout.

Au début, le président me suggère de ne me concentrer que sur les ventes; bâtir une équipe viendra plus tard. Tout comme avec la compagnie Tupperware, les systèmes de cuisson se vendent par le biais de démonstrations à domicile. La méthode est simple: je fais cuire des légumes sans ajouter d'eau, ce qui aide à conserver les vitamines, et de la viande sans gras, ce qui rend la viande plus facile à digérer, puis je fais déguster. Les gens goûtent immédiatement sur place. C'est un bon système de cuisson et j'aime le vendre. Ce que j'apprécie le plus c'est que ce système est bon pour la santé. J'ai besoin de vendre un produit en lequel je crois et qui rend service aux gens. Les produits Tupperware présentaient aussi ces avantages car ils aident à conserver toute la fraîcheur des aliments pendant que dans le garde-manger, le réfrigérateur et le congélateur, tout est propre, tout est frais. Ce sont des produits qui permettent de joindre l'utile à l'agréable. Comme je crois aux avantages de ces produits, je peux les vendre plus facilement. Ce système de cuisson est coûteux mais, en plus d'être bon pour la santé, il offre l'avantage de faciliter

JE SUIS DIEU DANS MES ÉTUDES
ET DANS MON TRAVAIL

énormément la vie des ménagères. D'ailleurs j'utilise moi-même ces produits dont j'apprécie beaucoup les qualités. Comme je n'ai pas encore à m'occuper d'une équipe, j'ai plus de temps pour faire de la vente. Ça va tellement bien que le président de la compagnie m'offre, en janvier 1980, d'assister en tant qu'invitée spéciale à leur congrès annuel tenu pour tous les vendeurs de France. Moi qui n'avait commencé qu'en septembre 1979! *WOW! Quelle chance!* Un château entier a été loué pour l'événement. Je suis bien surprise. Je considère n'avoir fait que mon travail mais j'ai su plus tard qu'ils considéraient mes premiers mois comme étant exceptionnels. Je crois, là encore, que *j'ai un bon DIEU juste pour moi. Je me trouve privilégiée.* Je vais donc en France pour assister à ce Congrès. En plus de payer tous mes frais, ils m'offrent quelques jours supplémentaires pour me permettre d'aller visiter leur bureau chef en Suisse. Je suis enchantée par toute cette belle expérience et je n'arrête pas de me dire "Merci mon **DIEU**" ou bien "Comme je suis chanceuse d'être aussi bien traitée!" Je me sens choyée, comblée. J'ai d'ailleurs toujours eu beaucoup de reconnaissance dans ma vie. Tout vient à moi, tout arrive à point. Il faut dire que *je m'arrange pour être dans le feu de l'action et que je crois à la réussite.* Je travaille sept jours par semaine et je ne ressens pas le besoin de m'arrêter. Du moins pas encore!

Voici un aperçu d'une semaine de travail pour Alpha Metalcraft. Je croyais que je travaillais fort pour la compagnie Tupperware mais ce n'est rien comparativement au volume de travail que j'accomplis pour cette nouvelle compagnie. Leur façon de procéder est d'organiser des réceptions avec quatre couples ou plus. Nous faisons une démonstration du système de cuisson tout en cuisinant. En-

ALPHAMETALCRAFT

Samedi	Dimanche	Lundi	Mardi	Mercredi	Jeudi	Vendredi
9h à midi Réunion vendeurs	**9h à midi** Visite des clients	Téléphones et visite des clients de la fin de semaine	**6h à 9h** Envol vers Toronto	Téléphones et visite des clients du mardi	−Téléphones Visite des clients	Le jour, choses personnelles et courses
13h à 16h Démonstration	**14h à 19h** Préparation de la semaine et de la démonstration du soir	**22h à 2h du matin** Vendeurs chez moi et rapport de la semaine	**9h à 17h** Réunion au bureau de Toronto	**19h à 23h** 5è démonstration de la semaine	−Entraînement des nouveaux vendeurs	Le soir −Une autre démonstration
16h à 19h Chez moi à préparer la prochaine démonstration	**19h à 23h** 3è démonstration de la semaine		**17h** Retour en avion			
19h à 23h Démonstration			**18h à 19h** Chez-moi			
			19h à 23h 4è démonstration de la semaine			

JE SUIS DIEU DANS MES ÉTUDES
ET DANS MON TRAVAIL

suite, nous invitons les gens à goûter à la nourriture. Je dois apporter des morceaux de poulet comme viande et des légumes comme des pommes de terre, des carottes, des navets déjà coupés en morceaux. Ce genre de démonstration me demande beaucoup de préparation.

De plus il faut que je transporte le système de cuisson qui prend deux grosses valises. Ces valises sont très lourdes car le fond de ces chaudrons est fait d'acier inoxydable d'une épaisseur d'un demi pouce. Je dois apporter une autre valise contenant la nourriture, deux bouteilles de vin et douze beaux verres en acier inoxydable qui font eux aussi partie du système de cuisson. C'est un acier inoxydable de très haute qualité, qui est aussi étincelant que de l'argenterie. Je dois bien le nettoyer pour qu'il soit toujours brillant. Je transporte aussi une autre valise avec des cadeaux pour l'hôtesse. *Je ne suis pas encore consciente à quel point je suis courageuse et travaillante!* Ce genre de démonstration est très populaire car se sont les hommes qui participent à la cuisson et tous se joignent pour la dégustation accompagnée d'un verre de vin comme le veut la tradition européenne.

Le soir de la démonstration il ne se fait pas de ventes et il n'est pas question de prix. Je prends des rendez-vous avec chacun des couples à la fin de la démonstration et je vais les rencontrer individuellement chez eux. Pendant environ une heure je leur parle et je leur montre des photos des différents systèmes existants. Le plus petit système se vend 650$ et le plus gros 1295$. Chaque système est bien illustré par des super belles photographies. La compagnie a prévu un plan de financement pour les gens qui ne peuvent se permettre un système de cuisson en un seul paiement.

JE SUIS DIEU WOW!

Cher lecteur, si j'insiste sur les détails de mon horaire, c'est pour qu'il te soit plus facile de te mettre dans ma peau. Ce fut l'époque de ma vie où j'ai travaillé le plus fort. Cette expérience m'a prouvé combien *l'être humain peut avoir d'énergie quand il est motivé et a un but. Mon désir de toujours relever des défis nouveaux m'apportait une raison d'être.* Après mon retour d'Europe, je développe une équipe rapidement.

Ma semaine commence le samedi matin. Je fais moi-même la réunion avec mes vendeurs et vendeuses chaque samedi avant-midi. La fin de semaine est un temps très favorable pour les démonstrations vu que nous nous adressons à des couples. Je fais assez souvent une démonstration le samedi après-midi et je retourne très vite chez moi. Je me dépêche de laver mon système de cuisson, je prépare d'autres légumes et je cours faire une autre démonstration le samedi soir. C'est un soir où les gens en profitent pour s'organiser des réunions de famille en même temps.

Commençant tôt le dimanche matin, je passe la journée à visiter les gens rencontrés le samedi. Le dimanche soir je fais une autre démonstration. Si je n'en ai fait qu'une seule le samedi, alors j'en fais deux le dimanche. Je fais souvent trois réceptions par fin de semaine.

Le lundi, je passe la journée à faire des visites, souvent jusqu'à vingt-deux heures. Ensuite, mon bureau – qui est dans le sous-sol de ma maison à Saint-Léonard – est ouvert à toute mon équipe. J'ai jusqu'à vingt-cinq vendeurs et vendeuses et la cafetière est tout le temps en marche. Il y a des pâtisseries, des biscuits et tout le monde se réunit chez moi. Mes vendeurs sont eux aussi occupés surtout les fins de semaine et ils font leurs visites le lundi tout comme moi. Une fois leurs visites terminées, je leur demande de me

JE SUIS DIEU DANS MES ÉTUDES
ET DANS MON TRAVAIL

donner leurs rapports les lundis soirs avec leurs chiffres de vente de la semaine, leurs prévisions et leurs plans pour les semaines à venir. En général, il y a du monde chez moi jusqu'à deux heures du matin les lundis soirs.

Le mardi, je vais passer la journée à Toronto au bureau chef. Je me lève à six heures du matin pour prendre l'avion de huit heures. Le vol est d'environ une heure. Je reviens le soir à dix-huit heures et bien souvent j'ai tout juste le temps de rentrer chez moi, prendre mon équipement et aller donner une démonstration. Le mercredi, je fais des rencontres avec les gens que j'ai rencontrés le mardi soir et le mercredi soir je fais une autre démonstration.

Le jeudi je fais rarement de démonstrations, afin de pouvoir finaliser toutes les visites que je n'ai pas pu faire durant la semaine. Je concentre alors mes rendez-vous toute la journée du jeudi, du matin au soir. Je dois planifier environ une heure par visite. Il est très important que je calcule la distance entre chaque client. *Une bonne planification est devenue un outil essentiel que je développe d'une façon extraordinaire.* Je dois aussi planifier du temps pour trouver et entraîner des nouveaux vendeurs.

Le vendredi soir, en général, je fais une autre démonstration. Comme les gens aiment bien ce genre de réception, j'ai beaucoup de demandes et bien souvent je ne peux toutes les satisfaire. Je les délègue alors à mes vendeurs.

Ces semaines de travail sont plus ou moins semblables pendant deux ans. Je deviens super organisée et je dois tout noter, sans exception, dans mon agenda. Je suis devenue spécialiste pour organiser un agenda parce que je ne voulais pas avoir à craindre d'oublier quelque chose. C'est la raison pour laquelle j'ai créé l'"Agenda Écoute Ton Corps" cette année; il va voir le jour en même temps que ce troisième livre. Aujourd'hui, même si Écoute Ton Corps occupe beaucoup de mon temps, ce n'est rien à côté de mes deux années passées au sein de la compagnie Alpha Metalcraft.

À ce moment-là, je vis seule avec les enfants et une gardienne qui m'aide beaucoup. C'est la course. Je n'arrête jamais. Je suis comme dans un tourbillon d'action. Je n'ai même plus de vie sociale. Bien sûr, je me sens fatiguée à l'occasion mais comme je récupère très vite, quelques heures de repos suffisent et je repars de plus belle. *Je ne sais pas que me couper de mon senti arrête le développement de ma conscience. Je suis presque devenue un robot. Seule la performance compte. J'apprends beaucoup dans les expériences que je vis, mais quelle utilité puis-je en avoir si j'en suis inconsciente?*

Après ces deux années de travail acharné, je suis approchée par une firme compétitrice, Belkraft International Inc. Le président de cette compagnie se déplace pour venir me rencontrer à Montréal. Par la suite, il m'envoie un billet d'avion pour que j'aille visiter leurs installations dans le sud de l'Ontario. Pendant plusieurs mois il m'écrit, me téléphone et m'envoie des fleurs... Il fait tout pour me convaincre en restant sans cesse en contact, pour me rappeler de bien vouloir considérer sa proposition. J'admire sa persévérance. *Je ne sais pas encore que ce que nous admirons chez l'autre est un aspect de soi que nous avons mais auquel nous ne croyons pas encore.*

Cette compagnie vend également des systèmes de cuisson, d'un peu moins bonne qualité que ceux d'Alfametalcraft mais par contre, elle offre aussi d'autres très bons produits, comme de la porcelaine et du cristal. Cependant, leur système de vente est plus facile. L'histoire se renouvelle pour moi. On

JE SUIS DIEU DANS MES ÉTUDES
ET DANS MON TRAVAIL

cherche quelqu'un pour développer la région du Québec. Je finis par accepter son offre. Les conditions de travail sont d'ailleurs si alléchantes qu'elles sont presqu'impossibles à refuser.

Nous sommes en automne 1981 et je refais un nouveau départ avec la compagnie Belkraft. J'ouvre un bureau en dehors de chez moi avec une salle pour les réunions de vendeurs. Je fais encore des ventes à domicile et je dois bâtir une nouvelle équipe. Physiquement, ce nouveau travail est moins exigeant que le précédent. Je travaille pour eux depuis quelques mois quand se produit un incident très marquant pour moi. Je suis allée à Windsor, Ontario, pour assister à une convention en janvier 1982 d'où je reviens avec une infection à l'oeil gauche.

De retour à Montréal, je dois entrer d'urgence à l'hôpital. Cette infection est très grave et je souffre énormément. Je risque de perdre mon oeil gauche. Les médicaments qu'on me prescrit sont tellement forts qu'ils provoquent des cauchemars pendant quelques semaines. Je rêve beaucoup durant cette période. Environ trois mois après ma sortie de l'hôpital, je fais un rêve extraordinaire, un rêve prémonitoire qui me dit que je dois quitter la vente pour me diriger vers la croissance personnelle. Enfin un rêve agréable! Je prends le temps de le noter en détails.

Depuis déjà plusieurs mois je me sens moins bien à mon travail. Je dois me forcer davantage pour être aussi enthousiaste. Le coeur n'y est plus. *Je sens un malaise grandissant en moi mais je suis tellement occupée à travailler que je ne prend pas le temps de vérifier ce qui se passe en moi.* D'ailleurs, je suis très peu habituée à "sentir" en moi. Je suis beaucoup plus habile à "comprendre" et à "faire". Je me demande à plusieurs reprises: "Si je cesse ce travail, qu'est-ce que je fais après?" Rien ne vient. Je m'imagine difficilement faisant autre chose.

En sortant de l'hôpital, je ne veux pas suivre les directives du médecin qui me suggère fortement de prendre un repos de deux mois. D'ailleurs je ne peux me le permettre financièrement. Comme je ne vois que d'un oeil, j'engage une personne pour me conduire et je continue à faire des ventes et à m'occuper de mon équipe. Je fais des efforts surhumains. C'est une époque très difficile physiquement. Pour moi *ce n'est encore là qu'une occasion pour me dépasser.* Je ne suis pas consciente du message que je reçois avec cette infection.

C'est seulement après mon rêve prémonitoire que je deviens consciente que mon intérêt pour la croissance personnelle et la spiritualité est toujours grandissant. Je m'intéresse maintenant à plus de choses. Depuis quelques temps, je prends d'autres sortes de cours. Je découvre qu'il n'y a pas seulement le côté mental de l'être humain qui importe. J'apprends de nouvelles théories sur la réincarnation, l'ésotérisme, la parapsychologie, la spiritualité, etc. Je suis enthousiasmée par ce nouveau monde qui s'offre à moi et j'ai une forte impression de "déjà-vu". C'est comme si j'ai toujours su ces choses-là. Rien ne m'étonne. Je m'inscris à de plus en plus de cours. Je consulte des tas de livres. J'apprends à une vitesse phénoménale, tout comme si je ne faisais que réviser d'anciennes notions. Une grande ouverture se produit en moi. Le travail intensif que j'ai accompli auprès de nombreuses personnes durant mes années dans la vente contribue considérablement à cette nouvelle ouverture.

Dans la vente, sans même l'avoir décidé, je suis la psychologue de l'équipe. En plus d'être gérante, j'ai développé une

JE SUIS DIEU DANS MES ÉTUDES
ET DANS MON TRAVAIL

bonne oreille pour les confidences. Mes vendeuses me font part de leurs problèmes affectifs ou financiers. Je suis devenue la confidente d'un peu tout le monde et je les aide à mettre un peu plus d'ordre dans leur vie, du mieux que je peux. Quand je prends des cours de croissance, c'est toujours dans le but d'aider mon équipe, d'être plus à l'écoute de ceux avec qui je travaille.

Il m'a fallu plusieurs années avant que *j'applique dans ma propre vie toutes les notions que je conseillais aux autres.* Avec le recul, je réalise que je me plaçais en position d'avoir à dire aux autres ce que j'avais moi-même besoin d'entendre. *Mon DIEU intérieur saisit toutes les opportunités possibles pour m'enseigner ce que j'ai besoin d'apprendre.* C'est un phénomène courant chez les intellectuels. Ils savent beaucoup de choses, ils sont excellents pour les enseigner aux autres mais ils ne le sentent même pas.

Un an avant ce rêve prémonitoire, je dois me rendre à l'évidence, j'ai un problème de poids. Je me mets au régime, comme tout le monde dans un pareil cas. Après avoir essayé trois formules amaigrissantes sans succès, je réalise que ce n'est pas la solution. J'étouffe en suivant un régime et plus je me contrôle, plus j'ai envie de manger. Sans plus tarder, *je prends la décision de mettre mes nouvelles connaissances à l'épreuve.* Je commence à écrire tout ce que je mange et bois. Avant de manger ou de boire quelque chose, je prends le temps de me poser la question: "En ai-je vraiment besoin?" Tout ce que je sais sur le comportement humain va passer au test.

Cette nouvelle façon de procéder avec mon alimentation a amorcé un changement radical dans ma vie, autant physiquement que dans mon comportement général. En écrivant tout, je dois m'admettre que non seulement j'ai pris du poids mais aussi je bois de l'alcool tous les jours et ce, depuis plus de dix ans. Je ne m'en étais jamais rendue compte auparavant! Obèse et alcoolique! Moi qui ai tant jugé les obèses et les alcooliques comme étant des gens sans volonté, voilà que je me retrouve comme eux.

En l'espace de quelques mois, je perds mes vingt livres en trop. Au lieu de manger quatre fois par jour, je ne mange que deux fois en vérifiant si j'ai faim ou non. Au lieu de boire un cocktail avant de manger, je bois un jus de légume. Le fait de m'arrêter pour vérifier mes vrais besoins alimentaires a créé une ouverture aux plans émotionnel, mental et spirituel. Je deviens consciente que ma façon de nourrir mon corps physique est très révélatrice sur ma façon de mener ma vie. Je mangeais d'une façon programmée d'avance et je vivais aussi selon des croyances toutes programmées par d'autres. *C'est une prise de conscience majeure. Je commence à "sentir" ma vie et mon comportement.*

Mon attitude envers moi-même et envers les enfants change pour le mieux. Je deviens beaucoup plus flexible, moins rigide. *J'écoute plus mes besoins à tous les niveaux. Je donne donc plus de place au principe féminin en moi.* J'améliore ma capacité d'écoute. Un merveilleux changement se produit en moi et autour de moi. Je me sens mieux. Mes relations avec les enfants et mon entourage s'améliorent de plus en plus.

En plus de perdre les livres en trop, je réalise quelques mois plus tard que plusieurs malaises et maladies ont aussi disparu. C'est ce qui me donne le goût d'entamer ma recherche métaphysique. Je veux savoir pourquoi et comment mes maux de dos ont disparu, en même temps que

JE SUIS DIEU DANS MES ÉTUDES
ET DANS MON TRAVAIL

mes rhumatismes et mes crises de foie. Je m'inscris à d'autres cours de croissance et je lis tout ce qui me tombe sous la main. Je veux savoir quel lien existe entre la façon de penser et les malaises physiques. C'est ainsi que *je réalise jusqu'à quel point mon corps m'a toujours parlé par le biais des malaises et maladies. Il me disait que j'avais une attitude trop contrôlante qui n'était bénéfique ni pour moi ni pour mon entourage. Cette nouvelle découverte m'a même permis de comprendre la raison de mon divorce.*

Dans mon rêve prémonitoire, c'est exactement ce que j'enseigne. Je me vois dans une grande salle d'hôtel en train d'enseigner toutes ces notions-là à des centaines de personnes. À mon réveil, quand je note mon rêve, je remplis des pages et des pages de détails. J'ai même vu qu'un jour nous aurions une maison dans les Laurentides où les gens viendraient séjourner. J'ai également vu un autre endroit dans les îles au soleil mais j'en ignore encore l'emplacement exact et la raison d'être. J'ai eu le grand bonheur de reconnaître cette salle lorsque nous avons organisé une fête pour les 100 000 copies vendues de mon premier livre. Un de mes employés avait loué la grande salle de bal de l'Hôtel Méridien de Montréal pour cet événement. Quand j'y suis arrivée quelques minutes avant la conférence, mon coeur s'est arrêté de battre quelques secondes tant j'étais émue de reconnaître la salle de mon rêve. Mille personnes s'étaient jointes à nous pour fêter. *WOW!* Encore une fois, *merci mon DIEU!*

Après ce rêve, je continue à travailler pour la compagnie Belkraft mais mon coeur est ailleurs. Les images de ce rêve me suivent partout. Je me dis: "Mon **DIEU**, comme ce serait merveilleux de pouvoir faire un travail comme celui-là!" Après quelques mois, j'ai le courage d'en parler à mon patron. Je lui dis que je ne me sens pas honnête d'accepter l'argent qu'il me donne parce que je ne travaille pas à mon maximum. Je lui fais part de mon grand désir de débuter des cours comme dans mon rêve. Il me conseille de ne pas démarrer trop vite, d'y aller graduellement, de combiner mes cours et mon travail pour lui. Mais je ne suis pas capable de suivre ses conseils. Il m'est impossible de me séparer en deux. Je n'ai pas encore appris à suivre les conseils venant d'un homme. Je démissionne et je passe à l'action tout de suite. C'est d'ailleurs un trait de caractère qui a toujours dominé chez moi. J'ai dû apprendre plus tard à l'utiliser d'une façon plus bénéfique pour moi. *Il n'est pas toujours sage de passer à l'action trop vite.*

C'est en créant l'harmonie entre mes principes féminin et masculin qu'il m'est devenu plus facile de juger du moment opportun pour passer à l'action. J'y reviendrai plus loin dans ce livre.

Je commence donc tout de suite à enseigner à temps plein. Pour écrire mon cours, je m'isole pendant une semaine à la campagne. Ce cours initial dure douze semaines, à raison d'un soir par semaine. La conception du cours me vient très facilement. J'y inclus tout ce que j'ai observé pendant mes années dans la vente et tous les liens que j'ai faits sur ma façon de vivre, mon alimentation et les malaises et maladies. Dans mon rêve le mot "écoute" revenait souvent alors je savais que je devais l'utiliser. Étant donné que dans ma démarche j'ai surtout appris à me connaître à travers mon alimentation, je décide donc d'appeler mon cours et ma compagnie "Écoute et Mange".

Le contenu de ce cours semble très apprécié et les résultats sont au-delà de mes espérances dès le début. Malgré

JE SUIS DIEU DANS MES ÉTUDES
ET DANS MON TRAVAIL

mon manque d'expérience à donner ce genre de cours, les résultats sont si bons que j'en suis émerveillée. Par contre, au niveau de l'organisation et des finances, les débuts sont très difficiles. *Je force beaucoup, je veux que ça démarre vite, je précipite les choses. Je n'ai pas conscience qu'en forçant ainsi, j'emprunte le chemin le plus difficile.* Je ne prends pas le temps de me demander s'il existe d'autres routes plus faciles pour arriver à mon but. Dans ma fougue du départ, je décide d'offrir mon cours dans quatre régions différentes.

Je fais distribuer 40,000 feuillets publicitaires, soit 10,000 par région, pour inviter les gens à venir assister à une soirée gratuite. Pour l'occasion, je loue de grandes salles paroissiales pouvant contenir de quatre à six cents personnes. En tout, pour les quatre premières soirées gratuites, à peine cinquante personnes se présentent et je n'ai pas une seule inscription. J'ai le coeur dans les talons. Quelle déception! Ma soeur et mes amies qui étaient là pour m'aider à accueillir la foule attendue me demandent:"Que vas-tu faire?"Je réponds:"Je ne sais pas. Je n'avais pas prévu cela. je vais y penser."

Je décide de recommencer la semaine suivante. Cette fois-ci, je fais de la publicité dans les journaux des quartiers où j'offre mes cours. Je loue à nouveau les mêmes salles. Un peu plus de monde se présente. Ça m'encourage, je démarre mes cours dans trois régions: deux sur l'Ile de Montréal et un sur la Rive-Sud de Montréal. Au début, les classes comptent de cinq à six participants. Une fois toutes les dépenses payées (publicité, facture de téléphone, location de salle, etc.), je perds de l'argent chaque semaine. J'ai de plus en plus de problèmes financiers. Mais je reparlerai de l'aspect financier de ma vie dans un prochain chapitre.

JE SUIS DIEU WOW!

Malgré les problèmes financiers, je réalise aujourd'hui que par moments, j'écoutais vraiment mon intuition, sans en être consciente. Comme je n'avais jamais appris à maîtriser cet aspect de moi, je ne réalisais qu'après coup que de bonnes idées m'étaient spontanément apparues. Lorsqu'elles se présentaient sans effort, sans difficulté, je pensais qu'elles étaient peu importantes, ou pas du tout. Quand je faisais de gros efforts et que je travaillais beaucoup, là j'avais l'impression que j'étais plus importante, que j'avais plus de mérite. J'accordais de l'intérêt à tout ce qui demandait temps et énergie. Je suis en train de changer cette croyance, lentement. Comme *je suis bien dans l'action, je dois apprendre à être dans l'action mais sans vouloir forcer les choses*.

J'ai donc écouté mon intuition, c'est-à-dire mon **DIEU** intérieur, à plusieurs reprises. Cela a aidé Écoute Ton Corps à toujours progresser. Mes messages m'arrivent sous forme d'idées spontanées qui me viennent surtout durant l'heure qui suit mon réveil le matin. Elles jaillissent en grand nombre, telles que: décision de suivre moi-même un cours d'animation pour éventuellement former mes propres animateurs, écrire des cours spécialisés, des ateliers de fins de semaine, des conférences, des livres, etc. Je continue à prendre des cours, deux à trois par année. Je n'ai jamais voulu faire partie d'un organisme en particulier. Je me documente à partir de sources différentes et j'étudie un peu partout aux États-Unis, plus particulièrement en Californie.

Mes quinze années d'expérience dans la vente m'ont énormément aidée. J'ai mis deux ans à accepter l'idée que la vente fait partie intégrante du monde spirituel. Graduellement je commence à utiliser tout ce que j'ai appris. Au

JE SUIS DIEU DANS MES ÉTUDES
ET DANS MON TRAVAIL

début, je ne veux pas mélanger ce que j'ai appris dans la vente avec les affaires d'Écoute Ton Corps, jusqu'au jour où je réalise que si mon **DIEU** intérieur m'a fait traverser quinze années de ma vie dans la vente avant de créer mon propre cours, c'est que la vente est un ingrédient nécessaire à la bonne marche d'Écoute Ton Corps. Dans la vente, *on doit être capable de se donner des coups de pied soi-même*. Ce fut pour moi une excellente école de vie. Je ne dirai jamais assez merci d'être passée par là car c'est grâce à ce métier que j'ai appris à m'auto-motiver, à développer mon courage et à persévérer davantage.

Alors je commence à faire des réunions tous les lundis matins, comme nous le faisions dans la vente. Ces réunions sont nos vitamines d'enthousiasme, de détermination et de persévérance, la motivation dont nous avons besoin pour le restant de la semaine. Animateurs et employés sont tous au rendez-vous. Nous parlons des victoires de la semaine, des obstacles rencontrés et aussi des nouveaux projets. Nous trouvons ensemble des moyens pour nous améliorer, à la fois en tant qu'individus et en tant qu'animateurs. Nous en profitons aussi pour clarifier certains points précis touchant les cours. *Chaque employé est une partie importante de l'ensemble et c'est ensemble que nous créons un esprit d'équipe extraordinaire*. Grâce à cet esprit d'équipe, Écoute Ton Corps a pu traverser des moments très difficiles.

Durant ma carrière de vente, j'ai souvent eu à prendre la parole en public, lors de séminaires ou de conventions. J'ai déjà eu à m'adresser devant des publics de cent à deux mille personnes et cela a eu pour effet de développer mon courage encore davantage. Mes premières expériences ont été éprouvantes. Pendant longtemps, j'ai eu à courir aux toilettes avant de présider une réunion ou de prononcer une conférence. Mais mon courage est toujours grandissant et je dépasse mes peurs, tout comme le courage de ma mère.

Parfois, j'ai des doutes sur ce que je fais. Je pense: "Qui suis-je pour enseigner une philosophie de vie?" C'est un danger assez fréquent pour ceux qui ont la capacité d'enseigner et de partager quelque chose. *Nous croyons que nous devons être parfaits avant d'utiliser cette capacité de pouvoir aider les autres. Quelle croyance erronée!* Je réalise que nous avons tous à dépasser ce stade. Il serait insensé d'exiger d'un professeur de ski qu'il ne tombe plus jamais parce qu'il enseigne le ski! Accepter le fait que j'enseigne ce que je veux le plus apprendre m'aide à garder mes deux pieds sur terre, être plus simple et plus accessible.

Ce que j'ai le plus à apprendre pour m'aimer davantage, c'est d'harmoniser la relation entre la femme et l'homme en moi, c'est-à-dire entre les principes féminin et masculin. Ces principes existent à l'intérieur de tout ce qui vit.

Le principe féminin est la partie de soi qui exprime la sagesse et qui est en contact avec notre intuition, notre DIEU intérieur. C'est elle qui connait nos vrais besoins. Elle est passive. Elle communique avec le principe masculin qui, lui, exprime le côté rationnel des choses, les "comment", "quand" et "pourquoi" faire telle ou telle chose. Il exprime aussi le courage. C'est la partie de soi qui passe à l'action pour réaliser les besoins du principe féminin.

Quand les deux principes travaillent harmonieusement ensemble, la femme en soi exprime un désir et l'homme en soi analyse la situation pour trouver le moyen de satisfaire ce désir. Si monsieur juge qu'il serait bon d'attendre un peu, madame acquiesce. Elle respecte le jugement de monsieur car elle sait qu'il ne veut que le meilleur pour elle.

Dans mon cas, le principe masculin n'est pas accepté. Je le rejette depuis longtemps. Je crois que les hommes ne sont pas assez hommes. Je cherche un modèle d'homme plus fort, qui décide tout. Ni mon père, ni mes oncles, ni mes frères, ni mes cousins ni mes fils ne ressemblent à mon idéal. Je pense souvent: "Qu'est-ce qu'un homme ferait sans une femme?" Je crois sincèrement que les hommes ne peuvent pas faire grand chose, à moins de se faire diriger par des femmes.

Cette attitude indique nettement que je ne respecte pas du tout l'homme en moi. *Quand une femme n'accepte pas son principe masculin (et la même chose pour l'homme avec son principe féminin), elle devient dirigeante et est toujours sur ses gardes pour ne pas se faire avoir par quelqu'un du sexe masculin.*

Vu que je ne fais aucunement confiance aux hommes, je décide (inconsciemment) de faire tout ce qu'un homme doit faire, m'assurant ainsi de ne plus avoir à compter sur quiconque du genre masculin. Je ne réalise pas à quel point j'ai besoin de l'aide d'un homme et combien cette aide me serait bénéfique.

Alors je deviens de plus en plus active. Je pousse l'homme en moi à me prouver qu'il est capable, en le faisant performer. Je juge les hommes, leur reprochant de n'être pas assez actifs. Selon moi ils sont tous de grands paresseux. Cela inclut l'homme en moi. Ils n'en font jamais assez.

L'homme en moi n'étant pas accepté, je commence très jeune à avoir des messages physiques à cet effet. Adolescente, je dis souvent que j'aurais préféré être un garçon.

JE SUIS DIEU WOW!

Plus tard, pendant les quinze années de mon premier mariage, j'essaie de "faire un homme" de mon mari. Mon jugement sévère sur les hommes n'épargne aucun des systèmes dirigés par des hommes. Je crois à ce moment-là que s'il y avait des femmes à la tête des gouvernements et des systèmes scolaire, médical, etc., le monde serait meilleur. Quelle énergie je dépense à tant critiquer les hommes! *Je réalise qu'étant l'expression de DIEU, je dois aimer chaque partie de moi avec tout mon coeur. Ainsi je pourrai aimer tous les êtres de la Terre en les acceptant tels qu'ils sont.*

Pour arriver à prendre conscience de la non acceptation de mon principe masculin, je dois faire plusieurs choses très irrationnelles. La femme en moi ne veut pas du tout écouter le côté rationnel des choses, le côté masculin. Dès que j'ai un désir, il doit aussitôt se réaliser. J'exige de l'homme en moi qu'il passe à l'action tout de suite, sans le consulter pour avoir son avis.

Le meilleur exemple est l'acquisition impulsive, en octobre 1986, d'un très beau manoir d'un demi-million de dollars à Sainte-Agathe des Monts dans les Laurentides. Je transforme ce manoir en Centre de Santé. Au même moment, Écoute Ton Corps est dans le rouge, endetté jusqu'au cou. Je dois même emprunter de l'argent pour payer le dépôt. Je n'écoute les conseils de personne; je veux accélérer les choses. Selon moi, il faut que ça se fasse au plus vite et je force énormément pour que ce centre voit le jour.

L'ouverture officielle a lieu en février 1987. Ce centre tient le coup pendant deux ans. Ce que cette expérience m'apporte n'a cependant pas de prix. Des centaines de personnes y passent et la structure du programme est tellement

(1954) à 13 ans. Dans la cour du couvent à Richmond.

(Printemps 1951) à 10 ans- Je suis à gauche en compagnie de ma soeur d'un an mon aînée, lors de notre communion solennelle.

(Automne 1956) à 15 ans. Photo prise durant ma 12e année commerciale à Richmond.

(Février 1957) Lors du party organisé pour mes 16 ans. Je suis la première à gauche, 2e rangée.

(1958) J'ai 17 ans, je viens de commencer à travailler et je me paie le luxe d'un photographe.

(été 1957) Je suis à gauche, en compagnie de mon amie à l'allure de manequin.

(été 1958) Je suis à droite en compagnie de deux de mes soeurs aînées.

(mai 1960) J'ai 19 ans.

(février 1961) Photo de famille prise lors de mon premier mariage.

(mai 1969) Voyage au Lac Louise (Alberta) en compagnie de mon 1er conjoint.

(août 1971) Présentation faite à un congrès Tupperware à Montréal.

(décembre 1971) Noël en famille. Mes enfants sont les trois à gauche.

(mars 1972) Je suis à droite en compagnie de ma belle-mère et de ma belle-soeur.

(août 1972) Mes trois enfants devant la maison de Pierrefonds. Alan 9 ans,
Tony 6 ans, Monica 4 ans.

(1973) Photo de famille.

(1973) La famille en voyage à l'Ile du Prince Edouard.

(1974) Mon père jouant de
l'harmonica lors d'une fête de famille.

(1974) Mes parents lors de leur
40e anniversaire

(été 1975) Mon fils Tony lavant ma Station Wagon
de Tupperware.

(hiver 1976) Avec ma fille Monica dans
sa chambre à Pierrefonds.

(décembre 1978)
Avec mon père.

(automne 1979) Ouverture du bureau
d'Alphamétalcraft.

(janvier 1980) Voyage à Paris pour le congrès
d'Alphamétalcraft.

(1980) Avec une partie de mon équipe lors d'un congrès d'Alphamétalcraft.

(automne 1981) Ma famille. Je suis la quatrième à partir de la gauche, 2e rangée.

(hiver 1984) Avec mon deuxième conjoint Jacques.

(1984) Photo prise lors d'un cours avec le Dr.Herbert L. Beierle à Montréal.
Je suis debout, 2e à gauche.

JE SUIS DIEU DANS MES ÉTUDES ET DANS MON TRAVAIL

bonne que les résultats dépassent largement mes plus grands espoirs. Je suis témoin de guérisons physiques. Le côté administration, lui, est loin d'être au point. Je ne peux pas être sur place assez souvent pour surveiller les opérations de près. Je suis tellement préoccupée par l'expansion d'Écoute Ton Corps que je ne m'accorde qu'une seule journée par semaine au Centre de Santé, ce qui est définitivement trop peu. Je mène deux gros projets de front.

Au moment de l'ouverture du Centre de Sainte-Agathe, j'ouvre aussi six nouveaux centres Écoute Ton Corps, en dehors du bureau chef à Montréal qui est alors situé sur la rue Saint-Denis. Écoute Ton Corps commence à s'implanter en province. Je dois signer des baux pour ces locaux en plus de faire l'achat de tout l'équipement nécessaire pour les cours (téléphones, répondeurs, mobilier, etc.) *Encore une fois, ce sont des expériences difficiles car je veux aller trop vite.*

Avec un peu de recul, je vois bien aujourd'hui que cette façon d'opérer à vitesse accélérée me demandait énormément d'énergie. Je forçais l'homme en moi à me prouver qu'il était capable de faire ce que je voulais, sans cesse. L'homme en moi était tout à fait incontrôlé. Lorsque le temps arrive de faire face à la fermeture inévitable du Centre de Santé, mon orgueil en prend tout un coup car je n'ai pas l'habitude d'abandonner mes projets en cours de route! Toutefois, *une partie de moi sait que c'est la volonté de DIEU et que quelque chose de bon ressortira de tout ça.* Je sais que j'ai fait tout ce qu'il est humainement possible de faire. Si je dois fermer les portes c'est qu'il est temps pour moi de passer à autre chose.

Aussi, c'est la première fois que *je suis consciente du fait que je respecte mes limites. Je les accepte, en sachant qu'elles sont temporaires.* Je finis pas réaliser à quel point je force pour que tout aille vite. Je prends du temps pour vérifier comment je me sens à l'idée d'arrêter ce Centre et je sens un soulagement. Je commence ainsi à être moins exigente pour l'homme en moi, donc tous les hommes en général. Cette expérience me permet d'amadouer à la fois la femme et l'homme en moi; j'accepte qu'une décision (ou une idée) aussi bénéfique soit-elle, n'est pas automatiquement mûre pour être mise en application tout de suite. Cela n'en fait pas une moins bonne décision pour autant.

Je vois que derrière ce comportement se cachent des peurs. Si je ne donne pas immédiatement suite à mes idées c'est comme si je me laisse contrôler par quelqu'un d'autre. Quand je passe à l'action tout de suite, j'ai l'impression d'avoir le contrôle. Finalement, à force de tant vouloir contrôler on finit par perdre le contrôle. Ça m'est arrivé à plusieurs reprises, particulièrement dans le domaine financier et c'est pourquoi j'y ai consacré un chapitre complet.

Quand je décide d'écrire mon premier livre *"Écoute Ton Corps - ton plus grand ami sur la terre"*, toutes les étapes menant à sa parution se déroulent si calmement et harmonieusement que je ne m'accorde pas beaucoup de mérite. Comme l'idée m'en est venue tout simplement et que sa réalisation n'a pas demandé de gros efforts de ma part, je regarde tout le travail accompli comme peu important. Certes, l'idée est excellente mais je ne me considère pas très talentueuse dans le domaine de l'écriture même si le livre est un succès immédiat.

J'ai de la difficulté à accepter que je peux avoir du talent ou du mérite quand ça vient si facilement. *Pour m'accepter en tant que personne spéciale, il me faut performer à tous les niveaux, faire des efforts, travailler dur, vite et bien.*

JE SUIS DIEU DANS MES ÉTUDES
ET DANS MON TRAVAIL

Dans ces conditions il m'est plus facile de m'aimer et de m'accepter, mais... à quel prix! Cette attitude me fait travailler plus que nécessaire.

Avec mon premier livre, c'est loin d'être le cas. Voici comment l'idée m'est venue. Quelques personnes me disent: "Ce serait merveilleux si tu pouvais écrire noir sur blanc tout ce que tu enseignes! On pourrait y faire référence après avoir suivi le cours, question de nous rafraîchir la mémoire." Au départ, j'ignore complètement cette idée. J'ai toujours eu une sainte horreur de tout ce qui touche l'écriture, de près ou de loin. Je ne peux même pas m'imaginer comme écrivain! Comme notre mental peut nous jouer des tours parfois! Tout ce qui m'importe, c'est le bon fonctionnement du centre et de mon cours.

Par contre, la semence étant faite, l'idée du livre germe en moi inconsciemment. Mon **DIEU** intérieur est à l'oeuvre. L'idée d'écrire remonte à la conscience peu à peu. Et puis un bon jour, je me dis qu'après tout cette idée est peut-être bonne. Comme je n'aime pas écrire et que je préfère parler, je commence à envisager de pondre quelque chose en mettant sur cassette ce que je veux écrire.

Un soir, je suis en train de donner un cours quand, à la pause, une de mes participantes vient me trouver en me disant: "Tu sais Lise, pour ton livre, je veux t'offrir de le dactylographier sur traitement de textes sans que ça ne te coûte un sou. J'ai tellement reçu d'Écoute Ton Corps que j'ai vraiment le goût de te faire ce cadeau-là!" Je lui dis qu'il n'a jamais été question que j'écrive un livre (je n'en avais fait part à personne). Elle semble persuadée du contraire: "Mais oui, tu l'as dit plus tôt au cours!" Intriguée, je vérifie avec les autres participants. Personne d'autre n'en a entendu parler. J'en conclus que cette femme a reçu cette idée de moi télépathiquement. *J'ai souvent pu vérifier que lorsque l'on va selon notre intuition, notre DIEU intérieur s'arrange pour nous faire rencontrer les bonnes personnes au bon moment.*

Aussi, un des animateurs qui travaille à temps partiel pour Écoute Ton Corps m'offre de faire la page couverture de mon livre (il est concepteur d'idées pour une compagnie de publicité réputée). Je rencontre deux écrivains qui me conseillent d'éditer mon livre moi-même, ce que je décide de faire alors que le domaine de l'édition m'est totalement étranger. *Merci mon DIEU pour tous ces beaux cadeaux!*

Je m'isole donc à la campagne pour dicter mon livre. J'installe mon magnétophone et je m'enregistre. Je parle sans arrêt pendant cinq journées consécutives. C'est comme ça que le livre **"Écoute Ton Corps, ton plus grand ami sur la terre"** voit le jour. La dame qui m'a offert de le retranscrire tient parole et le tout est prêt pour la correction. Le lancement du livre est retardé par une suite d'incidents: erreurs et mélanges dans les textes corrigés, destruction des bonnes copies de transcription, etc... Je suis obligée de changer de correctrice à trois reprises car les deux premières personnes capitulent: le livre les fait trop travailler intérieurement et elles en deviennent malades.

Comme c'est un projet où je ne force pas, ce retard m'importe peu. Je vais avec les événements. Il faut attendre un an et demi avant que le livre ne sorte sur le marché. Le moment venu de le mettre sous presse, je décide d'en faire imprimer 10,000 copies. L'imprimeur est stupéfait. Il me dit qu'au Québec le premier livre d'un auteur est ordinairement imprimé à 1000 copies. S'il se vend bien, l'auteur en fait réimprimer 3000. J'insiste, j'en veux 10,000 copies. En dedans ça me dit très fort: "Vas-y, n'aie pas peur. Fais

JE SUIS DIEU DANS MES ÉTUDES
ET DANS MON TRAVAIL

confiance à l'univers. Alors il exige que je lui paie la somme initiale de 1500$. Je dois lui verser cette somme avant même qu'il ne commence son travail. Comme je ne l'ai pas en main, j'ai l'idée de vendre plusieurs livres d'avance, en promettant une dédicace. Beaucoup de gens acceptent et me soutiennent.

Comme pour tout ce qui concerne le livre, j'agis calmement, je ne me sens pas du tout bousculée. Il sort au mois d'avril 1987. Le Centre de Santé vient d'ouvrir ses portes deux mois plus tôt. Ce petit livre rose fut la solution à bien des problèmes d'Écoute Ton Corps. Ce ne fut que quelques années plus tard que je suis devenue consciente de la différence entre le projet du Centre de Santé et celui du livre. Ce dernier était dirigé par mon **DIEU** intérieur et le premier par mon mental.

Dans mon rêve, je me suis vue enseignant partout au Québec et même au-delà, mais je n'ose pas encore penser au marché international. Je crois qu'en ouvrant des centres à travers le Québec je vais concrétiser ce rêve. À ma grande surprise, c'est le livre qui va ouvrir la porte. En me soufflant l'idée du livre, **DIEU** en moi sait que j'ai en main l'outil qui va faire connaître Écoute Ton Corps à l'échelle internationale. Je n'ai jamais douté de mes talents de communicatrice et mes livres sont une façon pour moi de communiquer à une plus grande échelle. *Merci mon DIEU de connaître mes vrais besoins.*

Quatre ans après sa parution, le livre **"Écoute Ton Corps, ton plus grand ami sur la terre"** atteint les 150,000 copies vendues. Pour notre distributeur c'est du jamais vu qu'un livre se vende avec autant de régularité. Au moment où j'écris ces lignes, la demande continue. Au Québec, presque tous les livres qui ont atteint plus de

JE SUIS DIEU WOW!

100,000 exemplaires ont été des livres à sensation qui se sont vendus en l'espace de quelques mois seulement, après quoi les autres copies sont restées sur les étagères des marchands. Avec Écoute Ton Corps les ventes sont régulières et c'est justement ce dont nous avons besoin pour progresser graduellement. Aujourd'hui ce livre à la pochette rose et grise est aussi distribué en France, en Suisse et en Belgique.

Il est aussi traduit en anglais. Après plus de six mois de parution nous n'avons toujours pas obtenu de distributeur pour le marché anglophone. Je ne presse pas les choses. J'ai retenu mes leçons. *J'ai appris à ne pas forcer et à aller avec le plan divin. Ce qui ne signifie pas que l'on doit se prélasser et attendre que la solution nous tombe dessus.* Loin de là! La directrice des Éditions continue à faire des démarches et à s'informer un peu partout au Canada et aux États-Unis pour trouver une maison de distribution mais ça ne veut pas démarrer tout de suite. C'est trop prématuré et il y a sûrement une bonne raison à ce délai. Tout est tellement plus facile en lâchant prise.

Et voilà qu'en novembre 1990 je suis au Salon du Livre de Montréal et j'y rencontre le président d'une agence littéraire qui m'offre ses services. Après avoir lu le livre, il est convaincu de pouvoir le faire publier dans beaucoup d'autres langues, incluant l'anglais. Il a des personnes ressources aux États-Unis.

J'apprends, à travers lui, que la raison du délai pour la distribution de mon livre au Canada anglais et aux États-Unis, c'est qu'il n'existe pas de distributeurs de livres uniquement. Ce sont plutôt les maisons d'édition elles-mêmes qui développent leurs propres réseaux de distribution. Il n'y a qu'au

JE SUIS DIEU DANS MES ÉTUDES
ET DANS MON TRAVAIL

Québec où il existe des maisons de distribution qui acceptent de distribuer des livres d'éditeurs différents.

Donc, au moment où j'achève l'écriture de ce livre, je viens de signer un contrat avec cette agence littéraire pour qu'ils voient à faire publier mon premier livre dans plusieurs langues étrangères. Une autre partie de mon rêve qui se réalise. **WOW!**

Au printemps 1988, j'ai l'idée d'écrire un deuxième livre. Ça fait un an que le premier est sorti et je me sens prête à en écrire un deuxième. *C'est encore mon DIEU intérieur qui m'aide d'une façon tout à fait inattendue.* Lors d'une détente dirigée, je trouve un coffre à trésors et lorsque je l'ouvre, je vois un livre à la couverture violette sur laquelle ressortent en lettres dorées très brillantes les mots *"Qui es-tu?"* À ce moment-là, environ un an avant de l'écrire, je ne comprends pas vraiment, croyant plutôt que c'est un livre que j'aurai à lire un jour. J'en note le titre. Je fais le dessin de la page couverture et je laisse tout ça de côté dans mes notes. Depuis que j'ai terminé mon premier livre, je veux en écrire un deuxième pour parler des malaises et des maladies et de leurs significations métaphysiques. Je croyais que ce deuxième livre aurait pour titre: "Malaises et maladies".

Quand je vois dans ma détente dirigée ce livre intitulé *"Qui es-tu?"*, je ne fais pas encore le lien avec mon deuxième livre. Ce n'est qu'un an plus tard que je le fais. Au printemps 1988, je reviens de Québec et tout à coup, c'est comme si j'entends une voix intérieure me parler. Elle me dit que je dois écrire le livre *"Qui es-tu?"* et qu'un des chapitres doit être entièrement consacré aux malaises et aux maladies. Je reçois aussi les titres de chacun des douze chapitres. *C'est toujours excitant pour moi quand ces intuitions m'arri-*

vent. Je n'entends pas vraiment une voix, je la sens plutôt en dedans de moi. Pendant ces brefs instants il n'y a aucun doute en moi. Je suis consciente d'être en contact avec mon DIEU intérieur, mon intuition.

Alors j'ouvre mon agenda et je note tout pendant que je suis toujours au volant de ma voiture. Depuis, je me suis assagie, je me suis procurée une enregistreuse que je garde dans ma voiture. Donc, dès le début de l'été, je commence ce nouveau projet. Ce livre est aujourd'hui aussi en demande que le premier. Nous avons même prévu qu'il atteindrait les 100,000 copies vendues plus rapidement que le premier. *"Qui es-tu?"* est un livre de références très utile et plusieurs médecins, infirmières, psychologues et thérapeutes en médecine douce me disent qu'ils s'en servent pour interpréter métaphysiquement certains malaises et maladies.

Les neuf dernières années vécues avec Écoute Ton Corps me donnent plutôt l'impression d'avoir été neuf vies. Ce que j'ai pu y apprendre n'a pas de prix. Écoute Ton Corps a certes connu des années difficiles mais ce que je trouve extraordinaire, c'est que d'année en année les difficultés s'atténuent. Pourtant les obstacles n'ont pas diminué. *Quelque chose en moi a appris à accepter les obstacles comme des tremplins pour sauter plus loin.*

En 1987, plusieurs médias d'information ont tenté de démolir le secteur de la croissance personnelle. Un journaliste du journal La Presse prévoyait écrire un article sur le sujet de la croissance. Il s'est rendu au Centre de Santé de Sainte-Agathe-des-Monts sous un nom fictif. Une fois sur place, il a tout essayé pour provoquer les employés, ridiculisant tout ce qu'il s'y passait, tentant de retirer des commentaires négatifs des autres résidents et ne faisant que

JE SUIS DIEU DANS MES ÉTUDES ET DANS MON TRAVAIL

des remarques négatives à propos de tout et de rien. Naturellement, cela faisait partie de son travail. Au bout de deux jours, il nous a réclamé un remboursement en prétextant qu'il avait détesté son séjour et qu'il n'en avait ressenti aucun bienfait. Son article, imprimé en première page du journal La Presse, s'est échelonné sur dix semaines et a causé beaucoup de tort à plusieurs organismes de croissance. Je dois avouer qu'il n'a pas été trop dur pour Écoute Ton Corps.

Aussi, à plusieurs reprises, on me critique personnellement d'être une "petite vendeuse Tupperware!" Au début, ça me dérangeait. Cette remarque éveillait la perfectionniste en moi qui ne voulait pas croire que j'étais assez "correcte" pour enseigner l'amour. J'ai souvent regretté de ne pas avoir de diplômes universitaires. Je réalise que ce regret cache la croyance qu'avec des diplômes, j'aurais eu plus de crédibilité. Est-ce à dire que pour enseigner l'amour, il est besoin de diplômes universitaires? Pour ma part, ce qui m'aide à changer ma croyance et à ne plus être dérangée par ce jugement, c'est que je suis consciente que ceux qui me critiquent croient aussi aux diplômes et qu'ils sont sûrement bien intentionnés.

Cette expérience en est une parmi plusieurs qui m'aide à amadouer mon côté critique. La critique m'est toujours venue beaucoup plus facilement que le compliment. Quand je critique, je m'en veux ensuite de l'avoir fait. Je me dis que je devrais le faire moins souvent. Une autre partie de moi sait que *les compliments font plaisir aux autres, que c'est un moyen qui produit beaucoup de bons effets.* Cependant une autre partie de moi croit que si je fais trop de compliments à une personne, elle se laissera aller ou elle ne voudra plus s'améliorer. C'est évidemment parce que moi aussi je réagis de cette façon. De plus, je sais que le fait d'avoir jugé et critiqué ma mère qui complimentait peu a fait que je suis devenue comme elle.

Que ce soit dans la vente ou à Écoute Ton Corps, j'ai toujours eu une super équipe pour me seconder tout au long de ma carrière. Quand je me retrouve toute seule, il m'arrive de penser à ce que quelqu'un a fait ou a dit et de me dire: "J'aurais dû lui dire combien je l'admire dans telle chose, ou combien je l'apprécie!" Je me promets bien de le lui dire dès que possible. Mais quand l'occasion se présente, j'oublie souvent. Je me suis énormément critiquée à ce sujet.

Devenir consciente du critique en moi est une chose qui m'a beaucoup aidée dans ma vie professionnelle. C'est quand on veut écarter et contrôler la critique qu'elle devient négative et qu'on perd le contrôle. *Le côté critique de l'être humain est la partie de lui qui fait en sorte qu'il veut toujours se dépasser et aller plus loin.* C'est le critique en nous qui nous pousse à nous améliorer sans cesse. Je suis en train d'accepter que critiquer peut être très bénéfique.

Je réalise en plus que c'est le critique en moi qui m'aide à être plus alerte, à voir une situation ou une personne telle qu'elle est. En étant présente aux détails, je suis dans mon moment présent. Plus j'accepte que je peux me critiquer et critiquer les autres et plus je le fais avec amour. *J'utilise la critique pour m'aider à m'améliorer sans être rigide, tout en me donnant le droit d'être humaine.*

Plus les années passent et plus mes projets prolifèrent. Je me dépasse sans cesse. À Écoute Ton Corps nous visons toujours plus haut et nous travaillons de plus en plus dans la joie et dans l'harmonie. J'ai une équipe du tonnerre, une

JE SUIS DIEU DANS MES ÉTUDES
ET DANS MON TRAVAIL

famille et un conjoint qui me supportent à 100%, une santé de fer et une énergie toujours grandissante. Quand à ma situation financière, elle s'est nettement améliorée.

J'ai appris à travailler plus facilement avec la perfectionniste en moi. C'est elle qui m'a toujours aidée à être super organisée. Je planifie mon horaire d'une façon très méthodique. Les pages de mon agenda sont remplies plusieurs mois à l'avance et du temps pour des vacances est réservé. Je planifie aussi mes conférences mensuelles pour Écoute Ton Corps. Il y a aussi des organismes qui m'invitent à donner des conférences à leurs membres. Eux aussi s'y prennent souvent très tôt pour formuler leurs demandes.

Dans la planification de mon horaire hebdomadaire, je me réserve une journée complète où je reste chez moi. C'est là que j'écris mes cours et prépare mes conférences. Je donne encore deux à trois cours par semaine, dont un cours de jour pour la formation des futurs animateurs. Je donne aussi en moyenne deux à trois conférences par semaine. La perfectionniste en moi est celle qui me fait rechercher l'excellence en tout. Je peux paraître exigeante dans certains domaines mais je vise l'excellence dans tous les domaines, autant dans le matériel que le spirituel.

De plus, je ne dois pas négliger le côté administration. Avec trois compagnies à gérer, j'ai souvent des réunions de gestion ou autres pour prendre des décisions administratives.

Malgré toutes ces activités, *grâce à la flexibilité que j'ai développée en acceptant le bon côté de mon aspect "perfectionniste", je réussis à me rendre disponible si quelqu'un a besoin de moi.* Je ré-organise tout simplement mon temps dans la mesure du possible. Auparavant, je vivais de l'impatience quand quelqu'un ou quelque chose venait déranger ma planification. En étant maintenant plus flexible, je n'ai pas l'impression de travailler autant, bien que j'y mette autant d'heures qu'avant.

Il y a un autre aspect de moi sur lequel j'ai pu faire un processus à travers mon travail. Une personne avec un côté travaillant aussi développé que le mien n'a normalement pas beaucoup de temps pour s'amuser. Depuis très longtemps il y a une partie de moi qui me souffle à l'oreille que je dois me dépêcher, que je vais manquer de temps. Cette partie en moi qui s'appelle le pousseur me dit: "Fais-le tout de suite, peut-être que tu ne pourras pas te reprendre!" Le pousseur est la partie de soi qui, à mesure que nous faisons quelque chose sur notre liste, en rajoute une autre à faire au bas de la liste. Quand nous osons nous arrêter, il s'assure de toujours nous laisser savoir ce qui n'est pas terminé. Aussi loin que je me souvienne, je me suis toujours dépêchée de peur de manquer de temps.

Comme *on se fait toujours arriver l'objet de nos peurs*, plus j'avançais dans la vie, plus je prenais de responsabilités, d'engagements, et plus j'en avais à accomplir dans un même temps donné. Je n'en sortais pas. Même si je devenais super organisée, j'avais de plus en plus l'impression de manquer de temps. Jusqu'au jour où, en plein milieu d'une conférence, je m'entends dire que *quand on a l'impression de manquer de quelque chose, il suffit d'en donner pour en recevoir*. Tout de suite, je me dis intérieurement: "Ce que j'ai l'impression de manquer le plus présentement, c'est du temps!" J'ai de la difficulté à voir le bien-fondé de cette théorie quand je l'applique au temps. J'y crois dans les autres domaines.

116

JE SUIS DIEU DANS MES ÉTUDES
ET DANS MON TRAVAIL

Il est difficile pour moi d'y croire car j'ai la nette impression que je donne déjà beaucoup de temps à Écoute Ton Corps, à mon conjoint, à mes employés. Tous les jours, dès que j'arrive au bureau, immanquablement quelques personnes me demandent de leur consacrer du temps. Je réponds toujours oui et je leur consacre quelques minutes de mon temps.

Un jour, j'en discute avec ma fille et elle m'aide à réaliser que je ne donne pas réellement de mon temps! Quand quelqu'un vient me déranger dans mon horaire, même si je lui consacre du temps, je regarde souvent ma montre, je trouve que ça ne va pas assez vite. En réalité, je donne ce qui fait bien mon affaire. Si mes employés me demandent de leur consacrer du temps, cela aide ma compagnie et c'est moi qui en profite.

J'ai pu vérifier la même chose ailleurs. Par exemple, je m'apporte souvent du travail chez moi les fins de semaine. Le samedi, je travaille dans mes papiers et soudainement je me dis: "Mon conjoint est tout seul, je vais lui demander s'il veut prendre une marche." J'ai l'impression de lui donner du temps alors qu'en réalité je ne lui donne rien. De toute évidence, c'est moi qui ai le goût de prendre une marche et de me donner un temps d'arrêt.

Quelle prise de conscience! Moi qui me considère généreuse, je découvre que je suis égoïste. Quand je réalise que je ne suis pas du tout généreuse de mon temps, je décide de commencer à en donner. Je m'arrange pour prendre du temps avec quelqu'un, même si ce n'est pas du tout planifié dans mon horaire et même si ça ne fait pas réellement mon affaire. Maintenant, l'attitude que j'ai choisi d'adopter à la place, c'est de tout simplement prendre le temps d'être avec la personne, m'informer sur elle, faire des choses qu'elle

117

ne me demande pas; donner de mon temps gratuitement, c'est-à-dire sans attentes!

Aujourd'hui j'ai l'impression d'avoir beaucoup plus de temps qu'avant. Je suis aussi occupée mais mon temps me paraît plus flexible et je fais encore plus de choses qu'avant dans un même temps. Le processus que j'ai fait au niveau du temps a été fantastique pour moi. *En plus de donner généreusement, il est important aussi de savoir être reconnaissant.* Mon attitude est donc différente. Auparavant, la semaine terminée, je me plaignais de n'avoir pas pu faire tout ce que j'avais prévu. Maintenant je me dis: "**WOW!** Quelle semaine! Je suis fière de ce que j'ai accompli cette semaine."

Plus tôt, j'ai donné un aperçu du travail que j'accomplissais pendant une semaine dans la vente. Mes semaines sont tout aussi remplies aujourd'hui mais j'aime beaucoup la diversité de mon travail. À quelques reprises, ma mère me dit: "Tu dois avoir plus de temps pour toi maintenant que tu donnes des cours ou des conférences le soir. Tu dois te reposer le jour, n'est-ce-pas?" J'ai tenté de lui expliquer que je suis très occupée le jour. Je crois qu'il faut être sur place pour connaître tous les détails relatifs à la bonne gestion d'une entreprise comme Écoute Ton Corps.

Dans une même journée, je peux passer par toutes les expériences suivantes: répondre à plusieurs lettres, déléguer tout ce que je peux à ma secrétaire, rencontrer la gérante des finances avec qui je dois prendre des décisions et qui me fait signer des chèques et formulaires; prendre une demi-heure pour aider un employé ou une animatrice avec un problème; prendre des décisions pour le Centre de Paix; faire quelques appels; rencontrer la directrice des Éditions E.T.C. pour décider de la page couverture de mon

JE SUIS DIEU DANS MES ÉTUDES
ET DANS MON TRAVAIL

prochain livre; assister à une réunion de gestion (une fois par semaine); quitter le bureau vers la fin de l'après-midi pour me rendre dans la ville où je dois donner une conférence ce soir-là.

Je prends aussi le temps de déjeuner ou de dîner avec une amie environ une fois par semaine. Comme j'aime tout ce que je fais, je n'ai pas vraiment l'impression de travailler. Je me donne aussi le droit de prendre deux à trois vacances par année. C'est dans ces moments-là que *mon côté paresseux a le droit de sortir.* C'est en travaillant avec l'équipe d'Écoute Ton Corps que je découvre un aspect de moi que je n'ai jamais voulu voir, encore moins accepter. Cette personnalité est la niaiseuse en moi. Un jour, ma nièce qui travaille avec moi m'avoue qu'elle a de la difficulté à me parler, à se confier à moi car elle a peur de paraître niaiseuse. Je lui demande: "T'ai-je déjà dit que tu étais niaiseuse? Je te trouve tellement intelligente. Comment peux-tu croire que je te traiterais de niaiseuse. Qu'y a-t-il dans mon attitude qui te fait croire cela?" Elle me répond: "Tu ne m'as jamais traitée de niaiseuse et je ne sais pas ce qui me fait croire à cela mais c'est très fort en moi. Je sais aussi que plusieurs membres de l'équipe ont la même peur."

Je la remercie de sa franchise et je décide de faire une enquête. Plusieurs me confirment ce que ma nièce m'a dit. Un soir, j'en parle à mon conjoint et lui me confirme la même chose. Il me dit: "Tu as des répliques qui me font figer. Tu ne me traites pas de niaiseux mais je sais que c'est ce que tu penses. Dans ces occasions je préfère ne rien dire. Quand je te réponds et que ça sort raide, c'est parce que je viens de me sentir traité de niaiseux." Quelle révélation! Il ne m'en avait jamais parlé. Étant plus introverti que moi,

119

il a plus de difficulté à exprimer en mots ce qu'il ressent. *Sachant qu'il n'y a pas de fumée sans feu*, je m'intériorise et cherche en moi tout ce qui est relié au mot niaiseux. Je deviens consciente que j'ai une forte tendance à trouver beaucoup de personnes niaiseuses, trait typique des gens à caractère Teflon. Aussitôt que quelqu'un dit ou fait quelque chose de non-intelligent – selon moi – intérieurement, je deviens impatiente et c'est vrai que je trouve cela niaiseux. Donc, j'en déduis que si je fais cela avec les autres, je le fais avec moi-même. *Je ne me donne pas le droit d'être niaiseuse! Je suis aussi sévère avec moi-même qu'avec les autres!* Plus j'y pense et plus je deviens consciente que je me suis souvent traitée de niaiseuse et je le fais encore. Chaque fois que je me trompe ou que j'oublie quelque chose, je pense ou me dis tout bas: "Grande niaiseuse!"

Cette prise de conscience s'échelonne sur quelques mois. Je m'aperçois que ma peur d'avoir l'air niaiseuse devant les autres a été très forte. Elle se cachait derrière la peur de parler en public, la peur de prendre une mauvaise décision et bien d'autres peurs. Je finis par découvrir que Jacques et moi avons la même peur mais que nous l'exprimons différemment. Quand il a peur d'avoir l'air niaiseux, il hésite et finit souvent par ne pas passer à l'action. Pour ma part je fais le contraire. Grâce à mon courage, plus j'ai peur et plus je passe à l'action vite, souvent sans même réfléchir. J'ai donc souvent agi trop vite. Je n'étais pas en pleine possession de mes moyens car j'étais en réaction à cause de cette peur. J'ai de plus en plus de facilité à accepter la niaiseuse en moi. Je peux même en rire quand je le suis. Je réalise en écrivant ces lignes que ça fait longtemps que je ne me suis pas traitée de niaiseuse. J'ai donc beaucoup plus de tolérance avec les autres.

JE SUIS DIEU DANS MES ÉTUDES ET DANS MON TRAVAIL

Une autre prise de conscience faite grâce à l'écriture de ce livre est de réaliser que les êtres humains n'ont pas tous le même degré de conscience. Une personne peut être très intelligente ou peut être très intellectuelle mais n'est pas nécessairement consciente. Quelqu'un peut avoir un mur couvert de diplômes universitaires et en même temps ne rien savoir de ce qui se passe en lui.

Une personne peut avoir une mémoire phénoménale et ne pas savoir qu'elle garde en elle une rancune envers un parent ou qu'elle est envieuse, etc...Être conscient c'est utiliser notre intelligence pour savoir ce qui se passe à tous les niveaux, incluant le niveau physique. L'exemple le plus évident qui me vient à l'esprit est que la plupart des gens ne sont même pas assez conscients pour savoir reconnaître s'ils ont véritablement faim.

Auparavant je mélangeais intelligence et conscience. Je me disais de quelqu'un:"Il me semble qu'il est assez intelligent pour savoir qu'il serait mieux de..." Ce n'était pas de l'intelligence mais de la conscience. Une personne peut être très intelligente et ne pas savoir quelque chose.

C'est ce qui me faisait critiquer des personnes intelligentes. Aujourd'hui je suis très reconnaissante d'être aussi consciente. *Je remercie mon DIEU intérieur de m'aider à utiliser mon intelligence pour devenir plus consciente plutôt que de l'utiliser pour épater les autres avec des prouesses intellectuelles ou de l'utiliser pour manipuler les autres.*

Avec cette récente découverte, j'ai plus de tolérance. Je sais que le degré de conscience est différent chez chacun et que nous sommes tous libres de le devenir à notre rythme. En ce qui me concerne devenir conscient est ce qui me crée la plus grande joie de vivre. C'est une grande porte qui s'ouvre à la maîtrise, à la liberté, au bonheur, à **DIEU!**

À mesure que j'apprends à voir le bon côté de tous les aspects en moi, je m'aime davantage et je suis toujours plus en contact avec mon **DIEU** intérieur. Ça m'apporte un grand sentiment de bien-être. *Toutes les difficultés rencontrées n'ont pas été inutiles. Loin de là! J'en avais besoin pour apprendre certaines leçons de vie, pour me rapprocher de DIEU.* Rien n'arrive pour rien. On peut toujours trouver un bon côté à toute situation difficile et en retirer de merveilleux cadeaux.

J'ai aussi eu l'idée de fonder la "Fondation d'Aide Morale à la Famille Monoparentale." L'idée m'en est venue comme bien d'autres, en rêve. Dans ce rêve, je voyais une mère seule en train d'élever ses trois enfants dans des conditions difficiles. À mon réveil, j'ai vite écrit mon rêve et j'en ai fait la synthèse. Intérieurement, j'ai eu le pressentiment qu'il serait bon d'aider les femmes et les hommes qui sont seuls pour élever leurs enfants et encore plus particulièrement les enfants eux-mêmes. Ces enfants grandissent généralement dans un milieu plus difficile aux niveaux monétaire et affectif. Le Centre de Paix et de Santé dont je vous parlerai un peu plus tard me paraît être l'endroit rêvé pour les aider. Au bout d'un an et demi, l'organisme de charité a réussi à amasser assez de fonds pour aider une centaine de personnes. Ces gens ont pu bénéficier du cours Écoute Ton Corps ou de différents traitements en médecine douce qui ne sont pas couverts par le gouvernement.

Pour l'instant la Fondation démarre lentement. Le délai qu'elle met à prendre forme et ma réaction face à cette

JE SUIS DIEU DANS MES ÉTUDES
ET DANS MON TRAVAIL

situation me permettent de constater combien je me suis assagie. *Je suis beaucoup plus modérée et j'ai moins tendance à vouloir forcer les choses pour qu'elles aillent plus vite.* Autrefois j'aurais vite conclu que la Fondation n'était pas une bonne idée parce qu'elle ne donnait pas de résultats instantanés. Je me serais beaucoup critiquée d'avoir entrepris un projet qui n'avance pas et j'aurais eu des doutes sur mes capacités. Aujourd'hui je suis son rythme. Je préside les réunions mensuelles de son conseil d'administration et j'y mets l'énergie dont je dispose à ce moment. Je laisse le divin en moi décider du sort de cette fondation.

Au moment où j'écris ces lignes, je démarre un nouveau Centre de Paix et de Santé, cette fois à Bellefeuille. Quelle différence avec l'ancien! Quand j'ai dû fermer les portes de mon premier Centre de Santé, une petite voix en moi disait: "Ce n'est pas fini, il y en aura un autre, sois patiente!" Cette idée m'a toujours suivie depuis. Je savais que ce moment viendrait et que ce serait beaucoup plus facile que la première fois.

Une de mes amies, agent d'immeubles, me téléphone un jour pour m'apprendre qu'elle vient d'entendre parler d'un endroit qui pourrait peut-être correspondre à mes goûts pour l'emplacement d'un nouveau Centre. J'accepte d'aller visiter cet endroit avec elle. J'y vais sans aucune idée préconçue. En arrivant sur place, je me dis intérieurement: "Ah! Quelle paix sur ce terrain!" Je tombe tout de suite en amour avec l'endroit. Cette fois, étant plus assagie, je consulte la gérante des finances d'Écoute Ton Corps et notre fiscaliste.

Après avoir tout pris en considération, ils me donnent le O.K. Je ne veux pas revivre deux fois la même expérience d'endettement énorme. Quand le fiscaliste me rassure en disant que c'est un bon placement, je suis très heureuse. *Je vois la progression depuis ces deux dernières années,* depuis la fermeture de l'autre Centre de Santé. Je fais une offre d'achat et j'obtiens un très bon prix. En plus, les représentants de la ville de Bellefeuille se montrent très coopérants et acceptent de changer le règlement de zonage pour que je puisse avoir un permis d'opération. Toutes les transactions se font harmonieusement. Cette fois-ci, je n'ai pas à supplier qui que ce soit pour l'argent. La Caisse Populaire accepte de financer le projet. Quelle différence! **WOW!** *Encore une fois, merci mon DIEU.* L'ouverture officielle se fait en juin 1991.

Mes études et mes expériences de travail ont été pour moi la meilleure des écoles pour atteindre une plus grande paix intérieure. Cette école m'a aussi permis d'établir un contact conscient avec ma grande puissance intérieure. *Plus je suis en contact avec ma propre puissance et plus je suis en contact avec celle de tous les êtres humains autour de moi.* Je regarde les gens autour de moi et je les vois se dépasser sans cesse. Nous travaillons tous main dans la main, ensemble, au travail comme en famille et entre amis. Plus le temps passe et plus je vois d'évolution et d'harmonie autour de moi.

Apprendre à être une femme d'affaires tout en travaillant dans le domaine de l'âme, de l'être, est un défi très intéressant pour moi. Et vu que je suis heureuse quand j'apprends du nouveau, ce ne sont pas les nouvelles occasions qui manquent!

Aujourd'hui je sens que je travaille beaucoup plus par choix et par désir de réalisation. *Je n'ai plus besoin de prouver mes capacités car maintenant j'y crois.* Auparavant, je ne pouvais pas accepter mes talents car j'avais peur

JE SUIS DIEU DANS MES ÉTUDES
ET DANS MON TRAVAIL

de me prendre pour une autre. Maintenant je connais mon potentiel mais je sais que je peux aussi demeurer humble. Pendant longtemps j'ai cru ce que les religieuses m'avaient dit, que si je n'utilisais pas mes talents, **DIEU** allait me punir. C'est ainsi que j'ai développé la pousseuse en moi. Aujourd'hui je sais que **DIEU** c'est la grande loi de cause à effet et que je ne suis jamais punie pour ce que je fais mais par ce que je fais et selon mes intentions. La Loi de cause à effet s'occupe d'elle-même. Quand les intentions sont bonnes, il ne peut qu'y avoir un bon résultat final.

Je sais que ma raison d'être, ce qui me motive dans cette vie, c'est la connaissance. Pour moi, *la connaissance ne se trouve pas dans les livres mais dans l'expérimentation de ce qui se trouve dans les livres*. C'est pour ça que je crois à l'action. J'expérimente et ensuite je décide si je veux y croire ou non.

Cependant *il est très important d'avoir de bonnes intentions derrière notre motivation. Avant de passer à l'action, je prends maintenant le temps de vérifier si mes intentions sont pures et si elles répondent aux lois de l'amour. C'est pourquoi je peux toujours dormir en paix car je sais que quoique les gens disent à mon sujet, mes intentions sont bonnes.*

CHAPITRE 4
JE SUIS DIEU DANS MES ÉCHECS ET MES RÉUSSITES FINANCIÈRES

Rappel au lecteur:

Beaucoup de gens n'ont pas encore apprivoisé l'aspect "argent" dans leur vie, certains blocages empêchant leur processus de se faire. Ces blocages viennent de très vieilles croyances pourtant erronées mais encore acceptées dans notre société. Je crois sincèrement que ce que j'ai vécu à ce niveau peut aider plusieurs personnes à devenir plus conscientes dans le domaine de la prospérité. C'est pourquoi j'y consacre un chapitre complet avec maints détails à l'appui. Tout comme pour le chapitre précédent, je te suggère de garder une feuille et un crayon à portée de la main pour pouvoir noter tout ce qui te fait réagir.

L'expérience vécue avec ma mère par rapport à l'argent épargné pour mes patins est mon premier contact avec l'univers de l'argent. Par la suite, bien d'autres viennent s'y greffer. Ce que j'apprends très tôt de mes parents et de mon entourage, c'est qu'il faut travailler dur dans la vie pour gagner de l'argent, mais juste assez pour arriver! Aussi, il n'est pas si important que ça d'être riche puisque bien souvent les riches sont des voleurs ou des gens malhonnêtes. Certaines phrases reviennent souvent, comme: "On n'est peut-être pas riches mais au moins on est du bon monde!" ou "On n'est peut-être pas riches mais au moins on est en santé!" Ces phrases sous-entendent: "On ne peut pas être du bon monde ou en santé et être riche en même temps." Il y a mille et une autres croyances comme celles-ci! Malgré cela, chez moi et autour de moi, on associe quand même la réussite d'une personne à l'état de son compte en banque ou ses possessions matérielles. Si une personne est riche, elle a réussi dans la vie. D'ailleurs ma mère admire et recherche la compagnie des gens qui vivent dans l'aisance financière.

Nos premières expériences sont celles qui déterminent nos futures croyances. Chez nous, on nous rappelle le prix d'un steak ou d'une livre de beurre ou d'une bouteille de ketchup Heinz. L'achat de la nourriture représente une grosse dépense pour une famille de treize personnes. Mes parents nous encouragent à économiser. Je me souviens que ma mère n'est pas contente de notre attitude quand nous ne voulons pas manger le gras de la viande. Elle nous dit: "Vous verrez plus tard, quand vous gagnerez votre vie et que vous devrez payer votre propre nourriture! Vous l'apprécierez davantage et vous ne ferez pas de gaspillage!" Il est important de ne pas gaspiller, même au prix de se forcer à manger quelque chose dont le corps n'a pas besoin. Pour réussir à joindre les deux bouts avec une famille si nombreuse, il faut que maman économise et qu'elle fasse très attention à ses dépenses. J'ai bien appris de ma mère. Tel que mentionné au chapitre précédent, je me débrouille bien financièrement et je peux ainsi terminer mes études. J'en suis très fière et je me sens déjà adulte. Je fais comme maman. C'est avec ces croyances que je débute ma vie d'adulte, de femme mariée.

Quand je reviens de mon voyage de noces, je me retrouve sans emploi et sans épargne. Le salaire de mon mari assure notre survie. Il me confie qu'il est très mauvais financier et qu'il déteste s'occuper d'argent. Ça fait bien mon affaire. Je peux ainsi contrôler le budget en étant la seule à m'en

JE SUIS DIEU DANS MES ÉCHECS ET MES RÉUSSITES FINANCIÈRES

occuper. C'est là que je découvre que mon mari a une dette assez forte envers une compagnie de finances, avec des frais d'intérêts astronomiques. Cette découverte me stupéfait. Je trouve épouvantable qu'il ne m'en ait pas parlé avant notre mariage. Je le qualifie d'irresponsable. Je ne peux imaginer que pour lui l'argent soit si peu important. D'ailleurs, je n'ai jamais pu accepter cet aspect de lui durant nos quinze années d'union. Aujourd'hui *je sais que c'est parce que je ne voulais pas accepter cet aspect de moi qui aurait parfois voulu avoir cette même attitude. Ce qui me dérangeait le plus, c'est que lui se le permettait alors que moi non.* Mais encore là, je ne suis pas consciente de ce fait. J'ai trop peur de devenir pareille à lui et de le rester pour la vie. Alors je me contrôle pour toujours continuer à considérer l'argent comme étant très important.

Le salaire de mon mari nous permet à peine de survivre. Six mois après notre mariage, nous rencontrons un propriétaire de plusieurs immeubles et c'est là que nous décidons tous deux de nous occuper d'une conciergerie. Évidemment, c'est l'argent qui nous motive. C'est un immeuble de quarante petits appartements, des un et demi meublés sur la rue Cherrier, au centre-ville de Montréal. Aucun bail n'est requis.

À cette époque, la conciergerie nous rapporte environ 80$ par mois, amplement de quoi couvrir notre épicerie et notre compte de téléphone. Comme nous n'avons pas de loyer à payer, le salaire de mon mari nous permet de faire des économies en plus de payer sa dette. Sans le savoir, j'agis dans mon couple de façon identique à ma mère face à mon père. C'est une fois mariée que je commence à agir comme ma mère dans plusieurs domaines. J'ai mis quinze ans à devenir consciente de notre ressemblance.

JE SUIS DIEU WOW!

Durant toute cette année de conciergerie, mon mari continue de travailler à l'aéroport de Dorval, à des heures irrégulières. Pendant qu'il travaille, je m'occupe de la propreté de cet immeuble en plus de m'assurer de la location des appartements. Cette année est très prospère car si quelqu'un quitte les lieux avant la fin du mois, nous avons la permission de le louer à nouveau et de garder la portion payée par l'ancien locataire. De plus, suite à plusieurs service rendus, les locataires sont généreux avec leurs pourboires.

J'apprends à braver d'autres peurs en travaillant dans cet immeuble. Pendant que mon mari travaille, je suis seule dans l'appartement. Plusieurs incidents arrivent dont en voici un exemple: deux jeunes filles se précipitent chez moi, en plein milieu de la nuit, en criant: "Il y a un voleur dans notre appartement! Il est entré par la fenêtre!" En vitesse, je prends le fusil de chasse de mon mari, qu'il avait laissé dans le placard en cas d'urgence et je pars à la course dans le couloir avec elles. Arrivée devant leur porte, je perds soudainement le courage d'ouvrir la porte et de faire face à des voleurs.La peur a raison de moi. Je cogne à la porte du locataire d'à côté que je réveille, en lui demandant s'il serait assez gentil pour venir en aide à trois femmes toutes seules. Il accepte. Quand il ouvre la porte c'est pour découvrir que les voleurs se sont enfuis. Ils ont dû avoir peur quand ils ont vu les deux jeunes filles sortir de leur appartement en courant.

De nombreux incidents de tout genre arrivent comme ça, en plein milieu de la nuit. Parfois mon mari est là, parfois il est absent. À la fin de cette année, *mon courage a définitivement beaucoup grandi!* À cette époque-là je ne m'interroge pas. J'ai tellement vu mes parents faire plu-

JE SUIS DIEU DANS MES ÉCHECS ET
MES RÉUSSITES FINANCIÈRES

sieurs métiers pour gagner leur vie que je suis prête à tout. De plus, je remercie **DIEU** sans cesse car nous réussissons à économiser de l'argent pour un futur appartement.

Au bout d'un an, nous en avons assez pour nous meubler au complet et donner un petit acompte sur une voiture neuve. Pour moi, c'est une réussite extraordinaire que d'avoir accompli tout ça dans une seule année. Je suis très fière de nous deux. Nous quittons la conciergerie et déménageons dans un appartement beaucoup plus spacieux, un beau quatre et demi tout neuf. Je suis toujours en charge de nos finances. Ma façon de budgéter est très rigide et je ne tolère aucun gaspillage, du moins ce que moi je considère comme étant du gaspillage. Je crois sincèrement que mon mari est dépensier et que je suis économe. Il veut souvent s'acheter un tas de choses que je considère complètement inutiles. Je trouve que son attitude n'est pas raisonnable et je réussis pratiquement toujours à le convaincre de ne pas acheter ce qu'il veut.

Mon attitude "contrôlante" occasionne plusieurs disputes et est la cause de plusieurs émotions. Il me dit: "Tu décides toujours tout pour moi! Par contre, quand il s'agit de ce que toi tu veux, tu t'arranges toujours pour l'obtenir!" Et il a raison. Mes achats sont toujours très justifiés, je sais le persuader du bien-fondé de mes dépenses. En réalité je suis tout aussi dépensière que lui mais je ne veux pas me l'avouer à cette époque. Je ne suis pas d'accord avec ses goûts, sans tenir compte du fait que lui non plus n'est pas toujours d'accord avec les miens. Cependant il a assez d'amour pour accepter mes achats. Il veut seulement que je fasse de même pour lui.

Depuis, j'ai réalisé que cette attitude venait aussi du fait que je n'acceptais pas le principe masculin en moi. Alors seulement ma femme intérieure avait le droit de combler ses désirs. Pour qu'un homme puisse combler les siens, il devait faire beaucoup d'actions. Comme je poussais l'homme en moi à travailler sans relâche, il (donc moi) méritait de petites gâteries. Je considérais que mon mari était beaucoup moins actif que moi. Je devais toujours "pousser" pour qu'il passe à l'action. J'oubliais de voir combien lui aussi travaillait fort. À la différence de moi, il avait besoin d'être dirigé, encadré. J'aurais voulu que ça vienne de lui. Là, il aurait eu du mérite. *Mon attitude avec mon conjoint était le miroir de ce qui se passait en moi mais je ne voulais pas le voir.*

Lui non plus n'accepte pas son principe masculin. Ayant eu pour modèle un père alcoolique et violent, il est assez facile de comprendre pourquoi il refuse ce modèle. Avec ce que je sais aujourd'hui, un homme qui n'accepte pas le principe masculin en lui (comme une femme avec son principe féminin), donc son propre sexe, va généralement écouter les désirs de quelqu'un d'autre avant les siens. Il passe en dernier. Cependant, en agissant ainsi, il n'écoute pas les désirs de la femme en lui.

Il ne fait donc pas beaucoup de demandes pour lui-même mais quand il en fait, je les trouve très souvent irréalistes. Par exemple, il veut avoir un avion alors que nous habitons au centre-ville de Montréal. Il a dû attendre après notre séparation pour enfin avoir son propre avion! Dans un couple, c'est toujours celui qui n'accepte pas le sexe opposé qui est dirigeant. Celui qui n'accepte pas son propre sexe est plus passif et aime se laisser diriger. L'attirance des contraires n'est ici qu'une illusion car tous les deux ont une chose en commun, la non acceptation du même principe.

JE SUIS DIEU DANS MES ÉCHECS ET
MES RÉUSSITES FINANCIÈRES

À l'époque *je ne suis pas plus consciente d'exercer un contrôle monétaire dans notre vie de couple que de mon insécurité financière.* Comme mon mari est le seul à gagner de l'argent, quand nous avons besoin d'un petit surplus pour aller en vacances ou quand nous avons un achat particulier à faire, son salaire ne suffit plus. Je décide donc d'aller travailler pour Office Overload, une compagnie qui fournit des secrétaires aux compagnies qui ont besoin de quelqu'un temporairement. J'y travaille à raison de quelques semaines à la fois, quand nous avons besoin d'un surplus; comme j'aime les belles choses et que mon mari y prend de plus en plus gôut, nous nous organisons pour travailler et gagner des sous en conséquence. Il suit même un cours pour réparer des radios et des télévisions et il fait ce travail au sous-sol de notre quatrième appartement. Nous avons maintenant deux fils, le premier est né le 30 octobre 1962 et le deuxième le 31 mars 1966.

Je commence à faire des démonstrations Tupperware à l'été 1966. Les finances vont de mieux en mieux. Les quatre différents appartements où nous avons vécu durant ces cinq premières années de mariage sont toujours plus beaux et plus spacieux.

En 1967, nous décidons d'acheter une maison en banlieue de Montréal. Je viens d'être promue gérante pour la compagnie Tupperware et *l'avenir s'annonce très prometteur.* C'est le grand luxe. Je me permets aussi d'engager une gardienne à temps plein qui vit chez nous vu que nous avons l'espace nécessaire. Cette nouvelle maison a neuf pièces.

Durant ma première année en tant que gérante, mes dépenses excèdent souvent mes revenus. J'ai à payer le salaire de la gardienne en plus de toutes les dépenses rattachées à mon travail. Habiter en banlieue signifie payer le double d'essence pour la voiture et beaucoup de frais d'interurbains. Mais *je suis tellement confiante que je considère tout cela comme un investissement en sachant qu'un jour je finirai par récolter.* D'ailleurs, avec du recul, je constate que j'ai eu cette attitude dans toutes mes entreprises. Je crois au plus profond de moi qu'*avec de la persévérance on finit toujours par récolter.*

J'ai, malgré tout, connu des échecs financiers. Aujourd'hui j'en comprends la cause, chose qui n'était pas si facile pour moi à l'époque. Mon premier grand échec arrive à l'époque où je travaille pour la compagnie Tupperware.

Après m'être classée gérante Tupperware No. 1 du Canada et des États-Unis et après avoir accouché de ma fille, j'ai une promotion. La compagnie Tupperware nous offre à mon mari et à moi d'être distributeurs régionaux à l'automne 1968. Ils choisissent toujours leurs distributeurs parmi les gérantes qui ont fait leurs preuves et qui ont un conjoint prêt à quitter leur emploi pour diriger un nouveau centre de distribution. Mon mari décide donc de donner sa démission à l'aéroport de Dorval. Il quitte son travail de contrôleur où il fait un bon salaire. Nous avions réussi à économiser 11 000$ que nous investissons dans ce centre de distribution qui, en réalité, nous coûte bien plus cher que ça. Il faut louer un très grand local et le meubler, faire une salle pour les réunions, construire un entrepôt et le remplir de produits Tupperware en plus des cadeaux destinés aux hôtesses des démonstrations. Nous devons être prêts à ouvrir ce centre en mars 1969. Il y a ,à ce moment-là, deux centres de distribution à Montréal, dans deux secteurs différents. Notre centre devient le troisième à Montréal, qui couvre un nouveau secteur.

JE SUIS DIEU DANS MES ÉCHECS ET MES RÉUSSITES FINANCIÈRES

Nous commençons à zéro. En tout, nous serons distributeurs pendant quatre ans; des années de tiraillement, de forçage et de travail acharné. Nous devons tout bâtir et ni mon mari ni moi n'avons d'expérience pour diriger d'aussi grosses affaires. Nous avons un très gros loyer à payer, le salaire d'une secrétaire et bien d'autres dépenses. Comme nous étions devenus habitués à nous payer des petits luxes pendant mes années de gérance, nous continuons quand même notre train de vie. Je me sens continuellement coupable. Plus je me dis que nous devons nous serrer la ceinture et plus nous dépensons. Mon mari, qui exprime son côté enfant beaucoup plus que moi, veut travailler moins et s'amuser plus. Il aime jouer au golf, aller danser, aller au cinéma. Il joue au patron tant bien que mal et j'essaie de contrôler son travail en plus du mien.

Quatre ans plus tard, nous avons de grosses difficultés financières. Nous sommes de plus en plus endettés envers la compagnie Tupperware qui finalement décide qu'il est préférable pour nous de cesser notre expérience de distributeurs. Tupperware donne les clés de notre centre à quelqu'un d'autre. Mon orgueil en prend tout un coup. *Je vis cette situation difficilement parce que j'ai trop d'attentes face à moi-même.* Après avoir battu tant de records spectaculaires en tant que gérante, je m'attendais à devenir un distributeur exceptionnel. La compagnie Tupperware nous donne 5000$ en compensation.

Nous nous retrouvons tous deux sans travail, une maison à payer, trois enfants à faire vivre et tout l'argent que nous avions investi est perdu. Sous l'effet du choc, je pleure sans arrêt pendant toute une semaine. Je pleure surtout de rage, j'ai le sentiment d'une grosse injustice. Je m'en veux parce que même si je l'avais vu venir, j'avais préféré fermer les yeux. J'aurais voulu croire que c'était de la faute de mon mari mais dans le fond, je reconnais mes torts. Ce fut une grosse prise de conscience, un début d'ouverture pour moi. Ce fut une expérience pour m'enseigner l'humilité et pour accepter le fait que je ne peux pas tout contrôler. Cela se passe au cours de l'été 1973. Nous vivons des années difficiles au Québec. C'est l'époque où le F.L.Q. place des bombes un peu partout. Ils veulent la liberté du Québec. Ils veulent que les québécois français dirigent le Québec et non les anglais. Des milliers de personnes sortent leurs économies du Québec. Je me console en pensant que ce n'est peut-être pas seulement de ma faute si le centre ne fonctionnait pas bien. La situation politique n'a sûrement pas aidé. Je cherche à comprendre quand en réalité *il est tellement plus simple de constater les faits et de les accepter sans comprendre en sachant qu'il n'y a jamais rien pour rien.*

Une semaine plus tard, je récupère mes forces et je me dis: "Maintenant, qu'allons-nous faire?" Mon mari et moi décidons ensemble d'utiliser une partie du 5000$ pour nous payer un voyage à Disneyworld en Floride avec les trois enfants. C'est une merveilleuse idée. Je laisse sortir l'enfant en moi. Je réalise que je ne connais aucun des personnages de Walt Disney, comme Mickey Mouse, etc... Les enfants rient de mon ignorance. *J'ai toujours tellement été occupée à être raisonnable et faire preuve de maturité que l'enfant en moi a mis plusieurs années à ressortir de sa coquille.* Selon moi, même encore aujourd'hui, il n'est pas assez présent. Ça fait partie de mes projets.

En revenant de voyage, je décide de reprendre mon ancien poste de gérante chez Tupperware parce que c'est

JE SUIS DIEU DANS MES ÉCHECS ET
MES RÉUSSITES FINANCIÈRES

un métier que j'ai toujours aimé et où je réussis bien. De son côté, après avoir travaillé quelque temps ici et là, mon mari s'achète une franchise Radio Shack et j'accepte de l'endosser. Pour ma part, retourner à mon poste de gérante n'est pas facile car je dois repartir à zéro, me bâtir une nouvelle équipe. Nous sommes en automne 1973. *Cette expérience m'aide énormément à grandir intérieurement même si je n'en suis pas consciente sur le coup.* C'est une autre leçon d'humilité.

Les gens de mon entourage m'avouent leur surprise de voir que je reviens à un poste inférieur. Plusieurs me disent: "Je te dis que moi je n'aurais pas pu supporter que Tupperware me traite de cette façon! Crois-moi qu'à ta place j'aurais quitté la compagnie!" Je les écoute et je me dis: "C'est une grosse compagnie, ils savent ce qu'ils font. S'ils jugent que nous ne sommes pas qualifiés pour être distributeurs, ils doivent avoir raison." Toutefois, il m'arrive de penser: "Peut-être que ces gens ont raison, peut-être que je ne devrais pas y retourner." Mais je n'aime pas cette idée. Ne pas reprendre le poste de gérante serait une auto-punition parce qu'en réalité c'est ce que je désire vraiment faire. J'ai toujours le choix de pouvoir retourner comme secrétaire mais ce que j'aime surtout dans la vente, c'est que je peux davantage me dépasser.

Dans ce métier, on nous encourage à lire des livres sur la pensée positive, à travers lesquels j'apprends que l'argent est une énergie et que si l'on y croit assez fort, on peut s'en faire arriver autant qu'on en veut. Par contre, même si je lis beaucoup de livres et que j'assiste régulièrement à des séminaires, *je ne suis pas consciente qu'il nous arrive toujours ce à quoi nous croyons profondément.* Je continue à croire qu'il faut travailler dur pour faire de l'argent alors je choisis un métier dur. Ce n'est pas pour rien que seulement 3% des vendeurs réussissent à bien gagner leur vie d'une façon durable. C'est un métier qui est très exigeant.

Les croyances que nous acceptons durant notre jeunesse prennent de la force au long des années et s'avèrent très difficiles à renverser par la suite. Par exemple, j'apprends que ce n'est pas mal d'avoir de l'argent, tant qu'on l'utilise pour faire le bien et qu'on ne le vole pas aux autres. Mais mes vieilles croyances grondent fort en moi: "Ils sont rares ceux qui sont riches et qui vont au ciel!" Je continue (inconsciemment) à croire que l'important c'est d'arriver à joindre les deux bouts. Je ne crois pas au surplus. Je n'ai jamais vu mes parents avoir du surplus quand j'étais jeune. Ce genre de croyance est tellement bien ancré en moi que même si je gagne beaucoup d'argent, je m'arrange régulièrement pour qu'il m'arrive quelque chose pour le perdre. J'ai toujours à recommencer à zéro. Quand j'ai un petit coussin, ça ne dure jamais bien longtemps. Par contre, je vois un bon côté de cette croyance maintenant. C'est d'ailleurs peut-être la raison pour laquelle je continue à l'entretenir. Quand je recommence, *je dois prendre des risques et je vais toujours plus loin. Je dépasse de plus en plus mes limites.*

Je continue donc à être gérante pendant plusieurs années. Je gagne de plus en plus d'argent. Mon mari s'arrange bien lui aussi et avec nos salaires combinés, nous vivons très à l'aise sans avoir besoin de budgéter. Je me programme mentalement à être riche comme je l'ai appris; vu que l'argent rentre bien, je suis convaincue que je ne souffre d'aucune insécurité financière. Je ne sais pas que plus on force pour faire disparaître un aspect de soi et plus il nous

JE SUIS DIEU DANS MES ÉCHECS ET
MES RÉUSSITES FINANCIÈRES

résiste et persiste. Il devient refoulé dans notre inconscient et son pouvoir continue de grandir jusqu'au jour où il reprend le dessus et éclate au grand jour. Je ne veux pas voir qu'une partie de moi croit que l'argent apporte une sécurité dans la vie.

Si j'avais été plus consciente, j'aurais vu que je vivais encore dans l'insécurité financière et que les mêmes croyances étaient toujours là en moi, en observant ma façon d'agir avec mon mari et avec mes enfants. Il n'est pas question qu'ils achètent quoi que ce soit sans mon consentement. Je continue à juger d'inutiles les choses qu'ils veulent se procurer. Je continue à contrôler. Tout comme ma mère, je m'assure que mes enfants connaissent la valeur de nos meubles et le prix de chaque chose "parce que l'argent ne pousse pas dans les arbres." Je veux leur inculquer le respect des choses matérielles.

En réalité, c'est la partie en moi remplie d'insécurité qui croit que si un enfant casse quelque chose, je n'aurai pas les moyens de le remplacer. Le pire, c'est que plus j'essaie d'inculquer le respect des choses matérielles et de l'argent à mes enfants et à mon conjoint, moins ils en démontrent. Les enfants nous croient très riches et ont entièrement confiance. Pour eux, il y en aura toujours suffisamment. Je ne savais pas encore que *nos enfants sont choisis pour refléter les aspects de nous-mêmes que nous ne voulons pas regarder.*

Pour être comme eux, il me faudrait changer de croyances et cela semble bien trop menaçant. J'ai trop peur de devenir irresponsable et dépensière. Je ne sais pas que changer de croyance ne signifie pas nécessairement que je doive aller à l'autre extrême. *Changer de croyance veut tout simplement dire me donner le droit d'être l'un ou l'autre.* Je ne me demande pas non plus comment je me sens car je me fie uniquement à ce que je crois. D'ailleurs je veux à tout prix transmettre mes croyances à mes proches. *Les moyens que j'utilise ne sont pas les meilleurs mais par contre ma motivation est bonne.*

Je continue à faire du contrôle mental. Aussitôt que je désire quelque chose, je commence à y penser, à le programmer, à le visualiser. C'est ce que j'ai appris à faire. Je ne savais pas encore qu'il aurait été préférable d'ajouter la mention: "Seulement si c'est bénéfique pour moi." Par exemple, dans la maison que nous avons achetée en 1967 à Pierrefonds, je désire décorer la cuisine en style espagnol et y installer une grande porte patio donnant sur la cour arrière. Ce genre de rénovation coûte très cher. Croyez-le ou non, je finis par avoir la cuisine espagnole de mes rêves... mais à quel prix! Il ne m'est jamais venu à l'idée de spécifier de quelle façon je veux la voir se matérialiser. Voici comment cela s'est passé.

Mon mari et moi sommes en vacances aux Bahamas quand nous recevons un appel de Pierrefonds nous anonçant que notre maison a pris feu. Drôle de coïncidence, l'unique pièce qui a été complètement brûlée est la cuisine!!! Le reste de la maison n'est que noirci par la fumée. Nous devons nous loger ailleurs pendant que les ouvriers réparent ce qui a été détruit par les flammes et que le nettoyage du reste de la maison soit complété. J'en profite donc pour me faire construire une cuisine de style espagnol avec une porte patio, exactement telle que je l'ai désirée. Les assurances couvrent tous les frais. Finalement ma cuisine espagnole ne nous coûte rien... financièrement parlant!

JE SUIS DIEU DANS MES ÉCHECS ET MES RÉUSSITES FINANCIÈRES

J'ai obtenu ce désir, mais au prix de combien de tracas et de conséquences fâcheuses! Je reviendrai plus loin sur les détails précis. *Je réalise aujourd'hui que nos désirs ne sont pas nécessairement nos besoins.*

Pendant les trois années qui suivent mon retour en tant que gérante Tupperware, tout va bien et nous avons réussi à économiser plusieurs milliers de dollars, même sans faire de budget précis. Je crois définitivement que mon processus d'argent est réellement fait et que j'ai maintenant assez de foi pour nous faire arriver tout l'argent nécessaire et plus. Mais encore là, je dois me rendre à l'évidence du contraire quand l'année suivant l'incendie, donc en 1976, je me sépare de mon mari.

Encore une fois, je dois repartir à zéro; je viens de perdre le surplus que j'ai. D'un commun accord, mon mari part avec l'argent de notre compte de banque pour pouvoir s'installer ailleurs et je reste avec la maison et les enfants. Comme je suis habituée à un train de vie assez luxueux, je continue sur ma lancée. Mon mari n'accepte pas notre séparation et veut se venger en ne payant pas de pension alimentaire. Il dit que je gagne plus d'argent que lui, que je suis assez riche comme ça et qu'en plus, j'ai une amie qui demeure chez nous et qui me verse une pension. Donc, il juge qu'il n'a pas besoin de me donner quoi que ce soit. Évidemment, *plus je le critique et le rabaisse et moins il a le goût de coopérer.* Moins il veut m'aider financièrement.

Deux ans après notre séparation, je décide de vendre la maison, notre maison commune. C'est à l'automne 1979. Après avoir reçu ma part des profits, je me sens à nouveau riche et en sécurité. J'ai un surplus d'argent. Je déménage à Montréal avec les enfants et je m'engage une gardienne et assistante à temps plein. Entre l'automne 1978 et 1982, avant les débuts d'Écoute et Mange, je continue mon même train de vie, bien souvent au-dessus de mes moyens. Plus j'ai de gros revenus et plus je me crois tout permis.

À quelques reprises, je monte mes cartes de crédit à leur maximum et quand je me vois endettée de cinq ou six mille dollars, je vais à la banque pour faire un emprunt et consolider toutes mes dettes. Ça me permet de payer toutes mes cartes de crédit, ayant toujours la bonne intention de ne plus recommencer. Ça dure quelques mois puis tranquillement je recommence à acheter à crédit. J'essaie de ne pas toucher à l'argent qu'il me reste de la vente de ma maison même si j'ai dû en utiliser une partie pour m'installer dans mon nouveau logement à Montréal. Graduellement, avec les années, j'ai quand même fini par en dépenser la majeure partie pour me payer des vacances, des meubles, etc, et me permettre de vivre les quelques semaines sans emploi après avoir quitté Tupperware.

Je ne réalise pas encore combien je suis dépensière! De 1979 à 1982, j'ai des revenus annuels de 50 000$ par année avec voiture et dépenses payées et à la fin de chaque année il n'en reste plus rien du tout. Exactement ce que j'ai reproché à mon ex-mari! *Comme il est important de se regarder lorsque l'on accuse quelqu'un d'autre!*

Quand j'annonce au président de la compagnie Belkraft que je veux quitter mon emploi en août 1982, pour suivre mon rêve et débuter Écoute et Mange, il me conseille fortement d'y aller graduellement dans ma nouvelle entreprise. Il m'encourage dans ma nouvelle démarche mais il s'inquiète pour moi. Je lui dis que je suis trop entière pour me donner à moitié ici et à moitié là. Il a plus d'expérience que moi dans le domaine mais je n'en tiens pas compte. Je

JE SUIS DIEU DANS MES ÉCHECS ET MES RÉUSSITES FINANCIÈRES

fais la sourde oreille, je n'écoute pas ses conseils comme toujours, surtout quand ça vient d'un homme. Je veux démarrer tout de suite, plonger. Quand je lui dis que je veux m'en aller pour de bon, il me demande si j'accepterais de superviser un peu mes vendeurs et en retour, il me paierait ma commission de gérante sur leurs ventes. Il est assez gentil pour continuer à me donner cette commission jusqu'à la fin de la fin de décembre 1982.

J'ai tellement confiance en mon nouveau projet qui m'enthousiasme au plus haut point que je ne pense même pas que le démarrage peut être plus lent que je ne le souhaite.

Je fais des calculs, en supposant que j'aurai vingt participants par soir, à raison de quatre soirs par semaine. Je suis sûre que je vais continuer à avoir de bons revenus. À dire vrai, si j'avais su quels problèmes financiers m'attendaient et si j'avais soupçonné qu'il n'y avait pas d'argent à faire à donner des cours, je me demande si j'aurais débuté Écoute et Mange. Merci mon **DIEU** de ne pas l'avoir su!

Au tout début d'Écoute et Mange je ne sais pas trop pourquoi je suis si enthousiaste. Je veux aider les gens avec mes découvertes mais je ne suis pas encore très consciente du grand pouvoir de l'amour. Je crois encore beaucoup à l'aspect mental de l'être humain. C'est avec les témoignages de mes participants que j'en prends davantage conscience. Quand ils me partagent des guérisons, il est évident que c'est en aimant différemment que ces transformations surviennent. Plusieurs ne connaissaient même pas la force du mental et voyaient leur vie se transformer quand même.

JE SUIS DIEU WOW!

Je réalise aujourd'hui que c'est de mon âme, de mon être tout entier que provenait cet enthousiasme que je ressentais par rapport à ma nouvelle orientation professionnelle. *Quel meilleur moyen de développer l'amour que de l'enseigner? Et l'amour est l'ouverture à Dieu!*

À mes débuts, en août 1982, je dois continuer à payer le bail pour le local loué pour Belkraft; ce bail expire en février 1983. J'installe le premier bureau d'Écoute et Mange dans mon sous-sol, avec une ligne de téléphone d'affaires. La gardienne qui est à mon service depuis quelques années devient aussi ma secrétaire et mon assistante durant les cours.

Les quelques milliers de dollars qu'il me reste sont investis dans la publicité et les locations de salle. Après un mois, il ne me reste plus le moindre sou. Il n'y a aucune entrée d'argent. De septembre 1982 à avril 1983 mes revenus totalisent exactement 4755$ (en sept mois)!

Je réussis à convaincre une de mes soeurs qui vient d'hériter après le décès de son mari, de me prêter une somme d'argent. Je dois retourner la voir plusieurs fois. Je crois toujours que le mois suivant, ça va aller mieux. J'emprunte pour mes besoins d'un mois à la fois.

Je vends mes polices d'assurance. En dernière alternative, je dois emprunter de mes parents. Il est très difficile pour moi de faire cette demande car je ne veux pas que maman sache que je ne réussis pas financièrement. Elle m'a toujours vue comme une personne à succès car jusqu'ici, j'ai toujours fait les plus gros salaires de toute la famille. Je juge encore le degré de mon succès à l'argent que je gagne. Il arrive très souvent que ma secrétaire ait à attendre son salaire. Je lui dois même six semaines de salaire à un moment donné.

Pendant ce temps, tout ce qui concerne le côté humain du cours va de mieux en mieux. J'ai peine à y croire tellement les résultats s'avèrent bons. *Des miracles se produisent sans que je comprenne vraiment ce qui se passe. Je ne peux que constater que c'est le pouvoir de l'amour. Je sens au plus profond de moi que je dois continuer à tout prix.* Sans le savoir, ma motivation change lentement. Les résultats et les transformations des participants deviennent plus importants à mes yeux que les problèmes financiers. *Je n'ai plus pour but de gagner de l'argent. L'argent devient plutôt un moyen d'atteindre mon but.* Cependant je n'en suis pas pleinement consciente. Je parle de plus en plus souvent à mon **DIEU** intérieur. Je prie beaucoup. Je fais des affirmations.

Avril 1983. J'ai trois mois de loyer en retard en plus de mes mensualités de voiture et de cartes de crédit qui sont aussi en retard. Je dois en tout 57 000$. Je fais de mon mieux pour convaincre les créanciers de m'attendre. Une partie de moi panique mais une autre croit toujours à un éventuel miracle.

En désespoir de cause, j'ai l'idée de passer une annonce dans le journal pour avoir un associé. C'est une toute petite annonce à cause de mon manque d'argent. Le miracle tant attendu se produit. Je reçois vingt-cinq réponses, toutes de la part d'hommes, un message en soi. Tout au long de ma carrière, j'ai eu beaucoup d'offres de la part de plusieurs hommes pour m'aider et très souvent, de façon gratuite. *Ils étaient là pour me montrer combien mon homme intérieur m'aimait, voulait m'aider et faisait tout pour être accepté de moi.*

JE SUIS DIEU WOW!

Je rencontre dix de ces personnes. Parmi eux, il y a un vieil homme qui approche certainement les quatre-vingts ans. Il me reçoit dans sa maison à Outremont, un riche quartier Montréalais. C'est une maison comme on en voit dans les films, un endroit de rêve. Je lui expose mon problème financier et lui montre un petit feuillet des cours que je donne. J'en ai moi-même fait le montage à la main. À l'époque, la philosophie que j'enseigne n'est pas basée uniquement sur l'amour. J'enseigne plus à écouter les messages du corps pour pouvoir se guérir de ses maladies ou de ses problèmes de poids. Je sais que mon enseignement revient à l'amour de soi mais je crains de faire peur aux gens en parlant d'amour ou de **DIEU** trop ouvertement. C'est la même chose dans le feuillet. Je n'y parle ni d'amour ni de spiritualité.

Après l'avoir rapidement lu, il me regarde droit dans les yeux et me dit: "Enfin quelqu'un qui enseigne l'amour! C'est ce dont la Terre a le plus besoin." Il ajoute ensuite: "Vas-y sans inquiétude, tu vas voir, tout va s'arranger. Tu n'as vraiment pas besoin de moi parce que *tu as tout ce qu'il te faut à l'intérieur de toi pour réussir.*" J'ai le coeur dans les talons et je me dis: "Mon **DIEU**, s'il savait à quel point j'ai besoin de l'aide de quelqu'un!" Il me donne deux livres sur l'amour et il me parle pendant une bonne heure. Je ne dis pratiquement rien. Je ne me souviens pas de tout ce qu'il m'a dit mais ce dont je me souviens, c'est que pendant qu'il me parlait et qu'il m'encourageait, j'en avais des frissons de la tête aux pieds. Je me souviendrai toujours de cet homme. J'ai eu l'impression que c'était un guide qui m'était envoyé tout droit du ciel. J'en fus tellement émue que j'ai pleuré en rentrant dans mon auto. Une demi-heure après avoir passé le seuil de sa porte, je me rends à mon

JE SUIS DIEU DANS MES ÉCHECS ET
MES RÉUSSITES FINANCIÈRES

prochain rendez-vous. J'allais rencontrer mon associé à venir...

Ce futur associé est anglophone, un homme dont les antécédents sont tout à fait différents des miens. Nous n'avons pas du tout les mêmes croyances, ni la même éducation. Je le rencontre huit fois avant qu'il ne se décide. Au bout de notre huitième rencontre, il me dit: "O.K! Personne ne m'encourage à investir dans une compagnie comme la tienne!" Ensuite il me demande: "Que vas-tu faire si je n'investis pas avec toi?" Je lui réponds: "Je n'en ai aucune idée mais chose certaine, je vais m'en sortir, même s'il me faut quêter!" Il me voit tellement décidée qu'il accepte. Nous sommes en mai 1983 et notre association officielle débute en juin 1983. Il investit la somme de 35 000$ et devient mon associé à 50%. Merci mon **DIEU**!

Sous les conseils de mon nouvel associé qui veut que tout se fasse d'une façon très professionnelle, nous louons des belles salles d'hôtels. Nous plaçons de grosses annonces dans La Presse et le Journal de Montréal pour inviter les gens à assister à des soirées d'information gratuites.

Je tente aussi l'expérience de faire connaître Écoute et Mange par des présentations à domicile. Je trouve des clientes qui invitent leurs connaissances et je fais une soirée d'information en finissant avec une détente dirigée. L'hôtesse est récompensée selon les inscriptions obtenues chez elle. Je forme des personnes pour faire ces présentations à domicile. *Je suis tellement décidée que je suis prête à tout essayer pour arriver à mon but.*

Mon associé n'aime pas le nom Écoute et mange. Il suggère de trouver un nom dont l'abréviation a aussi une signification accrochante. Je trouve le nom "Écoute Ton

JE SUIS DIEU WOW!

Corps" d'une façon spéciale. Je suis en auto, derrière un gros camion et je lis machinalement ce qui est écrit sur les portes arrières du camion. Soudainement, je vois en grosses lettres les mots Écoute Ton Corps et je vois les lettres E.T.C. ressortir très distinctement. L'abréviation d'Écoute Ton Corps donnant "Etcetera" ou "ETC", c'est exactement ce que nous recherchions. Le nom du cours et le nom de la compagnie se trouvent ainsi liés, comme nous l'avions désiré. Le cours de base s'est appelé le cours "ETC..." pendant plusieurs années. À plusieurs reprises au fil des années, on a essayé de me convaincre de changer ce nom, mais rien ni personne n'y arrivera car il ne vient pas moi. C'est une inspiration.

Je ne trouve pas facile de travailler avec un associé car j'ai toujours été indépendante et j'aime diriger mes affaires toute seule. Je dois lui rendre des comptes sur tout et je me sens craintive face à lui. Je me sens petite et inférieure en sa présence. Il semble tellement sûr de lui en affaires! Comme il a toujours réussi financièrement, je crois que je dois écouter absolument tous ses conseils. *Sans le savoir, je me suis placée dans une situation où j'ai dû commencer à écouter les conseils venant d'un homme.* À quelques reprises je lui mentionne que je ne suis pas d'accord sur certains points et cela me demande de gros efforts.

Depuis les débuts d'Écoute et Mange, je continue à approcher les gens de la radio, de la télévision et les journalistes pour essayer de me faire connaître. Je réussis à décrocher plusieurs entrevues ici et là. À chaque fois qu'il y a une entrevue quelque part, je garde l'espoir de voir quelque chose en découler. *Vu que je suis toujours dans l'action, j'entretiens beaucoup d'espoir.* Mais chaque mois, les dépenses sont plus élevées que les revenus.

148

JE SUIS DIEU DANS MES ÉCHECS ET MES RÉUSSITES FINANCIÈRES

En août 1983, nous décidons d'engager du personnel. Mon associé croit qu'avec de l'aide nous irons plus vite. J'engage une personne qui a de l'expérience en animation et qui sait bâtir des cours. Deux autres personnes (dont une travaille toujours pour moi) s'offrent de travailler presque bénévolement. Ma gardienne et secrétaire vient de me quitter après plusieurs années à mon emploi. Elle a le goût de faire quelque chose de différent. Nous essayons toutes sortes de choses incluant les salons de santé et les soirées d'information à domicile. Il y a très peu d'inscriptions. Nos dépenses représentent au moins le double de nos revenus mensuels.

À la fin de l'année 1983, il ne reste plus rien de l'investissement de mon associé et il me dit que mon idée est probablement trop avant-gardiste. En temps qu'administrateur, il me conseille de fermer les portes et de recommencer dans quelques années. Je refuse cette suggestion. Je demande à mes employés s'ils veulent me suivre et à mon associé s'il veut continuer à m'épauler au niveau administratif. Je lui promets de ne plus lui demander d'argent. Selon notre entente, il avait toujours consacré une journée par semaine à Écoute Ton Corps et il accepte de maintenir ce rythme.

À nouveau, je me remets à vivre de l'insécurité. Je ne comprends pas pourquoi c'est si long à démarrer. J'ai toujours été habituée à récolter selon les heures de travail que je mettais et cette fois-ci, malgré les quatre-vingt-dix heures de travail que j'abats par semaine, la récolte est vide. *Quand je regarde en arrière, je suis heureuse d'avoir été aussi déterminée et de ne pas m'être laissée arrêter.*

Je continue à m'endetter. À la fin de l'année 1983, ma soeur qui m'avait endossée pour plusieurs emprunts doit faire un choix face à ses placements qui sont rendus à terme. Je vais la trouver à nouveau et je lui demande si elle veut bien me prêter de l'argent pour rembourser toutes mes dettes et toutes mes cartes de crédit. Je m'y suis préparée toute la semaine. Je lui propose de lui payer un taux d'intérêt supérieur à celui de la banque. Je m'engage à ne payer que les intérêts dans l'immédiat et à lui payer le montant total de la dette dans les cinq ans. J'ai besoin en tout de 39 000$. Pendant les quelques minutes où elle est en train d'y songer, je retiens mon souffle. Finalement, après réflexion, elle me dit: "Pourquoi pas! Même si Écoute Ton Corps ferme ses portes, je te connais, tu travailles tellement fort que je sais bien que tu vas me le remettre!" Ouf! Quel soulagement intense et quel beau cadeau! Je pleure de bonheur. *C'est encore une autre manifestation du grand pouvoir de DIEU en moi!*

Je peux respirer à nouveau. Avec cette consolidation de dettes, j'économise au-delà de 500$ par mois, seulement en intérêts sur les différents emprunts que j'avais faits. **WOW**!

Au début de l'année 1984, comme les revenus sont encore insuffisants et que le compte de banque est vide, je dois recommencer à utiliser mes cartes de crédit pour survivre. J'y arrive mois après mois et vers mars 1984, je calcule qu'avec les deux autres personnes qui donnent des cours avec moi, Écoute Ton Corps paie environ 900$ de locations de salles par mois. J'en déduis qu'il est temps que nous ayons notre propre local. *Cette décision est vraiment un acte de foi de ma part.*

Je choisis la rue Saint-Denis parce que je veux absolument être près d'un métro et je décide que nous déménagerons en juin pour coïncider avec la nouvelle série de cours qui débute à ce moment-là. Nous cherchons un local sans succès. À

JE SUIS DIEU DANS MES ÉCHECS ET MES RÉUSSITES FINANCIÈRES

tous ceux qui s'inscrivent pour le cours du mois de juin et qui nous demandent l'adresse, nous répondons que ce sera sur la rue Saint-Denis mais que nous n'avons pas encore le numéro exact. Je ne loue aucune salle parce que je suis confiante que nous aurons ce fameux local sur la rue Saint-Denis.

Je le trouve une semaine avant le début des cours. Ouf! Je commençais à douter de mon acte de foi. Encore une fois, je suis sauvée. *Je me sens de plus en plus divinement protégée.* Cependant j'aspire au moment où je ferai assez confiance en mon **DIEU** intérieur pour être sauvée encore plus vite. Je trouve que ça arrive souvent à la dernière minute. *Toutefois cette expérience me permet de développer la foi.* Je mettrai plusieurs années pour apprendre à être moins "à la dernière minute".

Nous avons seulement quatre jours pour démolir les murs et construire les salles de cours et les bureaux. Ce local a environ mille pieds carrés avec un grand sous-sol pour le rangement. Nous emménageons une cuisine très rudimentaire dans ce sous-sol. Plusieurs personnes m'aident, incluant mes enfants, et nous réalisons ce tour de force. Les cours commencent le lundi soir, tel que prévu.

En considérant l'état financier d'Écoute Ton Corps, *cette décision peut sembler comme étant un coup de tête de ma part mais en réalité elle s'avérera très bénéfique.* Même si nous sommes très à l'étroit dans ce local, nous y resterons quatre ans et il accueillera jusqu'à quinze employés.

Pendant mes premières années à Écoute Ton Corps, je continue à recevoir régulièrement des offres d'emploi dans la vente, certaines très alléchantes. Je passe très près d'accepter l'une d'elles. C'est un contrat d'un an pour aller travailler en Floride et mettre sur pieds un plan de vente. La compagnie m'offre de payer mon déménagement et une résidence au bord de la mer avec mes enfants, en plus d'un super bon salaire. **WOW!** Quelle offre. Je demande un mois pour donner ma réponse. J'en parle à mes employés. Voilà un moyen pour gagner assez d'argent pour payer mes dettes et aider Écoute Ton Corps.

Mes employés sont prêts à continuer Écoute Ton Corps pendant mon absence. Quelle tentation! Mais mon **DIEU** intérieur connaît mes besoins. Je rencontre quelqu'un en qui j'ai bien confiance et lui fais part de mon dilemme. Je lui demande conseil. Il me dit: "Que tu choisisses une route ou l'autre, tu ne peux pas te tromper. Les deux t'offrent un défi et tu y apprendras beaucoup. Cependant, *entre ces deux routes, laquelle à ton avis t'aidera le mieux à grandir personnellement?"* J'ai ma réponse! Je continue donc avec Écoute Ton Corps!

Ma décision est formelle! C'est pourquoi je n'ai plus d'autres offres par la suite. Avoir à prendre cette décision m'a aidée à devenir consciente que je ne travaille plus pour l'argent que ça me rapporte. Le même phénomène s'est produit quand j'ai commencé dans la vente. C'était un moyen de gagner ma vie. Par après, j'en suis venue à tellement aimer ce que je faisais que seuls mes buts comptaient et le plaisir de voir se développer les gens de mon équipe.

J'aime de plus en plus ce que je fais à Écoute Ton Corps. J'utilise maintenant mon talent de motivatrice pour encourager les gens à vivre dans l'amour de soi et des autres. Ma récompense est de voir les gens se transformer et vivre davantage dans la paix, l'amour, l'harmonie et la santé. La récompense de faire de l'argent vient en deuxième. Comme

JE SUIS DIEU DANS MES ÉCHECS ET MES RÉUSSITES FINANCIÈRES

j'aime vivre dans la beauté et que cette dernière se paie, je dois m'organiser pour avoir les revenus en conséquence. Je me paie la beauté que je peux durant les années difficiles.

En décembre 1984, je me retrouve tellement démunie financièrement que je ne peux même plus payer un sou de salaire et je dois congédier mes deux employés de bureau. Je dois m'occuper de tout, la comptabilité, les dépôts à la banque, la publicité. Plusieurs personnes m'offrent de travailler pour moi bénévolement. Je trouve difficile d'accepter de l'aide bénévole. Je me sens endettée. Je me demande comment je vais pouvoir remettre tout cela. J'ai l'impression de demander la charité. Je crois aussi que je ne suis pas assez bonne, assez compétente, parce que je suis incapable de me payer de l'aide.

Je deviens consciente de l'aspect de moi qui donne toujours avec attentes. Je me croyais généreuse mais je réalise que si j'ai de la difficulté à accepter que quelqu'un ait du plaisir à donner sans attentes c'est que moi-même je ne sais pas donner sans attentes. Sinon, je saurais que ces personnes sont sincères quand elles m'assurent qu'elles ne veulent rien en retour. Elles me disent souvent: "Ce que j'apprends ici à Écoute Ton Corps représente tellement pour moi. Je n'en veux pas plus." J'ai de la difficulté à les croire. Je pense qu'elles disent cela pour me faire plaisir. Cette expérience me permet d'apprendre à donner sans attentes. C'est une belle leçon pour moi.

Depuis le jour où j'ai rencontré ce vieux monsieur d'Outremont, l'idée de commencer à former des animatrices n'a pas quitté mon esprit. Une des choses qu'il m'avait dites était: "Il sera important pour toi de répandre ton enseignement partout. Tu devras former des personnes pour le faire.

JE SUIS DIEU WOW!

Toi tu t'occuperas surtout de faire connaître tes cours car à quoi ça sert d'avoir un bon cours si personne ne sait qu'il se donne!" Au moment où il me parlait j'avais eu de la difficulté à concevoir cela mais ça commence à se concrétiser en 1984.

Deux personnes sont maintenant devenues animatrices. Elles m'ont suivie et aidée pendant plusieurs mois en vue d'être formées. En janvier 1985, je décide de suivre un cours intensif pour apprendre à enseigner l'animation et je crée un cours d'animation officiel, qui dure trente-trois semaines. Je l'inaugure en février, avec onze participants. Pour devenir des animateurs, ils doivent passer une journée par semaine au Centre. Cela leur fait connaître tous les différents aspects du travail d'un animateur. J'ai donc de l'aide de ces gens-là pendant toute l'année 1985.

Enfin je connais le jour où j'arrive à tout payer, incluant les deux animatrices qui donnent des cours avec moi. Je commence même à accumuler du surplus. Une participante s'offre pour venir m'aider avec la tenue de livres, bénévolement. Elle m'avoue que pendant une détente dirigée, elle s'est vue devenir l'administratrice du Centre Écoute Ton Corps et cette idée lui plaît énormément. *Quelle chance extraordinaire! Merci mon DIEU encore une fois.* Cette personne est encore l'administratrice d'Écoute Ton Corps aujourd'hui. En septembre 1985, sur les onze personnes qui suivent le cours d'animation, neuf deviennent animateurs et commencent à donner des cours. *L'avenir s'annonce plus rose.*

Le mois suivant, nous faisons une demande de subvention gouvernementale pour la création de nouveaux emplois. Le gouvernement paierait les deux tiers du salaire des nouveaux employés. Plusieurs des bénévoles qui vien-

JE SUIS DIEU DANS MES ÉCHECS ET MES RÉUSSITES FINANCIÈRES

nent quelques jours par semaine ainsi que les futurs anima-teurs désirent ardemment travailler chez nous à temps plein. Ils sont très heureux de savoir que cela semble vouloir se réaliser. Pendant que nous attendons la subvention, les cours vont de mieux en mieux et nous nous retrouvons en janvier 1986 avec 20 000$ de surplus en banque ! WOW! C'est merveilleux.

Peu après, le gouvernement nous apprend qu'il n'y a plus de fonds disponibles. Le projet vient de tomber à l'eau. Quelle déception! Je ne sais pas quoi faire. Je sais que je ne suis pas tenue d'engager ces bénévoles mais une partie de moi se sent endettée envers eux. Je décide de risquer le tout pour le tout.

Mon associé n'est pas d'accord. Il dit que je veux aller trop vite. Je ne veux plus l'écouter même si je sais fort bien qu'il est un être réfléchi et qu'il a le sens des affaires. Il a l'habitude de bien analyser une situation avant de prendre une décision. Mais plus il veut me diriger et plus je fais le contraire de ce qu'il me dit. Je ne sais pas encore que c'est parce que je n'accepte pas l'homme en moi. Il est là dans ma vie pour me rappeler qu'il serait bénéfique de consulter l'homme en moi avant de passer à l'action.

Je n'écoute que mes désirs, qui viennent de la femme en moi. *Ma crainte de me faire avoir par un homme est très forte mais malheureusement inconsciente.* La femme en moi ne veut même plus prendre le temps d'écouter le côté rationnel de l'homme en moi et je fonce tout droit à toute allure. Ceux qui travaillent à mes côtés sont de plus en plus essoufflés à force d'essayer de me suivre.

Mon associé me laisse agir à ma guise mais il refuse d'apposer sa signature sur quoi que ce soit. Il me laisse prendre mes risques toute seule. Je réalise qu'il m'aime beaucoup pour me laisser carte blanche de la sorte, car il lui est habituellement très difficile de laisser une femme le diriger. Dans son cas, c'est la femme en lui qu'il accepte le moins. C'est sûrement la raison pour laquelle il a plus de difficulté dans ses relations avec les femmes qu'à son travail. Il a peur de se faire avoir par une femme. Malheureusement pour lui aussi, il en est tout à fait inconscient, comme moi. Son attitude avec moi le surprend lui-même. Il me dit souvent qu'il ne laisserait jamais une autre femme lui résister comme je le fais.

Vu que nous avons du surplus et que les affaires vont de mieux en mieux, je décide d'engager et de payer un salaire fixe à toutes ces personnes-là, y compris les animateurs. Je sais aujourd'hui que je n'écoutais pas mon **DIEU** intérieur. J'écoutais plus une croyance ou une peur tout droit venue de mon mental humain. J'avais peur que ces personnes qui travaillaient bénévolement depuis plusieurs mois commencent à me juger, qu'ils disent que j'avais profité d'eux en leur faisant une promesse et en ne la tenant pas. *C'est à force de vivre des expériences comme celle-là que nous finissons par faire la différence entre notre DIEU intérieur et notre mental.*

Février 1986. J'ai quatorze employés à salaire fixe. Notre surplus disparaît rapidement. J'ai alors l'idée d'ouvrir des petits centres un peu partout et d'y placer une ou deux personnes pour s'en occuper. Dans mon rêve, j'avais vu qu'Écoute Ton Corps se rendait un peu partout; alors je crois y parvenir en ouvrant des centres. Je loue des locaux dans plusieurs municipalités avec des baux de deux à trois ans et je les meuble. Je ne me doute pas du tout que c'est le livre qui fera connaître Écoute Ton Corps.

JE SUIS DIEU DANS MES ÉCHECS ET
MES RÉUSSITES FINANCIÈRES

Au mois d'avril 1986, nous ouvrons un centre à Laval; en août 1986, un à Sainte-Agathe et un à Beloeil; en septembre 1986, un à Saint-Jean et un à Trois-Rivières; au mois de décembre 1986, un autre à Québec. Avec le centre de Montréal il y a maintenant sept centres en tout. Pendant tout ce temps-là, mon associé n'approuve pas mes décisions. Il continue à dire que je veux aller trop vite. Je ne veux toujours pas l'écouter.

Même si je prends une mauvaise décision, j'ai tellement la foi que tout va s'arranger que je continue sans trop souffrir. C'est toujours après coup que je constate avoir vécu des situations difficiles.

La gestion des sept centres devient une lourde charge administrative. Je m'endette de plus en plus, autant en mon nom qu'au nom d'Écoute Ton Corps. C'est toujours le même scénario de vie. Je m'arrange pour ne pas profiter du surplus que j'ai accumulé. *Heureusement que dans la vie, même une apparente mauvaise décision peut devenir une expérience enrichissante pour la personne qui veut bien le regarder de cette façon.* Je considère que je sors gagnante de toutes mes expériences.

Pour combler le tout, c'est durant cette même année que je décide aussi d'acheter le Centre de Santé de Sainte-Agathe. L'hiver précédent, j'étais allée donner des cours à Sainte-Agathe. À chaque fois que j'entrais dans cette ville, quelque chose en moi vibrait intensément. Je disais aux gens de la région: "Mon **DIEU** que je me sens bien quand je viens ici à Sainte-Agathe. Cet endroit est tellement rempli d'énergie! Je sais qu'un jour je vais avoir une maison de santé et je me demande bien si ça ne sera pas ici!" Alors j'ai entendu dire qu'effectivement il y avait une propriété à vendre au bord du Lac-des-Sables, un ancien manoir. Comme j'avais entendu parler de ce manoir par plusieurs personnes différentes, je profite de ma visite au local de Sainte-Agathe au mois d'août pour prendre deux jours de congé. Je fais le tour du Lac-des-Sables et pour la première fois je vois cette fameuse propriété qui s'appelle le manoir Belvoir.

Quand j'arrive sur les lieux, je constate que les occupants sont absents. Je passe une demi-heure à vivre une émotion intense et à me dire: "C'est ici que je veux avoir ma maison de santé!" Je m'informe et je trouve le nom du propriétaire. Je prends rendez-vous avec lui pour visiter la propriété. Je lui explique mon cas. Je n'ai pas d'argent et je veux ouvrir un Centre de Santé. Intérieurement je me dis que le pire qui peut m'arriver c'est qu'il me dise non. *Je n'ai rien à perdre et tout à gagner. Dans de telles situations je fonce toujours.* Le propriétaire m'écoute poliment. J'apprends que seulement un gardien loge sur place. En plus du manoir, il y a une petite maison et une écurie. Le terrain est de 28 âcres et une partie donne sur le lac.

Vu que cette grande propriété lui occasionne beaucoup de frais d'entretien, de chauffage, d'électricité et de taxes, sans compter le salaire d'un gardien, il doit se dire que lui non plus n'a pas grand chose à perdre. Finalement il accepte de me le vendre pour la somme de 560 000$ avec une remise initiale de 10 000$ comptant.

L'achat est prévu pour le 1er octobre 1986. Il finance lui-même le reste du montant. Les paiements mensuels seront de 5000$. Je commence tout de suite à chercher de l'argent car je n'ai même pas les 10 000$ pour le dépôt. Naturellement, toutes les banques refusent ma demande. J'en parle à qui veut bien entendre parler de mon projet.

JE SUIS DIEU DANS MES ÉCHECS ET MES RÉUSSITES FINANCIÈRES

J'en parle dans mes cours, à mes amis et à tous ceux qui se trouvent sur ma route.

Entre septembre 1986 et la fin de l'année 1987, en tout trente-trois personnes ont accepté d'investir des montants variant entre 100$ et 35 000$. Cette expérience est la plus difficile que j'aie connue financièrement. C'est la course folle pour réussir à ouvrir les portes du Centre de Santé en février 1987. Je dois trouver de l'argent au fur et à mesure que les travaux se font et que les meubles arrivent.

Évidemment je me sens obligée de meubler ce manoir comme il se doit, avec du style. Je suis prise dans un engrenage; *tout va tellement vite que je n'ai pas une minute pour m'asseoir et réfléchir à ce que je fais.*

Mon associé est complètement dépassé par les événements et avec raison! Il ne veut rien entendre de cet achat. Il me laisse faire mais il est inquiet pour moi. Je lui dis que s'il ne peut pas m'encourager, je le défends de me décourager. Je ne veux rien écouter de ce qu'il a à me dire. D'ailleurs plusieurs autres personnes partagent son avis mais *je ne veux rien entendre de personne. Un jour, j'aurai à en payer le prix!*

Heureusement qu'au début j'ai beaucoup d'aide bénévole. Plusieurs personnes donnent de leur temps pour peinturer, refaire les planchers, la plomberie, faire des réparations de tous genres. Le troisième étage de cet ancien manoir est transformé en un dortoir de ving et une chambrettes. J'ai calculé qu'à vingt et une personnes par semaine, le Centre de Santé sera une bonne affaire. Avec environ douze personnes, nous pourrons rencontrer nos dépenses. Je crois fermement que ce Centre deviendra très vite populaire.

JE SUIS DIEU WOW!

J'engage dix personnes à temps plein, ce qui représente un gros fardeau à la base. Ce que je n'ai pas prévu, c'est qu'il me sera impossible d'être suffisamment présente sur les lieux pour m'assurer de son bon roulement. J'ai à m'occuper des autres centres que je viens tout juste d'ouvrir; je suis en train de former de nouveaux animateurs; sans compter que je donne moi-même des cours et que je m'occupe de l'administration du bureau chef à Montréal. Je travaille aussi à la correction de mon premier livre. Je n'ai donc qu'une seule journée par semaine à donner au Centre de Santé, ce qui est très peu.

Financièrement les années 1987 et 1988 sont très difficiles. La journée où je vais à Sainte-Agathe, je m'occupe des employés ainsi que des chèques à faire; je vérifie la comptabilité et je donne un traitement d'abandon à chaque résident, un par un. J'y anime aussi la rencontre de groupe qui dure environ deux heures. Le rythme est effréné. *Je ne veux pas voir que je force beaucoup trop, que je veux dépasser mes limites trop vite. Je m'en demande énormément*.

Entretemps, je dois paraître calme, détendue. Je ne veux pas que les résidents s'aperçoivent que je suis en perte de contrôle. Moi-même, je ne veux même pas le savoir. J'attends un miracle. Le manque d'argent m'occasionne énormément de stress.

Il n'y a pas assez de clients pour arriver à rencontrer les dépenses. Je n'ai plus de temps ni d'argent pour faire de la publicité. Nous prenons du recul chaque mois, retardant plusieurs paiements que nous ne pouvons plus effectuer, incluant l'hypothèque. Je continue de faire de nouveaux emprunts. Plus le temps passe et plus je m'endette. Je crois qu'en tout durant les deux ans d'opération de ce Centre, il

JE SUIS DIEU DANS MES ÉCHECS ET
MES RÉUSSITES FINANCIÈRES

n'y eut que trois mois où nous avons réussi à couvrir tous nos frais.

Ce que je trouve aussi très difficile, c'est d'avoir à me motiver moi-même et ensuite, avoir à motiver mon équipe. Tous, incluant mon associé, me disent que je vis comme dans un rêve. Je ne peux donc pas m'attendre à des encouragements de leur part. *Une partie de moi refuse totalement d'être réaliste car elle rejette l'idée qu'elle peut parfois manquer son coup dans la vie.* Je ne veux même pas envisager l'alternative de fermer les portes du Centre. Je me refuse à penser que ça pourrait aller mal parce que pour moi c'est faire de la projection. Je me dis que si je pense négatif, si je n'ai pas la foi ou si je manque de confiance, il est alors certain que quelque chose de négatif arrivera. J'attends toujours la solution ou la personne miracle. Je refoule la partie de moi qui veut voir la réalité en face et admettre le côté irréaliste de ce projet.

Quand je deviens consciente de cet aspect qui veut être réaliste, je m'en veux de penser qu'il serait peut-être mieux d'abandonner tout de suite. Je me traite de négative et de lâcheuse. Je m'en veux de manquer de foi. *Je ne me donne pas le droit d'avoir des limites*. Je crois sincèrement que la volonté de **DIEU**, c'est que je continue puisqu'il a permis que je commence. Entrevoir la fermeture du Centre ou même simplement penser que mon projet puisse tomber à l'eau, c'est pour moi la même chose que carrément refuser le pouvoir créateur de mon **DIEU** intérieur. Je ne peux même pas suivre un budget. Je paie ce que je peux à chaque semaine et je vis un jour à la fois. Finalement, après deux ans de tiraillage, ça devient tellement lourd pour moi que je dois accepter mes limites.

JE SUIS DIEU WOW!

Cette expérience m'aide à comprendre plusieurs choses. Je réalise que ce n'est pas **DIEU** qui nous envoie des épreuves et des obstacles. Depuis toute jeune, j'ai entendu dire que les épreuves venaient de **DIEU** et que nous avions à accepter Sa volonté. Je ne veux plus croire à cela. Pour moi maintenant la volonté de **DIEU** c'est de réagir à tout ce qui m'arrive dans l'amour et dans la vérité. **DIEU** ne dit pas: "O.K. c'est l'heure de lui envoyer un malheur!" Non! Je commence à réaliser que *la souffrance et la douleur ne viennent pas de la volonté de DIEU mais plutôt de notre propre résistance à notre énergie divine*.

DIEU est une énergie de paix, d'harmonie, d'amour, de bonheur. Quand nous vivons du stress, quand nous forçons ou quand nous sommes inquiets, c'est que nous nous sommes fermés à notre **DIEU** intérieur. Ce n'est pas **DIEU** qui veut cela. *Ce que DIEU veut, c'est que nous utilisions chaque nouvelle expérience pour apprendre à nous aimer et à aimer les autres davantage, à nous accepter dans toutes les circonstances*. Je fais le contraire. Au lieu d'apprendre à m'aimer dans cette expérience, je m'accuse plutôt de ne pas être correcte car je ne réussis pas financièrement.

Mon associé est là pour me le rappeler aussi. Nous sommes ensemble depuis près de quatre ans et il me dit très souvent que je dois changer quelque chose en dedans de moi, après quoi Écoute Ton Corps ira mieux. Je lui demande: "Que dois-je changer?" Il répond: "Je ne le sais pas, cela doit venir de toi!" Je le crois et je désire me changer. Donc, je ne m'accepte pas telle que je suis. Il m'est difficile de ne pas me laisser influencer par lui. Je sais qu'il m'aime beaucoup et désire sincèrement qu'Écoute

JE SUIS DIEU DANS MES ÉCHECS ET MES RÉUSSITES FINANCIÈRES

Ton Corps réussisse mais je n'y crois pas vraiment. Savoir quelque chose et y croire peut être très différent.

J'ai de plus en plus souvent mal à la gorge après mes rencontres avec lui. *Je me rends compte que je vis de la colère intérieure et que je la refoule.* J'ai de la difficulté à sentir l'amour dans ce qu'il me dit. Je le critique intérieurement.

Peu après, j'ai une vision concernant une vie antérieure avec cet homme-là. C'est la première fois que ça m'arrive d'une façon si consciente. Je vois un film se dérouler devant mes yeux, exactement comme si je regarde un film au cinéma. Tout est clair et précis. Je suis la fille de cet homme. Physiquement il est très différent de ce qu'il est aujourd'hui mais je sais que c'est lui. Nous vivons dans un grand château et notre famille est très riche. Il est devenu paralysé des jambes après un chute de cheval. Je le vois dans son fauteuil près de la fenêtre. Les serviteurs le transportent d'un endroit à l'autre. Même paralysé, il dirige tout et est très dominateur avec moi. Il insiste pour que je passe le plus clair de mon temps à ses côtés.

Sa femme, ma mère, s'absente très souvent car elle mène une vie mondaine très active. Je suis une fillette blonde d'environ trois ans quand il a son accident. Je deviens son rayon de soleil. Il ne veut pas me laisser voler de mes propres ailes. Malgré mes études, il insiste pour que je reste avec lui. Je tente à plusieurs reprises de quitter le domaine familial mais il finit toujours par m'en dissuader en jouant avec mon sentiment de culpabilité.

Je me revois ensuite vers l'âge de quarante ans. C'est une belle journée et je reviens chez moi à cheval, ma cravache à la main. Cette fois, je suis décidée à m'en aller.

JE SUIS DIEU WOW!

Durant ma randonnée, j'ai répété sans cesse le discours de départ que je m'apprête à faire à mon père. Même si j'adore lire et que j'ai à ma disposition une bibliothèque bien garnie, je m'ennuie de plus en plus. *Je veux faire quelque chose avec les connaissances que j'ai acquises.* Je veux vivre l'expérience de la vie en ville.

Je lui annonce une fois de plus que j'ai la ferme intention de m'en aller. Il doit sentir qu'il ne pourra pas m'en empêcher cette fois-ci et il fait un geste avec son bras, pour me frapper au visage. Je veux me protéger mais vu que j'ai encore la cravache à la main, celle-ci s'enfonce directement dans mon oeil gauche. Je deviens aveugle de cet oeil. Cela semble se passer vers les années 1800 en Australie. Je me vois peu après avec un bandeau noir sur l'oeil. Vu que je suis défigurée, je ne peux plus aller travailler. Je me résigne donc à vivre auprès de mon père. Celui-ci se sent terriblement coupable. Il est rongé de remords à chaque fois qu'il me regarde. Je ne suis plus belle à regarder. Je le vois se replier sur lui-même dans son fauteuil, il se ratatine de plus en plus. Deux ans après cet incident, il meurt.

Cette vision m'aide à comprendre pourquoi cet homme est dans ma vie et la relation complexe qui nous unie. Elle m'explique pourquoi il m'a aidée et continue encore à m'aider aujourd'hui, même s'il est souvent en désaccord avec moi. Il veut se racheter. Dans cette vie, au lieu de m'arrêter de travailler, il me pousse à aller de l'avant. Pour ma part je comprends aussi pourquoi j'ai tant de difficulté à m'affirmer avec lui. Quand je le fais, je me sens toujours en faute. J'ai peur de me faire réprimander par lui, même s'il l'a rarement fait.

Au printemps 1988, je ressens le besoin de partir seule en vacances. J'ai plusieurs mises au point à faire et je veux aussi travailler sur mon deuxième livre. C'est là qu'au plus profond de moi je découvre que je dois arrêter notre association. *Je dois m'affirmer et apprendre à voler de mes propres ailes.* Je n'ai pas pu le faire dans l'autre vie mais cette fois-ci je dois foncer. Je le rencontre le jour suivant mon retour et je lui annonce la nouvelle. C'est un des moments les plus difficiles de ma vie. Je dois faire appel à toute ma réserve de courage pour y arriver.

C'est un dur coup pour lui. Jamais personne ne lui a fait cela. Le pire c'est qu'il ne s'y attendait pas du tout. Je peux sentir à quel point c'est difficile pour lui mais il garde tout son calme. Il s'est toujours très bien contrôlé. De mon côté, je fonds en larmes après lui avoir annoncé mes intentions. Il essaie de me faire rire: "C'est moi qui devrais pleurer, pas toi." Je pleure surtout de soulagement et de bonheur. *Je vis une grande délivrance.* Sa façon d'accepter ma décision me fait constater, une fois de plus, que son amour pour moi est grand. Nous nous entendons sur la valeur de ses parts dans la compagnie. Depuis, je lui verse tous les mois la part qui lui revient. Notre association se termine donc en juin 1988, après avoir duré exactement quatre ans.

Suite à cette décision, je me sens beaucoup plus énergique et sûre de moi. Je commence à prendre davantage contact avec l'homme en moi. *Je ne ressens plus le besoin incessant de prouver des choses.* Je redeviens plus rationnelle et réfléchie. Je suis plus ouverte aux conseils de mes employés. Nous formons une équipe de gestion. Nous nous réunissons une fois par semaine. Je ne prends plus mes décisions toute seule.

Ensemble, nous décidons de ne pas renouveler les baux pour les petits centres régionaux. L'énergie est trop diluée et les animateurs se sentent isolés et laissés trop seuls à eux-mêmes. À l'avenir, ils travailleront à partir de Montréal et nous louerons des salles en région. Les charges administratives sont réduites. S'il n'y a pas assez d'inscriptions à un cours, nous changeons de ville et annulons la location de salle. Plus besoin de payer des loyers à perte ou de forcer pour qu'il y ait des cours.

L'idée de fermer le Centre de Santé de Sainte-Agathe m'est de moins en moins insupportable. Quand j'y vais, il m'arrive de prendre de longues marches dans la nature. Il y a un arbre que j'aime particulièrement. Je vais souvent m'adosser à cet arbre et je communique avec lui. C'est au cours d'une de ces promenades, à l'été 1988, que toute la réalité du centre de Santé m'apparaît très clairement. Je n'ai pas pu payer mon hypothèque depuis déjà plus d'un an et je viens de recevoir un avis de soixante jours de mon propriétaire. Je décide d'ignorer cet avis et j'attends d'être convoquée à la Cour, acceptant d'avance qu'il arrivera ce qui doit arriver. Je commence à lâcher prise. *Je dis à mon DIEU intérieur: "Que ta volonté soit faite!"*

En attendant la décision du juge, je fais de mon mieux au Centre de Santé mais je ne pousse plus comme avant. Je sais maintenant que même si j'ai à fermer les portes, cette expérience m'aura permis d'apprendre des choses extraordinaires sur moi-même. En même temps, je fais mon processus face à Écoute Ton Corps. Je commence à croire que même si les rentrées d'argent ne sont pas fantastiques, ça ne veut pas dire qu'Écoute Ton Corps n'est pas un succès. Enfin *j'apprends que le succès ne se mesure pas forcément à l'argent; le succès c'est ce que je vis intérieurement*, comment je grandis à travers tout ce qui m'arrive et comment les autres grandissent intérieurement à travers

JE SUIS DIEU DANS MES ÉCHECS ET MES RÉUSSITES FINANCIÈRES

le message d'amour que je transmets à un nombre grandissant de personnes.

Je vois de plus en plus les succès d'Ecoute ton Corps. Autant dans les cours qu'au Centre de Santé, beaucoup de personnes nous partagent combien elles sont fières de leurs transformations. Il y en a qui ont renoncé à l'idée de se suicider, d'autres se sont guéris physiquement de malaises ou de maladies et pour d'autres, leurs relations familiales se sont transformées pour le mieux. J'entends de pareils témoignages depuis déjà longtemps et j'en suis toujours heureuse mais je mets beaucoup de temps à réaliser que c'est là que réside le vrai succès et non dans la réussite financière. Ça fait déjà quelques années que je connais cette belle philosophie mais je viens enfin de l'intégrer et de la sentir en moi. *Quelle différence entre savoir quelque chose et le ressentir intérieurement!*

Je suis devenue consciente de l'étrange similitude entre l'expérience du Centre de Santé et celle du Centre de distribution Tupperware. L'histoire ne fait que se répéter. Ce que je n'ai pas voulu comprendre lors de ma première expérience, je le comprends maintenant avec l'expérience du Centre de Santé. Je réalise finalement que même si je ne réussis pas une entreprise, ça ne veut pas dire que ma vie est un échec. Suite à mon expérience de distributeur Tupperware, j'étais restée avec un sentiment d'échec. La vie s'arrange pour répéter tout ce qui n'est pas accepté. *DIEU sait que nous devons apprendre à aimer, c'est-à-dire accepter, dans toutes les circonstances, plutôt que de nous en vouloir ou d'en vouloir à quelqu'un d'autre.*

Continuer à grandir en utilisant chaque expérience de ma vie pour apprendre à aimer davantage, c'est ma nouvelle définition du bonheur. Maintenant, même si je ne peux pas l'imaginer pour l'instant, je suis ouverte à l'idée que si un jour il est bénéfique pour moi de laisser Écoute Ton Corps pour m'engager sur une autre voie, je serais même prête à cette éventualité. *L'essentiel, c'est qu'à travers toutes mes expériences de vie, je puisse continuer de me poser la question: "Est-ce que je deviens toujours une meilleure personne?"* C'est une des grandes leçons que la vie m'ait donnée jusqu'à aujourd'hui. Cette ouverture me procure un énorme soulagement intérieur et c'est grâce à cette nouvelle attitude que je vis la fermeture du Centre de Santé avec paix intérieure.

Je suis convoquée à la Cour en novembre 1988, suite à l'avis de soixante jours du propriétaire. Le juge décide que je dois remettre le Centre de Santé à son ancien propriétaire, tel quel, avec toutes les nouvelles rénovations que nous y avons effectuées. Nous avons même complètement rénové la maisonnette adjacente au manoir. La directrice du Centre y vit avec toute sa famille depuis deux ans.

Le propriétaire et moi décidons de la date de fermeture: le 24 décembre 1988. Il m'offre quelques milliers de dollars pour le mobilier. Je les accepte pour pouvoir payer les salaires en retard. Cette veille de Noël restera toujours présente à ma mémoire. Avant de remettre les clés au propriétaire le 23 décembre, j'y organise le party de Noël de l'équipe d'Écoute Ton Corps et nous sommes une quarantaine de personnes à fêter. Nous savons tous que c'est la dernière fois que nous sommes sur ces lieux mais nous l'acceptons tous.

Le lendemain mon conjoint m'accompagne pour finir de sortir mes effets personnels. Après avoir terminé, je refais seule une dernière tournée des lieux et fais mes adieux à chaque pièce. J'ai le coeur dans les talons. Je vis une grosse

JE SUIS DIEU DANS MES ÉCHECS ET
MES RÉUSSITES FINANCIÈRES

émotion qui heureusement ne dure que quelques minutes. Après avoir remis les clés, je me sens déjà mieux; cette page d'histoire est maintenant tournée.

Je sens très profondément que cette expérience difficile me servira pendant longtemps. Je ne suis pas amère et je ne vis pas de déception comme celle que j'avais vécue avec l'expérience de Tupperware. La seule ombre au tableau est cette grosse somme que j'ai empruntée depuis deux ans pour débuter et maintenir ce Centre. J'ai fait la promesse à tous ces gens-là de les rembourser en cinq ans. *J'accepte qu'il est possible que les choses n'aillent pas du tout telles que je les ai prévues. C'est loin de signifier que je suis une mauvaise personne.*

Je dois en tout 250 000$ aux investisseurs. En y additionnant les taxes et les fournisseurs non payés, ma dette totale se chiffre à près de 300 000$. En plus, Écoute Ton Corps est dans le rouge de 75 000$ et j'ai à repayer les parts de mon ex-associé. Je me console avec la théorie qui dit que *nos dettes représentent le degré de confiance que l'univers a envers nous.* Si l'univers permet que l'on nous fasse crédit, c'est que nous le méritons, nous le valons et nous sommes capables de le repayer. Je vaux beaucoup plus que je ne le croyais! WOW! Je veux bien croire à cette théorie, alors je m'y accroche et visualise qu'effectivement j'arriverai à tout repayer.

Voici comment l'année 1989 commence. Le livre **"Écoute Ton Corps - ton plus grand ami sur la terre"** est sur le marché depuis un an et demi et il continue à se vendre à une rapidité et une constance étonnantes pour le marché québécois. Aussi mon deuxième livre **"Qui es-tu?"** vient de sortir en décembre 1988. J'y travaillais depuis plus d'un an. Il se vend très bien. Québec Livres, notre distributeur, a fait une excellente pré-vente et nous avons déjà plus de 10,000 copies vendues avant sa sortie officielle.

Le Centre de Santé fermé et mon deuxième livre terminé, je peux maintenant consacrer mon temps à soutenir Écoute Ton Corps. Nous fermons les centres régionaux un à un, au fur et à mesure qu'un bail se termine. *L'attitude générale commence à changer pour une attitude d'abandon plutôt que de "forçage"*. L'équipe d'Écoute Ton Corps me suit. Nous louons des salles et nous donnons des cours seulement dans les villes où il y a assez de demande.

J'organise aussi une réunion avec tous les investisseurs du Centre de Santé. Je leur annonce que le Centre est fermé et je leur avoue que je suis en très mauvaise posture financière. Je leur dis aussi que je refuse de déclarer faillite même si mon avocat et mon comptable me le conseillent fortement. Le Centre de Santé est une compagnie indépendante d'Écoute Ton Corps et je pourrais opter pour cette solution facile. En toute conscience je me sens incapable de faire faillite. Je me dis que si je dois de l'argent, je vais me sentir coupable de m'acheter ne serait-ce qu'une simple robe neuve. Je sais très bien que les trente-trois personnes qui ont prêté de l'argent au Centre de Santé l'ont fait parce qu'elles y croyaient. Elles ont cru en moi et m'ont prêté une partie de leurs économies. *Je leur en serai toujours reconnaissante.*

Je leur demande d'avoir la patience d'attendre. Je calcule qu'avec les revenus des livres, je vais leur remettre leur argent d'ici les cinq prochaines années. Je m'engage à le faire plus vite même, si ça m'est possible. Je leur promets un minimum de cinquante cents par livre vendu. Comme nous vendons environ six mille livres par mois à cette époque-là, ça représente 3000$ par mois, soit environ huit

JE SUIS DIEU DANS MES ÉCHECS ET MES RÉUSSITES FINANCIÈRES

ans au total pour tout rembourser. Mais en moi, je me promets de le faire en dedans de cinq ans.

Quelques-uns des investisseurs réagissent assez vivement. Ils veulent que je m'engage personnellement à leur remettre un certain montant d'argent à chaque année et que je leur signe un contrat personnel à cet effet. Je refuse de faire cela. J'ai appris à réfléchir avant de signer maintenant. Je deviens plus sage en affaires. Je sais au plus profond de moi que j'ai l'intention de remettre jusqu'au dernier sous tout ce que je leur dois. Je leur demande de me faire confiance. Je ne blâme pas ceux qui ont de la difficulté à le faire après ce qui vient d'arriver.

À l'exception de trois personnes qui m'ont prêté pour deux ans, les trente autres m'ont prêté pour une période de cinq ans. Deux ans ont déjà passé et ça ne les arrange pas d'attendre plus longtemps pour récupérer leur investissement. Je leur promets que trois fois par année, tous les quatre mois, je vais leur envoyer un certain montant au prorata de leur investissement. Quelques-uns menacent de me poursuivre. *Je ne peux pas leur en vouloir car je sens à quel point ils ont peur. Je suis heureuse de constater que j'ai plus de compassion qu'avant.* Heureusement, personne ne m'a poursuivie. Je crois sincèrement que c'est parce que j'ai pris le temps de les accueillir dans leur peur.

Je me souviens qu'au moment où je signe les premiers chèques de remboursement en 1989, ça me fait mal au coeur. Je me dis: "C'est incroyable... avoir à payer autant d'argent et ne rien avoir au bout de la ligne! Une fois que je les aurai tous payés, je n'aurai rien en mon nom, ni le moindre meuble, ni aucune propriété, absolument rien!" Je trouve la situation très injuste. Je m'aperçois que j'ai encore de la difficulté avec la notion de justice. Pourtant je sais que *nous récoltons toujours ce que nous semons* mais j'ai de la difficulté à savoir ce que j'ai semé dans cette situation.

Ce n'est qu'en août 1989 que *je reconnais l'utilité de cette expérience* et que je fais un grand pas dans mon processus d'argent. Je considère que je dois avoir la tête très dure pour vivre d'aussi fortes expériences d'endettement avant d'intégrer ma leçon. Depuis que je suis toute petite il m'arrive toujours le même genre d'incident. La seule différence c'est que les messages ont grossi avec le temps. Mais m'endetter autant, c'est pour moi le coup final!

Je suis en train de signer les chèques du mois d'août quand tout à coup ce que j'ai appris et enseigné sur l'abondance me fouette en plein visage. J'enseigne depuis toujours que l'argent est une énergie qui circule, que ce n'est pas un bien que l'on possède, que l'on ramasse, que l'on emmène avec soi après la mort; qu'il est important de faire circuler cette énergie et que plus on en donne, plus on en reçoit.

Soudainement, je réalise que l'argent qui arrive à Écoute Ton Corps provient en réalité de maintes personnes et que les profits des livres sont là grâce à tous ces québécois et québécoises qui aiment mes livres et les achètent... Alors je prends d'une main l'argent qui me vient des livres et je le donne de l'autre aux investisseurs. Donc, en réalité je suis très chanceuse d'avoir de l'argent pour pouvoir les payer. Je réalise qu'*il est temps que j'arrête de pleurer sur mon sort.* Je n'en ai pas pour toute la vie à les payer et après le remboursement total, je pourrai disposer du profit des livres à ma guise!

JE SUIS DIEU DANS MES ÉCHECS ET MES RÉUSSITES FINANCIÈRES

Comme on peut changer notre perception en l'espace de quelques années! Avant Écoute Ton Corps, je considérais qu'une dette de 5000$ était une chose épouvantable et je m'inquiétais de ne pas pouvoir la rembourser. Et maintenant je peux facilement considérer le remboursement de ma dette de plus de 400 000$ et dormir d'un sommeil paisible. C'est ça élargir ses limites! Encore une fois, *je constate la grande différence qu'il existe entre savoir quelque chose et le ressentir intérieurement.* Enseigner cette philosophie me remplit de bonheur parce que je suis ma meilleure élève.

Depuis ma nouvelle prise de conscience du mois d'août 1989, je dis toujours merci à **DIEU** pour chaque chèque que je signe, merci d'avoir ce qu'il faut pour payer et pouvoir envoyer de l'abondance à quelqu'un d'autre. Je m'aperçois vite que quand on laisse aller l'argent avec plaisir, sans peur d'en manquer, il nous revient peu après. Je réalise enfin que *donner à regret ne constitue pas un don véritable.* Dans l'invisible, ce n'est pas donné. C'est pourquoi il n'y a pas de place pour recevoir en retour.

Dès septembre 1989, le mois suivant, tout commence à bien aller financièrement. Pour la deuxième fois depuis le début de son existence, Écoute Ton Corps commence à s'auto-financer. Tout semble plus facile. Nous prenons les bonnes décisions au bon moment. Depuis deux ans nous avons dû emprunter de l'argent du compte de banque des "Éditions E.T.C. Inc." (ma compagnie qui édite les livres) pour boucler les fins de mois.

En juin 1988, le Centre Écoute Ton Corps déménage dans de nouveaux locaux. Ceux de la rue Saint-Denis étaient devenus trop étroits et nous y étions tous entassés les uns sur les autres. Nous voilà sur la rue Papineau, passant de mille à quatre mille pieds carrés. **WOW!** Comme c'est excitant!

Ce sont encore les revenus des livres qui défraient les coûts de nos nouvelles installations: huit lignes téléphoniques et quatorze appareils, des bureaux blancs, des tapis violets partout et une belle cuisine claire, des grandes salles de cours et, bonheur, un bureau privé pour moi! Le tout climatisé! *C'est réconfortant de voir les progrès d'une année à l'autre!*

Cette décision de déménager représente un autre acte de foi car elle est prise en plein durant une baisse marquée de nos activités suite à une publicité désavantageuse sur les cours de croissance. Je n'ai pas pris la décision toute seule et l'idée du déménagement est bien mûrie et réfléchie.

Donc, en cet automne 1989, comme les revenus des livres n'ont plus à financer Écoute Ton Corps et le Centre de Santé, je peux donc envoyer plus d'argent aux investisseurs. Je suis heureuse d'annoncer qu'au moment où ce livre est sous presse, en septembre 1991, je viens de finir de rembourser tous les investisseurs. J'ai finalement réussi à effectuer tous les remboursements en moins de trois ans! Tout s'est encore mieux passé que prévu. **WOW! WOW! WOW!** *Encore une fois, merci mon DIEU!*

Il est maintenant facile pour moi de croire qu'une dette peut représenter le degré de confiance que l'univers a envers moi. Ça me permet de risquer de plus en plus avec confiance. Si je veux qu'Écoute Ton Corps devienne une compagnie internationale, je sais que je dois continuer à risquer, mais de façon plus réfléchie.

Je constate que les scénarios de vie se répètent années après années, à la différence toutefois qu'*il devient tou-*

JE SUIS DIEU DANS MES ÉCHECS ET
MES RÉUSSITES FINANCIÈRES

jours plus rapide et plus facile de les solutionner quand on le fait dans la foi, l'amour et l'acceptation. À l'allure où ça va je ne pourrai même plus les considérer comme des risques tellement cela deviendra facile! Voilà un but pour moi!

Je suis toujours ébahie de constater à quel point notre **DIEU** intérieur nous fait arriver toutes les choses que nous désirons profondément avec une motivation sincère. Jamais je n'aurais pu imaginer qu'un jour mes livres me procureraient les revenus nécessaires pour autant aider Écoute Ton Corps. On m'avait dit que ce n'était pas payant d'écrire des livres! Comme je n'écrivais pas ces livres pour m'enrichir, ça m'importait peu. Je le faisais afin de transmettre ma vérité. Pour moi, les livres ont toujours été une extension de l'enseignement donné dans les cours. C'est certainement la raison pour laquelle mes livres se vendent tant.

En quatre ans et demi **"Ecoute Ton Corps, ton plus grand ami sur la terre"** s'est vendu à 150,000 exemplaires. **"Qui es-tu?"** approche les 100,000 en trois ans. **WOW!** Je dis souvent que ce sont des cadeaux du ciel mais j'avoue que je crois aussi que ça fait partie de la récolte. Au Québec, quand un auteur a vendu 5,000 copies d'un livre, ce dernier est considéré un best-seller.

Avec mon équipe nous nous sommes rendus à l'évidence; l'enseignement n'est pas un domaine particulièrement lucratif et les chances d'y faire des profits sont très minces. Nos profits ne viennent que des ventes concrètes, matérielles, comme celles des livres et des cassettes. *Nous acceptons cet état de fait et nous sommes heureux d'avoir ces revenus.* Ils nous permettent d'avoir du surplus pour diffuser notre enseignement à plus grande échelle.

175

JE SUIS DIEU WOW!

L'époque allant de l'automne 1989 à la fin 1990 est excellente au niveau des cours. Les profits sont minces mais nous réussissons à payer la plupart de nos retards et à nous auto-financer. La compagnie prend de l'expansion.

Nous achetons le nouveau Centre de Paix et de Santé à Bellefeuille le 1er octobre 1990. Tout de suite après, nous commençons à entendre parler de récession mais moi je n'y crois pas vraiment. Tout va tellement bien! Mais effectivement, l'année 1991 nous réserve des surprises et nous commençons à ressentir les effets de la récession. Nos économies y passent toutes. Encore une fois, ni le Centre Ecoute Ton Corps, ni le Centre de Paix n'arrivent à couvrir leurs frais. Je me retrouve encore dans le rouge!

Cependant *je suis beaucoup plus confiante*. Je ne vis plus la situation comme avant. Nous vivons une semaine à la fois et je sais que c'est pour me donner une occasion de vérifier mon progrès dans ce domaine.

Il semble que la raison de ces récessions, qui reviennent à peu près tous les sept ans, est de faire un nettoyage pour ne garder que ceux qui ont les reins solides en affaires et mettre un frein au gaspillage. À Ecoute Ton Corps, cela nous permet de travailler davantage en équipe. Nous nous encourageons à traverser ces temps plus difficiles de la meilleure façon possible. Pour obtenir les mêmes résultats qu'avant, *nous devons faire plus d'efforts mais cela nous renforcit*.

Je tiens à mentionner que tout au long de mes expériences à Ecoute Ton Corps, j'ai toujours eu une équipe du tonnerre pour me supporter. Même si certains ne sont pas toujours d'accord, ils respectent mes désirs et font de leur mieux. Plusieurs ont quitté le Centre en cours de route mais ils sont

JE SUIS DIEU DANS MES ÉCHECS ET MES RÉUSSITES FINANCIÈRES

partis avec de la gratitude pour tout ce qu'ils ont appris et reçu. Pour pouvoir me suivre, mes employés doivent pouvoir se retourner vite et aimer vivre de nouvelles expériences. J'aime l'innovation et le mouvement. Sept de mes employés sont avec moi depuis plus de cinq ans. Ils sont des plus fidèles et dévoués. Encore une fois, merci mon **DIEU**!

Bien sûr nous avons de gros déboursés avec nos vingt-neuf employés à temps plein, les comptes de téléphones qui s'élèvent à 5000$ par mois, les milliers de dollars pour les réservations de salles, les loyers, les taxes, les honoraires professionnels, la publicité, etc. Ceux qui sont en affaires savent de quoi je parle. Il est certain que tout ceci demande d'être toujours plus alerte au fur et à mesure que l'entreprise grandit. Mais quelle belle expérience pour moi!

Je suis véritablement en train d'apprendre à passer facilement du côté spirituel au monde des affaires, tout comme je peux passer de la psychologie à la spiritualité. *Je suis en train d'apprendre et de comprendre que tous ces aspects de la vie sur la Terre font partie de l'ensemble de la création divine.* Que je sois en train de parler de spiritualité ou que je sois en train de parler d'affaires, je suis en train d'exprimer **DIEU**. Tant que je suis dans l'amour et dans ma vérité, je suis en contact avec mon **DIEU** intérieur et c'est tout ce qui compte pour moi.

Depuis les neuf années d'existence d'Écoute Ton Corps, j'ai toujours eu à faire plein de pirouettes pour faire arriver de l'argent, excepté pour l'année 1990. D'années en années, les mêmes pirouettes me demandent moins d'efforts et me créent moins de stress et moins d'inquiétude. Combien de fois j'ai vu l'argent nécessaire arriver à la toute dernière heure, pour couvrir les salaires des employés ou pour payer les frais de Bell Canada de justesse avant que la ligne téléphonique ne soit coupée.

Il y a environ deux ans, dans le temps des fêtes, ma fille Monica qui s'occupe des salaires vient me trouver en me disant: "Maman, il nous manque 3500$ pour couvrir les salaires demain. Si tu parviens encore à faire arriver un miracle, je ne douterai plus jamais. J'aurai la foi pour le restant de mes jours." Encore une fois, j'utilise ma créativité et je trouve une solution. Ma fille a tenu parole! Elle continue à m'aider dans l'administration et ne s'inquiète plus. *Chacune de ces expériences m'aide aussi à développer davantage ma foi en DIEU pour arriver à croire au plus profond de moi ce que je sais déjà: l'Univers prend soin de nous quand nous lui faisons confiance.*

Je continue à avoir pour but d'enseigner l'amour au plus grand nombre de personnes possibles. En 1990, environ mille personnes par semaine entendent parler de la philosophie d'amour à travers les cours et les conférences. Sans compter les milliers d'autres qui lisent les livres! Je viens de signer un contrat pour que les livres se vendent aux États-Unis et en Europe. Peu à peu, je vois mon but se réaliser. J'entraîne ma fille depuis déjà cinq ans pour prendre ma relève quand je prendrai ma retraite. C'est un bon moyen pour que les enseignements d'Écoute Ton Corps continuent longtemps.

À toi qui lis ces lignes, j'ai préparé quelques questions pour t'aider à te connaître mieux:

Que répondrais-tu si je te demandais de me dire très rapidement quel est ton but? De combien d'argent as-tu besoin pour l'obtenir? Où veux-tu en être dans un an? Que veux-tu avoir accompli?

JE SUIS DIEU DANS MES ÉCHECS ET MES RÉUSSITES FINANCIÈRES

Il est important que tu saches ce que tu veux et de faire tes demandes si tu veux obtenir quoi que ce soit. Ton **DIEU** intérieur est là pour t'aider. Lui fais-tu confiance? Le remercies-tu régulièrement? Le manifestes-tu toujours davantage dans l'amour? *Voilà de la matière à réflexion pour toi!*

J'ai souvent agi de façon irréfléchie mais j'ai utilisé le fruit de ces expériences pour aller plus loin. Une partie de moi a profité énormément de mes écarts. Mes horizons se sont élargis. Toute la pression que je créais m'a poussée à aller de l'avant. Ecoute Ton Corps ainsi que mon équipe et moi-même avons tous grandi ensemble.

Financièrement j'ai touché le fond mais c'était comme reculer pour mieux sauter. Ma vie personnelle profite aussi beaucoup de ces expériences professionnelles. J'ai développé une plus grande générosité, j'apprends à me détacher de ce que possède. Je sais que ce que je possède appartient à l'énergie. Mais je veux en arriver à y croire au plus profond de moi. Je veux toujours me rappeler que si je perds quelque chose, ça va à quelqu'un d'autre. Ça fait de la place pour du mieux.

J'accepte que plus je suis en contact avec mon DIEU intérieur, plus je peux vivre dans l'amour, l'harmonie, la santé et l'abondance dans tous les domaines.

179

CHAPITRE 5
JE SUIS DIEU DANS MES RELATIONS
(intimes, sexuelles, familiales, etc.)

Rappel au lecteur:
Tout comme pour le chapitre précédent, je te suggère de garder de quoi prendre des notes à portée de la main pour pouvoir écrire sur papier tout ce qui te fait réagir.

La sexualité entre dans ma vie quand ma soeur aînée décide de me mettre au courant des choses de la vie. J'ai alors onze ans. Je peux encore nous revoir toutes deux installées dans la cuisine par un beau dimanche après-midi, apparemment seules. Mes parents sont sortis et c'est l'aînée de la famille qui nous garde. J'ignore que cette conversation a déjà été planifiée avec mes autres soeurs qui sont toutes cachées pour nous écouter. J'avais posé des questions à ma soeur aînée quelques jours plus tôt.

Me voici donc dans la cuisine avec ma soeur. Elle commence à m'expliquer comment un homme et une femme font l'amour et comment, par leur union physique, ils peuvent créer un enfant. Pour moi c'est un choc terrible. Je ne peux absolument pas me faire à l'idée que papa et maman font ensemble ces choses dont ma soeur me parle. Ce que je viens d'entendre ne colle pas du tout au monde sans soucis dans lequel j'ai toujours vécu. *Je ne veux pas m'ouvrir à cette nouvelle perception.* Je revivrai souvent cette expérience à l'avenir, dans différents domaines, ce qui provoquera chez moi un problème de constipation qui durera plusieurs années.

Je suis encore la petite fille à papa et mes seules préoccupations ont été le jeu et l'étude. Jusqu'ici ma vie s'est très bien déroulée et voilà que tout à coup quelque chose de complètement inconnu arrive dans mon univers, quelque chose de "dégueulasse", "sale", "cochon", "animal". Je suis bouleversée. Bien sûr que j'ai toujours été très attirée par les petits garçons ... Depuis l'âge de 6 ans, il y en a toujours un sur qui j'ai l'oeil. J'aime bien sentir la présence d'un garçon et me promener avec lui main dans la main. Mais c'est toujours tellement pur!

Après en avoir appris plus long sur la sexualité, je trouve injuste que les garçons aient plus de droits que les filles. Nous devons être sages, rentrer tôt à la maison pour ne pas "devenir enceintes." Je trouve ça d'une injustice terrible. Les garçons, eux ont tous les droits. Ils peuvent sortir sans crainte, faire ce qu'ils veulent et rentrer à l'heure qui leur plaît. Ils peuvent aussi faire l'amour tandis qu'une fille qui fait la même chose a automatiquement mauvaise réputation. Quelque chose dans tout ça me répugne.

Même si mes frères sont très jeunes, ma mère nous laisse entendre que si nous étions des garçons, ça lui ferait une préoccupation de moins. Il ne faut surtout pas qu'une petite Bourbeau se retrouve enceinte avant de se marier! Tout le village de Richmond en parlerait! Quel déshonneur! *Comme il y a des croyances qui rendent la vie misérable!* Mes parents croient encore que si quelque chose arrive à l'un de leurs enfants, la responsabilité leur en reviendrait. Ils se croiraient donc coupables de ne pas avoir été de bons parents. Pour ma part, j'ai aussi cru aux mêmes croyances longtemps après m'être mariée.

JE SUIS DIEU DANS MES RELATIONS

J'apprends aussi qu'au niveau sexuel, il est normal que l'homme fasse des demandes mais qu'une jeune fille bien élevée et encore célibataire doit les refuser. Par après, une femme doit dire oui aux demandes de son mari. En ce qui me concerne, je me dis: "Je vais faire l'amour quand moi je le demanderai et jamais personne ne m'y obligera!"

Déjà très jeune, je me souviens d'avoir pensé que j'aurais préféré être un garçon. Pourtant une autre partie de moi, dont je ne suis pas encore consciente, accepte très mal la gent masculine. Que signifie cette contradiction? Je n'en suis pas certaine mais selon moi, plusieurs explications sont possibles. Peut-être qu'au niveau inconscient je cherche à être un garçon pour être encore plus aimée de mon père et j'en veux à l'Univers de ne pas être née du sexe masculin. Peut-être cela vient-il d'une vie antérieure? Il se peut aussi que je trouve très injuste que les hommes aient plus de pouvoir dans tous les domaines, excepté l'éducation des enfants. Il y a aussi le fait que vu que j'accepte mal l'homme en moi, il cherche peut-être à se manifester ainsi.

Ce dont je suis certaine, c'est que moins j'accepte l'homme et plus j'agis comme un homme. L'homme en moi se démène beaucoup pour que je lui accorde la place qui lui revient. Avant que j'en devienne consciente, je vais avoir à me démener pendant plus de trente ans. *Cette non acceptation affectera beaucoup mes relations.* Vous pourrez en constater les retombées tout au long de ce chapitre.

L'année de mes quatorze ans, je sors "steady" (comme nous le disions à l'époque) avec un garçon. Ça dure plusieurs mois. Il a dix-huit ans et il vient me chercher avec la voiture de son père. Je suis toujours la bonne petite fille bien sage et je tiens beaucoup à garder cette image intacte. Nous allons au cinéma ou bien nous allons danser et je suis toujours de retour à l'heure prescrite par mes parents. Aussitôt qu'un garçon me fait la cour avec un peu trop de ferveur, comme par exemple s'il ose mettre sa main sur mes seins, je le repousse sévèrement en lui disant que je ne suis pas une fille facile; s'il en veut une, il en court plein les rues qui ne demandent pas mieux mais ce n'est pas avec moi qu'il pourra se contenter. Les garçons qui sortent avec moi sont bien avertis: ils sont avec moi pour ce que je suis et non pour mon corps. Il m'est très difficile d'accepter ma sexualité féminine, à laquelle je ne suis d'ailleurs pas du tout éveillée.

Maintenant, en regardant en arrière, je réalise que j'aurais eu l'impression d'une perte de contrôle totale si je m'étais permis de ressentir des désirs sexuels. C'est bien cela qui me faisait si peur. Il n'est pas question qu'un homme me fasse perdre le contrôle. C'est moi qui veux avoir le contrôle. Je veux aussi avoir le dessus sur les hommes. Il est intéressant de noter que la première fois où j'ai connu l'orgasme sexuel, j'étais dans la position "femme par dessus homme". Inconsciemment, je développe le contrôleur en moi. Aujourd'hui je sais que *moins on accepte certains aspects de soi et plus on veut les contrôler*. Mais on finit toujours par perdre le contrôle. C'est pour cela qu'on agit souvent à l'inverse de ce qu'on voudrait. On ne veut tellement pas voir clair qu'on se fait des accroires. Si quelqu'un m'avait fait remarquer que j'agissais comme un homme, j'en aurais été insultée. Je ne le voyais pas du tout.

Nous prenons tous des décisions intérieures quand nous sommes très jeunes et avec le temps, ces décisions continuent à remplir leurs fonctions initiales sans que nous n'en soyons conscients. Ce qui est excitant dans la vie, d'après moi, c'est qu'en travaillant sur soi-même, il devient possible de découvrir et faire une synthèse de toutes nos vieilles décisions qui ne nous servent plus afin de *pouvoir changer les croyances qui nous ont fait prendre ces décisions non bénéfiques*.

Je suis assez populaire auprès des garçons et dès que j'en quitte un, j'en retrouve un autre aussi vite. Je me demande ce qui peut bien les attirer parce qu'au point de vue sexuel, il ne se passe rien.

Je rencontre mon futur mari à dix-neuf ans. Il en a vingt-trois. C'est le gros coup de foudre. Il vit à Montréal tout comme moi. Il m'avoue être sorti avec beaucoup d'autres filles. Il me dit qu'il est habitué à des filles qui disent oui facilement. Je suis aussi sévère avec lui qu'avec mes amis précédents. Il accepte ma condition selon laquelle il nous faudra attendre le jour de notre mariage avant de faire l'amour. Nous nous aimons beaucoup. Nous ne vivons que l'un pour l'autre. Nous cherchons à être ensemble le plus possible. Je sens de plus en plus de désirs pour lui. Comme je n'ai encore jamais eu de relation sexuelle, je commence à avoir hâte de vivre cette expérience avec lui. Il nous devient de plus en plus difficile de nous retenir. Vu que nous allons nous marier, je le laisse aller un peu plus loin et me faire des caresses plus osées. Pour ma part, je ne sais pas trop quoi faire, n'ayant aucune expérience dans le domaine.

Finalement, quand nous nous marions, je découvre la sexualité et j'en suis déçue. Ce n'est pas le "**WOW**" auquel je m'attendais, celui que j'ai vu dans les films et lu dans les romans. J'aime la tendresse, l'affection, j'aime qu'il me prenne dans ses bras mais l'acte sexuel en lui-même ne m'excite pas plus que ça...

JE SUIS DIEU WOW!

Pendant les quinze années de notre mariage, c'est toujours la même rengaine. Lui aime beaucoup faire l'amour avec moi. Il me dit sans cesse qu'il me trouve sensuelle et qu'il n'a qu'à me regarder pour sentir le goût de faire l'amour monter en lui. Ça me dépasse et je n'arrive pas à le comprendre. *J'en arrive à ne plus croire à ses compliments. Je pense qu'il essaie de m'avoir.* Je crois qu'il joue la comédie, qu'il n'est pas vrai et qu'il me fait des compliments pour essayer de me faire l'amour plus souvent.

Dans notre couple, la sexualité est à l'origine de bien des disputes et malentendus. Quand je lis du désir dans ses yeux (presque toujours) je me dis: "Oh non, pas encore ce soir! Pas encore la même histoire!" Au fil des années, je retarde de plus en plus le moment d'aller au lit. Durant la période où je travaille dans la vente, je rentre tard de mes journées de travail, vers 23h, 23h30, et je prends tout mon temps. Je lis tard, espérant qu'il s'endormira avant que j'aille me coucher. Si je tarde trop, il peut m'appeler jusqu'à dix fois pour que j'aille le rejoindre. "Alors, tu viens te coucher, je t'attends! Est-ce que ça va être encore très long?" Je lui réponds toujours la même chose: "Arrête donc de faire le grand bébé, tu n'es pas capable de dormir tout seul, ça n'a pas de bon sens!" Il ne peut pas concevoir que deux êtres qui s'aiment n'aient pas toujours le goût de faire l'amour. Pendant les quinze années où nous vivons ensemble, j'essaie mille et une façons d'éviter de faire l'amour avec lui et il ne peut s'endormir avant que j'aille me coucher.

Dès que trois jours ou plus s'écoulent sans relation sexuelle, il devient maussade, arrogant et impatient avec les enfants et avec moi. Souvent je me dis: "Bon, je vais dire oui cette fois-ci, comme ça il va me laisser tranquille pour deux ou trois jours et il sera mieux disposé si j'ai quelque chose à lui demander." Quand je travaille pour la compagnie Tupperware, j'ai souvent besoin de lui pour me faire des courses ou des livraisons. Il est très disponible quand j'ai dit oui la veille! Il utilise tous les moyens possibles pour me convaincre d'accepter ses avances: "Comment peux-tu encore me refuser ce soir quand j'ai joué avec tes enfants toute la journée ou que j'ai fait tes courses?" Il essaie toutes sortes de tactiques pour me faire sentir coupable, jusqu'à ce que je dise oui. En moyenne on fait l'amour de deux ou trois fois par semaine.

En réalité, comme j'ai appris qu'une fois mariée, je suis censée dire oui, je me sens effectivement coupable de dire non. Pas coupable envers lui mais plutôt coupable envers moi-même. Je m'accuse de ne pas être une assez bonne épouse.

Si seulement j'avais pu être un peu plus consciente, j'aurais réalisé que ma croyance n'arrangeait rien. *Plus on s'accuse de quelque chose et on essaie de se changer, plus ça persiste et moins ça change!* Heureusement que j'ai fini par y voir plus clair. Mais c'était trop tard pour mon premier mariage...

Je vis beaucoup de colère face à notre vie sexuelle. Je me sens utilisée, manipulée et je m'en veux énormément. Cette colère est manifestée envers mon mari quand en réalité c'est bien plus envers moi-même que je suis en colère. J'avais décidé (vous en souvenez-vous?) que jamais aucun homme ne me contrôlerait ni me manipulerait! Par contre, ce n'est que dans le domaine de la sexualité que cela arrive.

À un moment donné, je lui propose quelque chose: "Ne m'en parle plus pendant quelques jours et laisse-moi avoir du désir. Laisse-moi faire les premières avances. J'aimerais ça être capable d'avoir du désir avant toi!" Au bout de trois jours il revient à la charge: "Je perds beaucoup au change, ça fait trois jours que je te laisse tranquille et que je ne t'en parle pas et toujours pas la moindre petite avance!" Cette nouvelle approche n'est pas à son avantage alors il n'est déjà plus intéressé à la suivre. Une autre tentative à l'eau!

Ce qui semble donner de meilleurs résultats, c'est de prendre un verre d'alcool. C'est après avoir fêté un soir et pris un verre de boisson que j'ai atteint mon premier véritable orgasme sexuel (après cinq années de mariage). **WOW**! Enfin je sais ce que c'est. Mais malheureusement cela lui a donné encore plus le goût de faire l'amour. Après cette expérience nous constatons qu'en effet, je suis plus sensuelle après avoir pris un cocktail ou deux. Je me laisse plus facilement convaincre de faire l'amour. Alors il m'en offre un quand je rentre du travail. Je développe donc l'habitude de prendre un verre avant d'aller me coucher. Je ne dis pas oui plus souvent mais quand c'est oui, c'est avec plus de désir. Je veux tout contrôler dans notre vie de couple, y compris notre intimité sexuelle. C'est bien entendu la peur de perdre le contrôle qui me porte à ne pas me laisser aller. Si je lui montre que j'aime faire l'amour, je crois qu'il m'en demandera encore plus.

Aujourd'hui *je réalise que j'ai décidé cela sans même vérifier si c'était vrai (comme pour bien d'autres croyances d'ailleurs)*. Parfois je lui fais croire que j'ai atteint l'orgasme pour qu'on en finisse au plus vite. Quand je décide que je vais lui dire oui (car je le décide d'avance), je prends au moins deux verres d'alcool avant d'aller me coucher. Il est ainsi plus facile pour moi de le laisser gagner. Ainsi, je crois que j'ai plus de contrôle.

JE SUIS DIEU DANS MES RELATIONS

A plusieurs reprises, j'essaie de le manipuler par la culpabilité. Je lui en veux de me faire sentir coupable et je fais la même chose! Je lui dis: "O.K., vas-y, fais-moi l'amour si c'est ça que tu veux, si ça peut te satisfaire...!" Je reste totalement passive pendant qu'il me fait l'amour. Ensuite, je le regarde droit dans les yeux et je le couvre de reproches: "Comment peux-tu faire ça à un être humain? Juste prendre le corps de quelqu'un d'autre, t'as pas honte non? Comment te sens-tu maintenant que tu as agis comme ça?" Et lui de me répondre: "Pas merveilleusement bien mais par contre, j'avais très envie de faire l'amour et j'ai eu ce que je voulais." Je n'arrive même pas à le faire sentir coupable! Je vis non seulement de la colère mais aussi de la rage intérieure. Imagine mes nuits! Je m'endors en l'accusant de n'être qu'un sans-coeur, un égoïste et bien d'autres choses encore! Ce que je ne réalise pas dans le temps et *ce qui me choque le plus, c'est qu'il ose exprimer et satisfaire ses désirs quand moi je ne m'en donne pas le droit.* Je suis plus occupée à contrôler et refouler mes désirs.

J'utilise les menaces: "Un jour le bon **DIEU** va te punir!" Je lui dis qu'il abuse tellement du sexe qu'un jour **DIEU** va le punir et le couper totalement de sa virilité. J'ajoute qu'il me faudra alors me trouver un autre homme que lui! Je le menace de toutes sortes de choses. J'ose même prétendre connaître ce que **DIEU** a prévu pour la vie de quelqu'un d'autre. Quel orgueil! Tout ça pour parvenir à avoir raison. Et pendant toutes ces années-là, je me suis privée des belles expériences amoureuses dont j'aurais pu profiter. Je sais maintenant que mon premier mari n'avait rien à voir avec mon manque de désir sexuel. Je peux même ajouter qu'il était un excellent amoureux. Tout cela est arrivé parce que je croyais que le plaisir sexuel n'appartenait qu'aux hommes.

Pendant que je suis sur le sujet, j'ai le goût de te parler un peu de l'harmonie dans la vie de couple. La découverte de l'harmonie intérieure entre le principe féminin et le principe masculin a été un point tournant dans ma vie et je tiens à t'en parler davantage. Dans mes cours et dans mes conférences, je rencontre sans cesse des personnes insatisfaites de leur vie sexuelle.

C'est la femme en soi (le principe féminin) qui connaît les besoins de notre être. *L'harmonie véritable s'installe quand la femme en soi exprime ses désirs ou ses besoins et qu'ensuite elle est assez sage pour respecter l'homme qui veut seulement rendre madame heureuse.* L'homme en soi est la partie de l'être qui peut analyser, faire des synthèses, étudier la façon de manifester les désirs de la femme en soi. Donc c'est monsieur qui sait comment et quand il est mieux de satisfaire ce désir. Pour atteindre l'harmonie totale, madame doit accepter sans exception que monsieur fera tout en son pouvoir pour la satisfaire. Monsieur, de son côté, doit accepter sans exception que madame connaît ses besoins pour arriver au bonheur. Voilà la relation idéale en soi.

Dans une vie de couple idéale, ça se déroule de la même façon. Quand un des deux conjoints exprime un désir, c'est la femme en lui qui s'exprime et l'autre conjoint, désirant l'aider à réaliser ce désir, utilise son côté rationnel, son principe masculin, pour y arriver.

Dans ma vie de couple actuelle, nous arrivons à fonctionner de cette façon la plupart du temps. Il y a encore certains aspects masculins que j'ai de la difficulté à accepter. Je sais que ce n'est qu'une question de temps.

Avec mon premier mari, ça ne pouvait pas marcher parce que je voulais que l'homme soit au service total de madame, ce qui est vrai, mais la femme en moi refusait d'écouter le rationnel de monsieur et rejetait d'emblée tous ses conseils. Quand mon conjoint exprimait un désir, comme un désir sexuel, c'était la femme en lui qui s'exprimait. Pour atteindre l'harmonie, il aurait fallu que l'homme en moi lui réponde. Comme je n'acceptais pas l'homme, il n'était pas question que je laisse mon homme intérieur aider sa femme intérieure. Tout comme dans le monde des affaires, cette non acceptation m'a coûté cher! *Tout au long de ma vie, j'ai accepté de satisfaire les désirs des autres de bonne grâce seulement lorsqu'ils coïncidaient avec les miens. L'inconscience coûte parfois très cher.* Dans ma vie sexuelle, j'ai payé le prix jusqu'à l'âge de quarante-deux ans!

J'ai tout de même vécu plusieurs bonnes années avec mon premier mari. Je réalise aujourd'hui que j'ai vécu les quinze années de notre mariage d'une façon très inconsciente. J'étais occupée à vouloir être une bonne épouse et une aussi bonne mère, selon ce que j'avais appris de mon entourage. Je ne me suis jamais demandé comment je me sentais, si je menais vraiment la vie que je désirais. Je me laissais plutôt mener par la vie. Je dirigeais tout: le budget, nos sorties, l'éducation et les études des enfants, notre choix de résidence, les vacances et tous les achats.

Quand nous avions des tête-à-tête ou des soupers causerie, c'était surtout pour nous dire ce que nous n'aimions pas et ce que nous attendions l'un de l'autre. Il n'était pas question de vérifier comment l'autre se sentait, ni d'être à son écoute. Comment aurions-nous pu nous écouter l'un l'autre quand ni lui ni moi ne savions comment être à l'écoute de nous-mêmes? C'est pour cette raison qu'aujourd'hui j'insiste tant sur la communication dans tous les cours d'Écoute Ton Corps. *L'écoute est un élément très important pour pouvoir jouir d'une vraie intimité dans nos relations.*

Durant la dernière année de mon mariage, je commence à me poser des questions. Onze mois avant notre séparation, nous sommes tous réunis chez ma mère à l'occasion des fêtes de Noël et j'observe mes frères et mes soeurs. Depuis quelque temps, je me sens plutôt triste. Ce sentiment continue même durant les fêtes de Noël. J'ai beaucoup de difficulté à avoir du plaisir, tout m'ennuie, je n'ai même pas envie de danser. Je reste assise et j'observe mes frères et soeurs avec leurs conjoints en me disant: "Pas une seule de mes soeurs ne semble être heureuse avec son mari!" Je ne peux déceler aucune complicité, aucune intimité dans leurs unions.

Je vois que mes soeurs veulent tout contrôler dans leur couple tout comme je le fais moi-même. Elles vivent aussi beaucoup d'émotions, tout comme moi, quand ce contrôle leur échappe, quand le conjoint leur résiste. Ce soir-là une des mes soeurs est particulièrement frustrée. Elle a bu un verre de trop et dit à voix-haute devant son mari: "Laisse faire, un de ces jours je vais réaliser un de mes grands rêves... avant de mourir je vais finir par vivre l'expérience de faire l'amour avec un autre homme."

Sur le chemin du retour dans l'auto, je fais part de mes observations à mon mari. "Je regardais toutes mes soeurs ce soir et je trouve cela malheureux que l'amour tombe comme ça, après seulement quelques années de mariage! Je les regardais toutes et je n'ai pas vu d'amour agréable, excitant. Quel dommage hein!" Tout surpris, il me demande: "Es-tu en train de me dire que tu trouves qu'entre nous aussi il n'y a plus d'amour?" Là je lui réponds: "Effectivement, ce n'est plus comme avant, on a toujours les mêmes arguments au sujet du sexe et même si tu me promets que ça va s'améliorer un jour, je vois plutôt la situation s'aggraver d'année en année. J'ai l'impression qu'on ne fait plus que se tolérer tous les deux, qu'*on a simplement pris l'habitude d'être ensemble. C'est la seule chose que notre union est devenue: une habitude!* Le fait est qu'il n'y a pas un seul soir où j'ai hâte d'aller me coucher à cause de ce fameux problème de sexe!" Et lui de dire: "Mais mon **DIEU** qu'est-ce qui te prend? Es-tu en train de me dire que tu veux divorcer?"

Cette réplique me prend complètement par surprise. Je n'ai jamais pensé à une séparation, encore moins au divorce. Je lui dis que ce n'est pas du tout mon intention et que je n'ai jamais dit ça. C'est un sujet inconfortable. Nous préférons changer de sujet, prétendre qu'il ne s'est rien dit du tout. Cette conversation est le début d'une remise en question sur notre mariage.

Malgré moi j'y pense de plus en plus. Plus j'y pense et plus cette alternative me sourit. Je suis toute excitée à l'idée d'avoir la paix en rentrant chez moi le soir, de n'avoir plus personne qui veut uniquement m'utiliser. Je ne crois plus avoir besoin d'un mari. Je me dis que ça me ferait une personne de moins à m'occuper. Je pense tellement à moi que je ne vois plus les qualités de mon mari et les bons côtés de notre mariage. Je suis trop occupée à me plaindre de tout ce qu'il ne fait pas! Et quand il fait quelque chose, je lui reproche de ne l'avoir fait que parce que je l'ai poussé. Je ne réalise pas que si j'en ai tant à faire, c'est bien parce que je veux que tout soit à mon goût. Je mets mon nez partout pour satisfaire ce désir de voir les choses faites telles que je les veux. Jamais personne ne m'a demandé de tant travailler mais je suis trop inconsciente pour le réaliser.

L'avantage (si l'on peut dire!) d'être inconsciente est que je ne savais même pas que je ne me sentais pas bien. Le désavantage par contre, c'est que je revivais les mêmes obstacles de la même façon. Quand on est inconscient, lorsque reviennent les situations qui nous dérangent, elles sont soit à peu près identiques, soit pires, mais elles ne s'améliorent pas avec le temps. Aujourd'hui je suis heureuse de devenir de plus en plus consciente car cela me permet de transformer ma vie pour le mieux.

Avec ces pensées de séparation, je me mets à calculer comment je pourrais joindre les deux bouts financièrement avec mon salaire et les enfants à ma charge. Plus ça va et plus ça dit oui intérieurement. La seule idée d'être seule crée un grand soulagement intérieur. J'y pense tellement que c'est comme si nous étions déjà séparés. Un mois défile ainsi et je finis par lui en parler. C'est un choc pour lui. Il est persuadé que je suis en train de "capoter", que je me suis laissée influencer par d'autres personnes, que quelque chose en moi ne tourne pas rond. Il insiste pour que j'aille voir un psychologue. Je lui dis que j'irai à la seule condition que lui aussi vienne.

Nous en rencontrons un en privé, chacun notre tour. Ce psychologue me dit qu'il est normal que mon mari soit sous le choc parce que jusqu'à maintenant, j'ai été son poteau de sécurité, sa mère, sa maîtresse, son épouse et la mère de ses enfants. C'est pour cette raison que notre union est si difficile. Selon lui, *la seule façon pour moi d'améliorer notre situation est de cesser de m'occuper de tout.* Je ne sais pas ce qu'il dit à mon mari parce que ce dernier ne veut même pas m'en parler. En sortant du bureau du psychologue il me dit: "Je ne veux plus remettre les pieds ici, il n'a rien compris à ma situation!"

Par la suite, nous allons rencontrer une conseillère matrimoniale, une psychothérapeuthe. Nous la voyons tour à tour en privé pendant plusieurs semaines, à raison d'une rencontre par semaine. Ses honoraires sont très élevés. Elle nous donne des suggestions. Ça ne change pas grand chose. Nous essayons de suivre ses conseils mais ça va de mal en pis. Intérieurement, je continue de plus belle à m'imaginer vivant toute seule avec les enfants et je trouve cette idée de plus en plus attrayante.

Elle nous conseille fortement d'aller en vacances ensemble à Hawaii, tel que prévu dans l'horaire que nous nous étions fixé. Nous suivons son conseil. Ces vacances, au mois de février 1976, s'avèrent désastreuses. Lui qui n'avait jamais été jaloux auparavant me fait une grosse crise de jalousie. Il sent que je me prépare à le quitter et il en est tout bouleversé. Il n'est plus lui-même. Je le juge énormément. Toutes les émotions y passent: la surprise, la colère, la déception, l'agressivité.

Pour moi il est incompréhensible qu'un adulte perde le contrôle à ce point. *Il est facile de constater que c'est un moment de ma vie où je manque vraiment de compassion; je suis insensible à ce qu'il vit. Mon mental a pris le dessus et je le juge très sévèrement.* Je réalise aujourd'hui que je n'étais pas en contact avec ce que je vivais intérieurement moi-même. Il nous est impossible d'être à la fois dans notre mental et dans notre senti. Je reviens de voyage encore plus décidée de le laisser. Nous arrêtons de rencontrer la conseillère matrimoniale. Quelque chose me porte à croire que j'ai trop de responsabilités, que mon mari devient de plus en plus lourd à supporter. Je le sens comme un fardeau sur mes épaules.

L'année précédente, une série d'incidents assez graves ont marqué notre vie. En février 1975, la fille de mes patrons (distributeurs Tupperware) est morte subitement à l'âge de seize ans en faisant du ski. Elle est la plus jeune de leurs quatre enfants. C'est un choc énorme pour ce couple et pour toute la famille. Mon mari et moi étions devenus très amis avec eux et nous prenons tout en charge dès la nuit où un coup de téléphone nous apprend la nouvelle. Mon mari s'occupe de faire transporter le corps de la jeune fille qui repose encore dans un hôpital de Sherbrooke, à environ 150 km de Montréal. Il s'occupe aussi de tous les arrangements funéraires. Moi je m'occupe des détails du bureau de Tupperware et je remplace ma patronne pour tout diriger cette semaine-là.

Comme nos vacances ont déjà été planifiées pour la semaine suivante, je dois m'occuper de mon travail, du travail de ma patronne et, en plus, des préparatifs du voyage. Quelle semaine! Je dors à peine quelques heures.*Comme notre DIEU intérieur nous aide dans des situations d'urgence!* Mon mari et moi savons intuitivement quoi faire.

Je me promets bien de me reprendre durant les vacances. Ma belle-soeur vit chez nous depuis un an, depuis que sa mère est décédée. Elle a quarante-quatre ans, célibataire et a toujours vécu avec sa mère. C'est elle qui doit garder les enfants durant nos vacances. Ma patronne et son mari s'offrent pour aller jeter un coup d'oeil de temps en temps chez nous pour aider ma belle-soeur car celle-ci est une personne très nerveuse et sous les soins d'une psychologue.

JE SUIS DIEU DANS MES RELATIONS

Ils veulent nous aider en échange de tous les bons services que nous venons de leur rendre.

A peine quelques jours après notre arrivée aux Bahamas, le jour de ma fête, je reçois un appel de ma patronne. Je pense aussitôt qu'elle veut me souhaiter "bonne fête" et je suis toute heureuse. Elle me souhaite effectivement "bonne fête" mais m'annonce vite que ce n'est pas vraiment le but de son appel. Un incendie a ravagé notre maison! Quel choc! Mon cœur arrête de battre pendant quelques secondes! Elle ajoute: "Ne t'inquiète pas, ta belle-sœur et les enfants sont en sécurité chez nous. Nous avons barricadé la maison car les pompiers ont défoncé les murs à plusieurs endroits. Nous vous attendons." Naturellement nous revenons en vitesse à Montréal. Nous devons habiter chez mes patrons pendant un mois. Ils ont une immense maison.

Les semaines qui suivent l'incendie sont très difficiles parce qu'en plus de continuer mon travail qui n'a pas modéré du tout, je dois conduire les enfants à l'école, aller les chercher le midi, vérifier les travaux de nettoyage et de reconstruction dans notre maison brûlée. *Naturellement je veux que tout soit fait selon mes goûts et je dois donc m'occuper de tout.*

Tous les murs de la maison sont entièrement recouverts de suie. La cuisine est complètement brûlée, c'est la pièce où le feu a démarré. Après le repas du midi les enfants sont retournés à l'école et ma belle-sœur est allée faire des courses. Tony, mon fils de dix ans, est revenu à la maison en pensant se sauver de l'école cet après-midi là. Il voit du feu dans la cuisine et court demander de l'aide à un voisin. Comment le feu a débuté, c'est encore un mystère. Les pompiers arrivent très vite mais néanmoins trop tard pour sauver la cuisine. Il faut entièrement la reconstruire. J'en profite pour la transformer en cuisine de style espagnol, celle dont je rêve depuis quelques années. Je dois choisir les matériaux et prendre toutes les décisions avec le contracteur. Le tout prend un mois.

Je vis énormément d'émotions face aux gens engagés pour nettoyer le reste de ma maison. Enlever la couche de suie qui recouvre tout ce qui existe dans une maison n'est pas une mince tâche! J'espère n'avoir jamais à revivre une telle expérience. Très peu de gens acceptent de faire ce genre de travail. Nous devons donc accepter ceux que nous avons réussi à avoir. Ils ne prennent aucune précaution. A cette époque-là je suis encore très attachée à mes belles choses, mes meubles, mon cristal, ma porcelaine et mes décorations. Je dois superviser les travaux et être présente chaque jour pour donner de nouvelles instructions aux travailleurs. *Plus je les critique et moins ils travaillent à mon goût. Je ne sais pas encore comment exprimer mes émotions.* Plutôt que de leur expliquer ce que je vis, je suis plus occupée à les descendre auprès de qui veut bien m'écouter.

Lors de la troisième semaine de ce séjour forcé chez nos amis, deux jeunes voleurs s'introduisent la nuit dans la maison pour voler. Ils voient qu'il y a six voitures stationnées à l'entrée et ils avoueront plus tard, lors du procès, qu'à la vue de ces voitures, ils ont pensé qu'il y aurait plus de personnes à voler. Ils connaissent bien la famille et ils savent que ces gens-là sont assez aisés. L'un des deux voleurs a dix-huit ans et l'autre seize ans. Ce dernier a déjà habité sur cette rue et a été l'ami de la jeune fille qui vient de mourir quelques semaines plus tôt.

Ils entrent donc dans la maison et décident de commencer par la première pièce en haut des escaliers, la chambre où ma belle-soeur dort. ***Elle était tellement remplie de peurs*** qu'elle avait pris l'habitude de dormir avec son sac à main par terre, au pied de son lit, de peur d'être volée. Elle se réveille, ouvre les yeux et voit quelqu'un à côté de son lit qui fouille dans son sac à main. Quelle peur elle a dû avoir! Elle se met à crier et le jeune homme près d'elle la poignarde de plusieurs coups de couteau. Elle crie de plus belle. Pendant ce temps-là, l'autre jeune homme est debout devant la porte avec un fusil. Il panique et tire un coup de feu en direction du lit. Je ne sais pas s'il a tiré pour que ma belle-soeur cesse de crier ou pour que son ami cesse de la poignarder. La balle est entrée dans le matelas.

Je venais tout juste de m'endormir. Je revenais d'une démonstration de produits Tupperware. Plus tard, durant le procès, ils avoueront qu'ils avaient vu une femme assise dans la cuisine en train de lire et qu'ils attendaient qu'elle aille se coucher pour entrer. C'était moi. Ils ont effectivement forcé la porte-patio de la cuisine pour entrer.

Les cris de ma belle-soeur me réveillent mais ça semble venir de très loin car la porte de sa chambre est fermée. Je pense alors qu'un des enfants doit être en train de faire un cauchemar. Je réveille mon mari. La maison est très grande. Mes deux fils dorment en bas, dans le sous-sol et Monica, ma fille, est couchée dans la chambre voisine de la nôtre.

Mon mari se lève, sort de la chambre en courant et c'est à ce moment-là qu'il entend le coup de feu. Même si la porte est fermée, il sait tout de suite que ça vient de la chambre de sa soeur. Il me crie: "Vite, appelle la police, quelqu'un vient de tirer sur Mary!" Pendant que j'appelle la police, il court ouvrir la porte de la chambre de sa soeur et se trouve face à face avec celui qui a le fusil à la main. L'arme est pointée vers mon mari. Il recule à toute vitesse, dégringole les escaliers pour aller se terrer dans une autre pièce au rez-de-chaussée.

Pendant ce temps-là Monica se réveille en pleurant. Elle a très peur et je vais la chercher pour la ramener dans ma chambre. Je crie sans cesse à mon mari: "Que se passe-t-il? Que se passe-t-il?" J'entends beaucoup de va-et-vient mais mon mari ne me répond pas. Je n'oublierai jamais ces moments-là. Je suis clouée sur place. *J'ai su à ce moment précis à quel point la panique peut paralyser une personne et l'empêcher de bouger.* Je veux savoir à tout prix ce qui se passe mais je ne peux pas me décider à sortir de la chambre. Je tiens ma fille serrée contre moi et nous restons debout toutes les deux en plein milieu de la chambre. Pendant ce temps, les deux voleurs descendent les escaliers, mettent leurs manteaux et se sauvent à travers champs. Mon mari remonte l'escalier aussi vite et me dit ce qu'il a vu. Je retrouve l'usage de mes jambes; le temps de coucher Monica dans notre lit, je vais rejoindre mon mari pour vérifier l'état de ma belle-soeur. Elle baigne dans son sang.

J'ai l'impression que tout se passe au ralenti et que le temps s'est arrêté. Quand on vit notre moment présent de façon très intense, le temps semble soit s'arrêter, soit aller très vite. La police arrive en l'espace de quelques minutes. Tout va très vite maintenant, c'est comme dans un film. L'ambulance arrive tout de suite après la police. Il est deux heures du matin. En attendant l'ambulance, nous restons auprès de ma belle-soeur. Elle est inconsciente et son visage est calme. Nous tentons de la rassurer au cas où elle pourrait nous entendre. J'ai l'impression que la peur - bien plus que la douleur - lui a fait perdre connaissance. J'ai l'impression qu'elle meurt à peu près au moment où ils la descendent en civière, au bas des escaliers.

Effectivement, en arrivant à l'hôpital elle est déclarée morte. Je me souviens avoir pensé que sa mort devait être une délivrance pour elle. Je ne l'ai jamais vue vraiment heureuse. Elle s'est toujours sacrifiée pour les autres et vivait beaucoup de colère intérieure. Je trouvais seulement dommage qu'elle meure de cette façon-là. Je ne savais pas que *sa violence refoulée lui a attirée de la violence extérieure.*

La maison est envahie de policiers. Certains d'entre eux prennent des empreintes digitales un peu partout, d'autres nous posent des questions. Ceux qui dorment au sous-sol, nos deux fils et le fils de la maison, n'ont absolument rien entendu. Ils continuent même à dormir toute la nuit sans jamais s'apercevoir de rien. Ma patronne et son mari non plus n'ont rien vu de tout ça. Ils ont entendu du bruit mais sortent de leur chambre seulement lorsque tout est terminé.

Vers six heures du matin nous devons tous nous rendre à la station de police pour faire une déposition officielle et identifier les voleurs. En effet, les policiers ont retracé et capturé les deux jeunes hommes la nuit même de l'incident. Tout cela se passe en mars, vers la fin de l'hiver. Ils ont suivi leurs traces dans la neige et en l'espace d'une heure, ils les ont retrouvés. Ils avaient tous deux consommé beaucoup de drogue. Ils ont avoué lors de leur procès que tout ce qu'ils voulaient, c'était voler de l'argent pour pouvoir s'acheter plus de drogue. Ils en avaient pris avant de venir, pour se donner plus de courage. Ils ont dit n'avoir jamais eu l'intention de tuer personne. Ils ont tous deux perdu le contrôle.

JE SUIS DIEU WOW!

C'est une période difficile pour mon mari et il a énormément de difficulté à remonter la pente. Sa soeur travaillait pour lui, à son magasin Radio-Shack. Il est très déprimé. Chaque fois qu'il entre au magasin, il a l'impression de la voir partout. Sans compter que faire face à quelqu'un qui vous pointe une carabine dans le visage, ça ne doit pas être un souvenir facile à oublier!

Nous ne parlons pas de ce que nous ressentons. J'ai beau savoir qu'il traverse une période très difficile, je trouve injuste que le travail de lui remonter le moral me revienne. De mon côté aussi j'ai trouvé le mois très long et pénible mais qui est là pour m'aider, moi? *Je ne réalise pas à quel point je projette l'image d'une personne au-dessus de tout, suffisamment forte pour s'en sortir seule.* Je ne demande que très peu d'aide.

La vie continue et je me conditionne mentalement, chose que je suis habituée à faire. Au lieu de remercier mon **DIEU** intérieur de m'en sortir aussi bien, je me compare à mon mari, me jugeant de loin supérieure à lui. Je me plains de le voir autant tarder à se ressaisir. Je ne suis pas assez consciente pour apprécier l'aide qu'il apporte lors du décès de la fille de nos amis, lors du meurtre de sa soeur et des funérailles de cette dernière. Ce n'est que quelques années plus tard que je réaliserai tout ça. *En devenant plus consciente, j'ai appris à développer plus de compassion.* Merci mon **Dieu**!

Au cours des mois suivant cet incident, je le supporte, j'essaie de l'encourager. Mais je ne le fais pas avec mon coeur. Je continue à croire que les hommes sont incapables de faire quoi que ce soit par eux-mêmes. Je rabâche sans cesse: "Une chance que je suis là pour m'occuper de tout!"

JE SUIS DIEU DANS MES RELATIONS

Je deviens de plus en plus orgueilleuse. Je n'ai même plus envie de continuer à le supporter, à l'encourager. Mon travail ne souffre pas du tout de ce qui arrive. Mon mari a perdu le goût de travailler et sur ce point encore, je me considère supérieure à lui. C'est pour cela que la pensée de vivre seule m'attire toujours davantage. Mon travail m'aide beaucoup durant toute cette période. Je sais que c'est une évasion mais j'en ai grandement besoin. Comme j'ai toujours de nouveaux défis à dépasser, mon estime de moi grandit sans cesse. J'ai aussi beaucoup d'amis et je me sens très bien entourée, ce qui fait que je ne crains pas de me retrouver toute seule.

Dans l'année qui précède ce fameux Noël 1975, je me suis liée d'amitié avec une fille qui faisait partie de mon équipe et qui est maintenant devenue gérante pour Tupperware. Elle est célibataire, ancienne infirmière, un peu plus jeune que moi. Je sais qu'elle est lesbienne et qu'elle vit avec une autre femme. J'ai connu beaucoup de lesbiennes à mon travail, alors c'est vraiment un détail secondaire pour moi. Je la vois de plus en plus souvent et nous avons beaucoup de plaisir ensemble. Elle vient même chez nous fréquemment et s'entend bien avec mon mari. C'est une personne très enjouée qui fait rire tout le monde. *Chez nous et dans mon travail, tout est tellement sérieux* que le simple fait d'être en sa présence me détend énormément. *Le petit enfant en moi veut sortir* et avec elle, je sens que je peux le laisser sortir librement.

En réalité je me sens à l'aise parce qu'elle est une femme et que je n'ai pas peur de me faire contrôler ou de me faire avoir par les femmes. Je lui parle de ce que je vis dans mon couple et elle est toujours là pour m'encourager. Elle essaie d'arranger les choses entre mon mari et moi. Il m'est de plus en plus facile de m'imaginer laissant mon mari car je sens que je n'ai pas besoin de lui pour me sentir comblée. J'ai un travail que j'aime, mes enfants, plusieurs amies, mes parents, mes frères et mes soeurs et suffisamment d'argent pour me débrouiller seule.

De plus, notre vie sexuelle ternit de jour en jour, ce qui n'aide pas la situation. A l'été 1976, je lui annonce mon intention de le quitter et il me demande quand même de faire l'amour avec lui. Ça me dépasse complètement, je n'arrive pas à croire que cette situation est réelle. J'acquiesce quand même de temps en temps jusqu'à la fin de l'été car il devient brusque et j'ai même peur qu'il devienne violent. Je m'en veux énormément de me laisser faire. Je sais que j'agis par peur. Je veux éviter les scènes de ménage.

Les enfants ne sont au courant de rien et je ne veux pas provoquer de situation où ils verraient leur père violent. Un soir, après lui avoir dit oui, je prends mon courage à deux mains: "C'est la dernière fois qu'on fait l'amour ensemble." Je lui demande d'aller se trouver une autre femme et de me laisser tranquille. *Il sent que je suis sérieuse et que cette fois-ci la peur n'aura pas raison de moi.* Il n'insiste plus. Chaque nuit nous accumulons des tensions car il est devenu extrêmement difficile de dormir ensemble.

Il commence à sortir le soir et ne rentre qu'aux petites heures du matin. Il essaie de me rendre jalouse en me donnant tous les détails de ce qu'il fait: "Ça ne te fait rien de savoir que je viens de coucher avec une autre femme?" Je lui réponds qu'au contraire, je suis bien contente parce qu'au moins je sais qu'il va me laisser tranquille avec ses histoires de sexe! Il cherche à reculer le jour de notre séparation et espère toujours que quelque chose viendra

JE SUIS DIEU DANS MES RELATIONS

sauver notre couple. Il ne veut pas partir. Je ne sais plus comment m'y prendre pour qu'il s'en aille. Je me sens souvent égoïste et coupable quand je l'observe passer par toutes sortes d'états. Un jour, il est tout miel avec moi, le lendemain il boit un verre de trop et devient violent. Un autre jour il s'asseoit dans le salon et pleure pendant des heures. J'observe ses agissements et je suis convaincue qu'il essaie de me manipuler. Je suis bien décidée à ne pas me laisser avoir. Je trouve complètement illogique qu'il puisse croire que je vais retomber en amour avec lui avec un comportement aussi infantile. *Je me ferme de plus en plus à tout ce que je peux ressentir.* Je réussis presque à éteindre complètement la voix de ma culpabilité en me convainquant que j'ai raison.

Il quitte finalement la maison à l'automne 1976. Nous décidons d'un commun accord qu'il gardera toutes nos économies pour pouvoir s'installer ailleurs. En réalité, j'accepte cet arrangement pour me libérer de mon senti- ment de culpabilité. Je l'aide du mieux que je peux en lui donnant des draps, des serviettes, de la vaisselle et tout ce dont il peut avoir besoin. Je ne peux pas dire que je trouve cette séparation difficile parce que ça fait déjà un an que je m'y prépare psychologiquement. Au point de vue sexuel, c'est le soulagement total.

Durant les mois précédant notre séparation, je vois de plus en plus souvent cette nouvelle amie pour me défouler des émotions vécues au sein de mon couple. A force d'être en sa présence, je commence à me poser des questions: "Et si j'étais faite pour vivre avec une femme... Peut-être que c'est pour cela que ça ne marche pas avec mon mari!" Je me dis que je suis tellement "homme" moi-même dans ma façon d'agir et de travailler, que c'est sans doute là l'origine de mes malentendus avec lui. Ce doute me revient sans cesse en tête. Mais je ne sais même pas comment deux femmes font l'amour ensemble tellement je suis naïve en matière de sexualité.

Alors je commence à en parler à mon amie. *Je lui dis ce que je vis, ce que je pense, ce que je ressens et je lui pose une foule de questions.* Cette expérience m'apprend à m'intérioriser, à me poser des questions, à vérifier comment je me sens. Elle me dit: "Je veux t'assurer que je ne te ferai jamais d'avances. Je t'aime trop comme amie, il n'est pas question que notre relation aille plus loin parce que j'aurais bien trop peur de te perdre comme amie. L'important pour moi, c'est de garder ton amitié et je n'ai rien d'autre en tête présentement."

Un peu plus tard, je commence à sentir que ce n'est plus tout à fait comme avant entre nous deux; je vois du désir dans son regard. Je me sens tellement bien avec elle qu'il est très facile pour moi de lui dire ce qui m'arrive. Je lui fais remarquer: "Tu ne me regardes plus comme avant. A plusieurs reprises je t'ai surprise à me désirer des yeux. Est-ce une idée que je me fais?" Elle me répond qu'effectivement j'ai vu juste et que depuis la fois où je lui en ai parlé, elle s'est mise à penser plus à moi et à éprouver du désir pour moi, malgré elle. Cette idée lui fait peur. Elle croit que si nous nous laissons aller à nos désirs, nous perdrons cette belle amitié que nous avons.

Je lui partage que moi aussi je continue à y penser et que je me pose plusieurs questions. *Je lui avoue aussi que ce qui m'arrive me fait très peur. Je ne sais pas quoi faire.* Je lui dis que je ne connais rien des relations entre femmes mais comme je suis une personne d'action, si jamais un jour le goût me vient d'en faire l'expérience, je lui en reparlerai. Elle acquiesce et me laisse ça entre les mains. Sans oser nous l'avouer, nous savons bien que ça viendra un jour. Nous en sommes au stade de la préparation.

Effectivement quelques mois plus tard, la situation tant redoutée et tant attendue arrive! Nous sommes toutes deux invitées à un party et je prends quelques verres d'alcool. Je vais la reconduire chez elle, où elle vit seule depuis quelques mois. Je prends mon courage à deux mains et lui dis: "Ça y est, je suis décidée. Je veux savoir ce que c'est, il faut que j'en aie le coeur net une bonne fois pour toutes. Il va bien falloir que je sache si je suis faite pour un homme ou pour une femme! J'en ai assez d'y penser et de ne rien faire!" Intérieurement, j'ai une peur bleue mais je veux vraiment vivre l'expérience. Et c'est ainsi que cela débute entre nous. Toutefois, j'ai encore eu besoin d'alcool pour me laisser aller sexuellement. Une fois de plus, c'est moi qui contrôle. Avec du recul, je vois bien que je ne contrôlais rien du tout. J'ai plutôt perdu le contrôle. *Parce que c'est moi qui ai pris la décision, je me crois en contrôle de la situation.*

Après cette première fois, je me sens très coupable. Ça se passe quelques mois avant que mon mari quitte la maison. Je dis à mon amie que je ne veux pas continuer ainsi, que je veux attendre, réfléchir avant de m'engager dans une relation plus intime avec elle. Mais je ne peux pas tenir ma promesse et nous nous voyons beaucoup. Je pense de plus en plus à elle. Je ne me reconnais pas. Je ne comprends pas ce qui m'arrive. J'aime surtout la tendresse qu'il y a entre nous deux.

J'ai trente-cinq ans quand je vis cette expérience. J'ai toujours refoulé ma sexualité et, comble de malheur, je perds le contrôle avec une femme! Rien ne m'a jamais préparée à une telle situation! Une partie de moi vit une grande passion et la contrôleuse en moi me dit que c'est épouvantable, que je devrais me contrôler. *Je vis une bataille intérieure difficile. Plusieurs parties de moi sont en conflit.*

Je ne peux plus me contrôler et je me jette à corps perdu dans cette aventure. Nous essayons de nous cacher du mieux que nous pouvons mais nous n'y réussissons pas très bien. Je ne veux surtout pas que mes enfants et ma famille le sachent. J'ai très honte de moi mais je ne peux rien y faire, c'est plus fort que moi, au-delà de mes limites. Pour avoir vécu cette expérience, je comprends facilement ceux qui vivent une passion et me disent: "Tout en moi me dit que je ne devrais pas, mais je suis incapable d'arrêter". Je sais ce qu'ils vivent.

Alors finalement quand ma séparation devient officielle, nous décidons ensemble qu'elle viendra vivre chez moi. Ça nous arrange toutes les deux financièrement. J'aime faire à manger et elle aime faire le ménage. En plus, nous voulons être ensemble le plus possible. (Elle habitera chez moi jusqu'à ce que je vende la maison deux ans plus tard). Nous vivons une bonne relation. J'ai beaucoup de plaisir avec elle, je ris beaucoup. Nous nous entendons bien à la maison, avec les enfants, au travail et en vacances. Au point de vue sexuel, elle ne me fait jamais de demandes, ça se fait tout seul, naturellement. On a le goût en même temps et je ne me sens pas harcelée sexuellement. C'est du nouveau pour moi. Ça me donne le goût davantage.

Cependant je me sens tellement coupable que j'ai encore besoin de prendre un ou deux petits verres avant de pouvoir me laisser aller sexuellement. Je continue le même rituel qu'avec mon mari mais pas pour la même raison. J'ai peur que mes enfants me surprennent avec mon amie. Ça me fait tout drôle de découvrir ma sensualité. Je ne l'accepte pas facilement. Surtout avec une femme! Mais notre amitié est très grande et je ne veux pas la perdre. Nous avons les mêmes goûts et avons de très agréables discussions philosophiques. C'est avec elle que j'ai commencé à devenir plus consciente du monde psychique. Elle avait eu plusieurs expériences mystérieuses dans le passé et elle était très psychique. *Je suis fascinée par ce tout nouvel univers qui s'ouvre à moi.*

C'est une fille qui a un vécu assez chargé et dont l'histoire pourrait remplir deux livres. Elle est restée très marquée par certaines expériences de son enfance. Elle ne veut pas être comme sa mère qui était dépressive quand elle est née, une dépression qui a duré sept ans. Elle jette donc tout son dévolu sur son père, s'identifiant de plus en plus à lui. Cependant, vu que son père a eu des maîtresses, elle est déçue des hommes. Elle a connu quelques hommes avec qui elle a essayé d'établir des liens intimes, sans succès. Elle décide donc d'entrer au couvent pour devenir religieuse. C'est là qu'elle vit sa première expérience sexuelle avec une femme. Après deux ans de vie en communauté, elle en sort pour se lancer dans la drogue. Elle continue à mieux aimer les relations avec les femmes. Elle devient infirmière. Son histoire me bouleverse et m'explique son choix sexuel. La partie de moi qui veut sauver tout le monde veut aider cette amie à s'en sortir. Effectivement, pendant nos deux années de vie commune, elle va toujours de mieux en mieux. Auparavant, *elle avait presque toujours utilisé la maladie pour obtenir l'attention des gens.* C'est ce qu'elle a appris dès sa naissance en observant sa mère.

JE SUIS DIEU WOW!

Finalement je décide de vendre la maison en 1978 et je lui dis qu'il ne m'est plus possible d'accepter notre type de relation et d'être bien intérieurement. Je ne me vois pas continuer à jouer à cache-cache jusqu'à mes derniers jours. Très peu de personnes dans notre entourage sont au courant de notre union. Il y a notre patronne à Tupperware, son mari et quelques amies. C'est un secret que je ne veux confier à personne d'autre. *J'ai bien trop peur de me faire juger.* Quand vient le temps pour moi de déménager de Pierrefonds à Saint-Léonard, c'est là que je demande à mon amie de se chercher un autre logement. Nous nous séparons à l'amiable, dans l'amour. Nous nous aidons mutuellement à déménager et nous continuons à nous voir jusqu'au jour où elle décide de retourner vivre chez les religieuses.

Tout devient clair pour moi après cette séparation: je préfère les hommes et je veux en arriver à vivre une relation agréable avec un homme. Je recommence graduellement à sortir avec des hommes. Je les rencontre en allant danser avec mes soeurs ou avec des amies. Je rencontre toujours des hommes mariés ou engagés dans une relation. Ce sont surtout des hommes d'affaires qui peuvent me payer de belles sorties. Nous allons souper dans les bons restaurants chics de Montréal, nous allons danser et le tout se termine dans la chambre d'hôtel de Monsieur. Je ne peux pas m'y habituer. Je ne suis pas capable de rester une nuit complète avec un de ces hommes. Il faut que je rentre chez moi. Le lendemain, je ne me sens pas bien. Je me sens comme si je venais de me prostituer. Au lieu de prendre de l'argent, je me fais payer une belle soirée par Monsieur et je couche avec lui en échange. *Je ne suis toujours pas capable de me laisser aller sexuellement, sans que le mental ne prenne le dessus.*

JE SUIS DIEU DANS MES RELATIONS

Je ne réalise pas que c'est ma peur de m'engager avec quelqu'un qui me fait toujours rencontrer des hommes qui ne sont pas libres. Je continue cependant à vouloir vivre différentes expériences. Je veux tellement arriver à dépasser ma résistance sexuelle. Je crois que c'est en vivant différentes expériences sexuelles que j'y parviendrai. Je rencontre même à quelques reprises des hommes beaucoup plus jeunes que moi. J'ai aussi rencontré des hommes de différentes races et personnalités.

Ces années où je suis seule sont bénéfiques pour moi. Elles m'aident à réaliser que ce n'est pas si facile d'être seule et que l'appui d'un homme peut être agréable. Je me fais accroire les premières années que je suis bien seule mais c'est seulement parce que je n'ai pas encore amorcé mon acceptation de l'homme.

Même si je rencontre plusieurs hommes durant les cinq années seule, je continue à être bourrée de tabous sexuels. Je suis incapable d'inviter un homme à coucher chez moi. Je cherche à projeter l'image de la mère parfaite, la mère idéale, face à mes enfants. *Je me fais accroire que je suis une meilleure personne ainsi mais c'est tout simplement une excuse pour cacher mes peurs. Je ne sais pas encore que le secret de l'abandon sexuel est de commencer à s'abandonner à l'homme en soi.*

Un beau matin je rentre chez moi vers six heures du matin. En entrant, je croise ma fille Monica qui vient de se lever: "Mon Dieu, tu te lèves de bonne heure Maman!" Je ne trouve pas le courage de lui dire qu'en réalité je viens tout juste d'arriver. Mes enfants sont pourtant tous des adolescents maintenant et ils doivent bien se douter de certaines choses, mais nous n'en parlons jamais ouvertement. Je ne sais pas comment une mère raconte ses aventures sexuelles

211

à ses enfants. Je ne m'accepte définitivement pas assez dans mes expériences pour croire que mes enfants les accepteront eux aussi. L'aîné de mes fils a alors dix-sept ans et je sais qu'il couche avec son amie mais il est hors de question qu'il l'emmène chez nous. Je l'ai averti: "Chez nous ce n'est pas un hôtel! Si tu veux coucher avec elle, vas-y, mais pas ici!" *Vu que je ne peux pas me le permettre à moi-même, il est évident que je ne peux pas le permettre à quelqu'un d'autre.*

Un beau jour je me dis: "Bon, j'en ai vraiment assez et j'ai hâte de rencontrer quelqu'un avec qui je ne vais pas être obligée de coucher tout de suite (comme si on m'y obligeait!)" Encore là, je veux avoir le contrôle total de la situation. Je me rends bien compte que sexuellement je n'ai pas le contrôle. Je n'ai pas souvent eu le goût de coucher avec tous ceux que j'ai rencontrés depuis cinq ans mais je ne sais pas comment dire non après que Monsieur ait déboursé tant d'argent pour moi. Il y aussi le fait que, secrètement, j'espère toujours en rencontrer un avec qui ça va faire "**WOW**"!

Après cinq ans, je me sens prête à m'engager avec quelqu'un. Comme je suis devenue moins contrôlante, je sens qu'il est préférable de ne plus faire de programmations mentales avec des détails précis sur l'homme idéal que je veux. Je demande plutôt à mon DIEU intérieur de m'envoyer un homme avec qui je vais apprendre à aimer véritablement. Cette fois-ci *je ne demande plus quelqu'un qui va répondre à mes attentes mais plutôt quelqu'un à qui je vais pouvoir donner de l'amour.*

C'est en novembre 1983 que je rencontre Jacques, mon futur époux. **WOW**! Ça fait six mois que je n'ai eu aucun contact sexuel. Ma vie est très bien remplie entre ma carrière et trois adolescents à charge. Ecoute Ton Corps a déjà un an. Jacques m'avoue qu'il est marié. Sa femme et lui se sont déjà séparés une fois et sont à nouveau réunis lorsque nous nous rencontrons. Peu de temps après son retour, il a constaté qu'il était revenu surtout pour le bien-être de ses enfants. Ça ne va pas mieux avec son épouse. Bien que les choses soient claires entre Jacques et sa femme, je ne me sens pas à l'aise dans cette nouvelle situation. Il habite sous le même toit qu'elle et pour moi qui ai encore beaucoup de culpabilités sexuelles, ce n'est pas facile au début.

Après notre première rencontre, il me demande si je veux bien le revoir la semaine suivante. Quand nous nous revoyons, au restaurant, je lui fais part des difficultés que j'éprouve à lâcher prise dans ma vie sexuelle. Je lui parle des culpabilités qui m'habitent. Je le prépare à se faire dire non plus tard. Il m'écoute d'une oreille très attentive et je me demande même comment j'arrive à lui parler aussi intimement. *Je n'ai jamais été aussi vraie avec quelqu'un, surtout quelqu'un que je connais depuis si peu de temps.* Il me dit qu'il aime ma compagnie et qu'il n'est même pas nécessaire que nous fassions l'amour. Je le sens très sincère. Avec les autres, j'avais pris l'habitude de dire tout simplement: "Non, pas ce soir", sans aller dans les détails.

Quand je lui demande comment il réagirait s'il apprenait que sa femme fait l'amour avec une autre personne, il répond: "Je le lui souhaite. J'espère qu'elle va trouver un homme avec qui elle va vraiment aimer ça faire l'amour parce qu'elle et moi, nous avons plutôt eu une relation de père et fille. Dans notre vie conjugale, le sexe est resté en arrière plan." Encore une fois, je le sens très sincère. Quand je posais cette question aux autres hommes, certains me répondaient: "Je ne le prendrais pas", d'autres: "Ma femme est bien trop niaiseuse (ou inexpérimentée) pour aller ailleurs!" Ces commentaires ne m'aidaient pas à rehausser mon opinion à propos des hommes.

Au tout début, Jacques ne correspond pas du tout au type d'homme dont j'ai rêvé, mais je me sens bien en sa présence. Je ne sais pas encore que c'est lui l'homme avec qui je vais m'engager. *J'espère encore secrètement l'idéal que je me suis programmé, bien que je me dise ouverte à ce que mon DIEU intérieur va m'envoyer.* Notre relation est confortable. Dès la première fois où il me prend dans ses bras, je me sens à ma place. Il a de bonnes épaules et de grands bras confortables et je me sens toute petite dans ses bras.

Cet homme est si débordant de douceur et de tendresse que finalement c'est moi qui finit par lui demander de faire l'amour la première! Je ne peux même pas y croire! Et cette première fois j'ose même le faire chez moi, mais pas dans ma chambre. Nous descendons au sous-sol. Ce que j'ai toujours craint arrive: un de mes fils arrive et, comme il est tard, il décide d'entrer par le sous-sol. Surprise! Il file à toute vitesse à l'étage supérieur en enjambant l'escalier quatre marches à la fois.

Je suis même capable d'en rire et de continuer à faire l'amour avec Jacques. Enfin, dès notre première relation, je connais le grand "**WOW**" que j'attends depuis si longtemps. Il faut dire que c'est la première fois que je lâche prise et que je me laisse aller. J'ai pu constater à quel point j'avais lâché prise quand le lendemain, mon fils me dit: "Il est temps qu'il y ait quelqu'un dans ta vie, je suis heureuse pour toi." Et moi qui avais peur d'être jugée! Son commentaire m'a fait très plaisir. Par la suite, Jacques fut invité dans

214

ma chambre. Il est le premier et le seul homme qui ait eu ce privilège après mon premier mari.

Ce qui m'a aidée à "décrocher", c'est qu'au long de ma démarche personnelle, j'ai fini par admettre et accepter à quel point j'ai voulu avoir le contrôle avec mon premier mari. Il se laissait contrôler dans tous les domaines excepté la sexualité. Pour sa propre estime, il fallait qu'il ait le contrôle quelque part. De mon côté, je résistais de plus en plus car je ne pouvais pas accepter qu'il ne se laisse pas contrôler partout.

Aussi mon premier mari représentait mon principe masculin qui voulait fusionner avec le principe féminin en moi. Le message était clair mais je n'étais pas assez consciente pour le capter. Comme je voulais arriver à connaître une relation intime et sexuelle harmonieuse avec un homme, j'étais bien décidée à faire tout en mon possible pour le réaliser. En acceptant que mon insatisfaction sexuelle venait de moi et *en me pardonnant, l'ouverture s'est faite graduellement pour du nouveau.*

Je découvre vite que le fait de me laisser aller à vivre une vie sexuelle très active avec Jacques n'implique pas du tout qu'il a le dessus sur moi. Pour lui aussi c'est nouveau. Il ne s'attendait pas à ce que notre relation se déroule de façon si heureuse. Je peux même avouer que depuis le début, à chaque année notre vie sexuelle fait toujours plus **"WOW!"** *Un important facteur de cette amélioration est la qualité de notre communication.* Nous continuons toujours à nous ouvrir et à nous partager ce que nous ressentons intérieurement. Encore plus que des amants, Jacques et moi sommes de grands amis.

JE SUIS DIEU WOW!

Au moment où je lui ai parlé de la relation homosexuelle que j'avais eue, je me suis sentie énormément accueillie par lui. Après avoir entendu mon histoire, il me dit: "Bien mon Dieu, il n'y a rien là! Mon frère aîné était un homosexuel et quand ça n'allait pas bien avec ma femme, je me suis moi-même demandé si une telle relation ne serait pas bonne pour moi." Et d'ajouter: "J'y ai pensé mais je ne l'ai pas fait. C'est la seule différence entre toi et moi!"

Je m'aperçois combien ça soulage d'être vraie et ouverte. Avant cela, je n'avais jamais osé en parler, de peur d'être jugée. A chaque fois que j'ai de la difficulté à être vraie, je constate que *mes peurs sont fausses, imaginaires. Je dois prendre mon courage à deux mains pour ensuite découvrir combien c'est facile! Le plus difficile est de passer à l'action. Mais heureusement, à force de se pratiquer, ça devient toujours plus facile.*

J'ai lu plusieurs livres sur la sexualité et la spiritualité. Malgré toutes mes lectures, j'avais encore de la difficulté à croire que l'orgasme sexuel était la manifestation physique de la grande jouissance qui se manifeste quand l'âme et l'esprit fusionnent. Avant de connaître Jacques, je percevais une relation sexuelle comme un acte pûrement physique. Depuis, je comprends ce que j'ai pu lire dans ces livres. Je sens au plus profond de moi le lien qui existe entre la fusion de l'homme et de la femme et la fusion du principe masculin avec le principe féminin. Je sais aussi que l'abandon que je peux manifester physiquement est tout simplement le reflet de mon grand désir d'en arriver à fusionner l'homme et la femme en moi, totalement, en tout temps.

Nous nous connaissons depuis un an et demi quand, en juillet 1985, Jacques et moi emménageons dans le quartier

216

de Côte-des-Neiges à Montréal. Mes deux fils vivent en appartement et ma fille s'en va habiter chez son père pour terminer ses études. Tout va bien pendant quelques mois quand graduellement je commence à m'apercevoir que mes relations avec mon associé changent. Nous sommes associés depuis un peu plus de deux ans. Notre relation a toujours été pûrement d'affaires. Tout comme moi, il est du genre qui aime tout contrôler. Il contrôle autant la femme qui est dans sa vie qu'il contrôle ses différentes entreprises. Ceux et celles qui ont des qualités de chefs sont souvent des individus qui aiment tout contrôler. Cependant, la plupart des grands chefs ont aussi très souvent des difficultés au niveau de leur vie personnelle.

Au début de notre association, j'avais senti qu'il m'attirait. J'étais séduite par sa force de caractère, son pouvoir décisionnel, sa grande assurance et son sens des affaires. J'étais aussi fascinée par sa façon de dépenser beaucoup d'argent sans se sentir le moindrement coupable. C'est une personne pour qui le confort personnel est important et il n'hésite pas à payer le prix.

Bien des gens confondent l'attirance qu'ils ressentent pour ce qu'un être représente et une attirance sexuelle. C'est ce qui m'arrive. Je crois que je suis attirée sexuellement. *Comme j'ai décidé d'être vraie en toutes circonstances, encore une fois je puise dans ma réserve de courage* (après m'être pratiquée toute une semaine) et je lui avoue que je suis attirée par lui. Il me répond alors: "Je te trouve très courageuse de me dire cela mais oublie tout ça! Il ne peut rien arriver entre nous car tu n'es pas le type de femme que je recherche." Ouf!

Ce n'est pas une réponse facile à avaler mais au moins j'ai l'heure juste. Il a, à ce moment-là, une amie avec qui il sort depuis plusieurs années. Je sais que ça ne va pas bien entre eux et qu'il ne fait que la tolérer en attendant de rencontrer son "âme soeur". Il m'en parle à quelques reprises. Ceci n'affecte pas du tout notre relation d'affaires et j'accepte facilement l'idée que nous n'irons pas plus loin. Comme j'ai décidé moi-même d'être vraie, *j'apprécie qu'il m'ait donné l'heure juste, même si je n'ai pas entendu ce que j'ai voulu entendre, Je sais à quoi m'en tenir*. D'ailleurs je viens tout juste de rencontrer Jacques quand cet incident se produit.

Presque deux ans plus tard, voilà que ça recommence. Mais cette fois-ci c'est différent parce que je sens que ça vient de lui. Je lis du désir dans ses yeux. Il est tout plein d'attentions pour moi. Cette attitude nouvelle de sa part vient réveiller en moi la première attirance que j'avais ressentie et que j'avais dû refouler. Plus ça va, plus je me sens attirée par lui. J'apprécie ses attentions. Je réalise que nous nous trouvons de plus en plus d'excuses pour nous voir plus souvent qu'une fois par semaine, comme convenu entre nous. Nous nous téléphonons sans cesse, pour des riens...

Deux mois passent ainsi. Je n'en peux plus et je veux en avoir le coeur net. Le même scénario qu'avant se prépare. *Je prends à nouveau mon courage à deux mains et je lui fais part de mes observations*. J'ai très peur de ne pas être accueillie, comme la première fois. Je lui demande si je vois juste ou si c'est mon imagination. Il me répond que oui, en effet, il me regarde avec d'autres yeux et qu'il se sent attiré par moi. Il ajoute aussi: "Cependant je ne crois pas que ce soit une bonne idée d'entreprendre une relation amoureuse entre nous car, comme je te l'ai déjà dit, tu n'es pas mon type de femme." Je pense: "Mon Dieu, encore une

218

fois!" Le coeur me descend dans les talons. Je ne comprends pas pourquoi il a tant besoin de se contrôler. Comment peut-il être aussi sûr que ça ne marchera pas entre nous deux? *Une partie de moi souffre, se sent rejetée. Cependant une autre partie sait que c'est mieux ainsi* car je le trouve compliqué quand vient le temps de parler sentiments. Quelques minutes plus tard il ajoute: "Je serais prêt à vivre une aventure avec toi mais sans plus, rien de sérieux." Un autre coup bas! Je me dis: "Mais pour qui me prend-il?" Sa franchise me prend tellement par surprise que je n'arrive pas à lui dire ce que je ressens vraiment. Je lui dis plutôt: "Oublie tout ça, tu as certainement raison. Demeurons de bons amis et associés."

Mais malgré nos bonnes intentions, la flamme est allumée et le désir que nous éprouvons l'un pour l'autre s'éveille davantage. Naturellement, je commence à questionner ma relation avec Jacques. Je dois me rendre à l'évidence que je suis très bien avec lui. Mais pour moi cette relation manque de piquant, je ne la trouve pas assez excitante à mon goût. Quand il est là je suis heureuse et quand il n'est pas là je suis heureuse aussi. Depuis nos débuts ensemble, je me questionne à savoir s'il est vraiment l'homme pour moi. Je pense souvent que peut-être quelqu'un de plus spécial m'attend quelque part, un prince charmant, mon âme-soeur peut-être?

Nous avions tous les deux convenu qu'aucun engagement ne nous liait l'un à l'autre. C'était très clair entre nous. Je n'étais pas assez sûre de moi. Aujourd'hui *je réalise que c'était parce que j'écoutais mon mental plutôt que mon intuition.* Celle-ci me disait que je me sentais bien avec Jacques mais mon mental me rappelait mes désirs, mes attentes d'un idéal. C'est pourquoi il est si important de

JE SUIS DIEU WOW!

suivre notre "senti." *Nous avions convenu de vivre le moment présent et de prendre une journée à la fois.* Quand je commence à m'apercevoir que mes sentiments pour mon associé changent, j'en informe Jacques tout de suite: "Je sens qu'il se passe quelque chose, je ne sais quoi au juste, peut-être qu'il n'arrivera rien, peut-être que ça va s'arrêter mais je veux simplement te donner l'heure juste. Je veux te dire qu'en ce moment je me sens de plus en plus attirée par mon associé." Naturellement, ce n'est pas facile pour lui d'accueillir ce que je viens de lui dire mais il me répond: "Eh bien, tu ne m'appartiens pas, si vous avez quelque chose à vivre ensemble, allez-y, moi je ne peux rien y faire!" Il ajoute même qu'il croit que c'est une bonne idée que mon associé et moi en ayons le coeur net. *WOW! Quelle compréhension! Je suis très touchée par son amour inconditionnel!*

Plusieurs mois passent et j'ai de la difficulté à être bien avec Jacques parce que je pense de plus en plus à l'autre. Je me sens même malhonnête de faire l'amour avec lui quand je sais que je me demande comment ça serait de faire l'amour avec quelqu'un d'autre. Je lui dis alors: "Inutile de continuer ainsi, ça ne sert à rien. Je ne me sens plus capable de voir mon associé, de penser de plus en plus à lui et d'être avec toi en même temps. Tu me dis que tu es prêt à accepter que je vive ce que j'ai à vivre avec l'autre tout en restant avec moi, mais moi, j'en suis complètement incapable." C'est effectivement au-delà de mes limites. Je suis une femme d'un seul homme.

Nous planifions donc de nous séparer. Je l'aide à se trouver un appartement et à le meubler. Notre séparation se fait dans l'amour. Nous continuons à nous rencontrer environ une fois par semaine, au restaurant en général. Il me raconte sa nouvelle liaison amoureuse et je lui fais part de toutes les émotions que je vis avec mon associé. Je vis une relation passionnelle avec ce dernier. D'ailleurs c'est cette expérience qui va me permettre plus tard de faire la différence entre une relation d'amour et une relation de passion. Une relation passionnelle se vit toujours plus difficilement, avec plus d'émotions. Il semble que plus il y a d'obstacles et plus on insiste pour que ça marche. Plus la relation est difficile et plus elle devient excitante.

A ce moment-là mon associé avait rompu avec son amie. Cependant elle est très présente en lui et je la sens entre nous deux. Il ne peut vivre avec elle et il ne peut vivre sans elle. *Je sens que ce n'est pas facile pour lui et je veux l'aider dans cette situation.* Je crois que je peux être celle qui lui fera oublier cette ancienne amie.

Jacques quitte notre appartement en novembre 1985 et ma première relation sexuelle avec mon associé a lieu à la fin décembre. C'est suite à un party, pour rester fidèle à la tradition! Je trouve cette relation très difficile. Dès que nous parlons affaires, il devient un tout autre homme et j'ai beaucoup de mal à accepter cet aspect de lui. Quand nous sommes ensemble, il peut être d'une tendresse et d'une délicatesse inégalables et brusquement devenir très distant. Par exemple, nous allons prendre un bon repas à la chandelle au restaurant et au retour, il est très pressé de rentrer chez lui. Je me sens mal dans cette situation. Je m'aperçois que ce qui me dérange encore c'est de n'avoir aucun contrôle. Il est incapable de s'engager d'avance. Je dois attendre la toute dernière minute pour savoir si nous sortons ensemble ou non. Tout cela est très nouveau pour moi et je m'en veux de me laisser manipuler à ce point.

Ce que je vis avec lui est très important parce que justement ça me permet d'observer quelqu'un qui a peur de se faire contrôler. Nous voulons tous les deux contrôler l'autre. Nous savons que nous ne sommes pas faits l'un pour l'autre mais comme nous somme deux personnes "à défis", nous continuons à nous voir. *Il nous arrive parfois de lâcher le contrôle et de nous laisser aller. Ces moments-là sont précieux mais ne durent pas bien longtemps.*

Nous sommes compatibles mentalement. J'aime son esprit vif et son sens de l'humour. Je ris beaucoup en sa présence. Mais je vis aussi beaucoup d'émotions. Nous devons sans cesse faire des mises au point. Cette relation est peut-être excitante mais je la trouve loin d'être reposante. Je crois encore que dans l'amour véritable, il doit y avoir un côté excitant où le coeur nous débat quand monsieur arrive ou quand nous avons des activités communes. Je crois que c'est l'intensité de la relation qui détermine le degré d'amour. *J'ai dû me rendre à l'évidence que ma croyance était fausse.*

Cette relation dure pratiquement un an. Quand je décide de la terminer, je ne vois pas encore pourquoi elle n'a pas marché. Je suis portée à le blâmer, croyant que c'est surtout sa faute à lui. Voilà maintenant cinq ans que ces événements ont eu lieu. Je sais maintenant que mon associé était là pour que je puisse me voir à travers lui. Mon **DIEU** intérieur ne se trompe jamais. Mais quand c'est arrivé, j'ai eu beau chercher à élucider mon message, je ne pouvais pas être assez objective pour voir l'aspect de moi qui cherchait à se faire connaître. Autant je n'acceptais pas mon principe masculin, autant lui n'acceptait pas son principe féminin. Autant je ne voulais pas me faire contrôler par un homme, autant lui ne voulait pas se faire contrôler par une femme.

Quand je mentionne que quelqu'un n'accepte pas le sexe opposé, je ne veux pas dire qu'il ne l'aime pas. Au contraire! J'ai toujours recherché la présence des hommes et mon associé, lui, recherche celle des femmes. La non-acceptation vient du fait que l'idéal que nous nous faisons du sexe opposé est irréaliste. Personne ne peut être à la hauteur de nos attentes. Une relation comme celle avec mon associé ne pouvait donc pas marcher.

Pour une femme comme moi, il est bénéfique de s'unir à un homme qui accepte moins l'homme en lui. Mon associé serait bien avec une femme qui accepte moins la femme en elle. Cette dernière est une personne plus passive, qui préfère avoir quelqu'un d'autre qui l'encadre ou qui prend les décisions. La relation devient plus facile ainsi. Un couple peut s'aider davantage quand les deux ont de la difficulté à accepter le même principe.

Pendant tout le temps où je sors avec mon associé, je continue à être amie avec Jacques. Quand j'achète le Centre de Santé à Sainte-Agathe-des-Monts en octobre 1986, il s'offre pour faire tous les travaux de plomberie. Il doit donc demeurer sur place plusieurs fins de semaines et nous recommençons peu à peu à nous fréquenter. Ma relation avec mon associé n'est pas encore tout à fait terminée. Je partage à Jacques combien je trouve étrange de ne pas pouvoir m'engager avec lui définitivement alors que je me sens si bien en sa présence. Je m'en veux de me placer dans une situation où je vis tant d'émotions. *Je me demande pourquoi je me complique tant la vie* alors que je suis si bien avec Jacques. Et lui de me répondre: "Bien oui, moi non plus je ne sais pas pourquoi!"

JE SUIS DIEU WOW!

Comme cet homme a de la patience! Il me laisse vivre ce que j'ai à vivre en se retirant, même s'il m'aime encore beaucoup. Le bon côté de toute cette expérience, c'est que j'ai vraiment appris à différencier l'amour passion de l'amour véritable. J'ai été plus en mesure de l'enseigner par la suite à Écoute Ton Corps. *J'ai eu grandement besoin de vivre cette expérience pour réaliser l'importance d'être en contact avec mon DIEU* intérieur et l'écouter. Les signes étaient pourtant très clairs: quand j'étais avec Jacques je me sentais très bien et très calme, sa présence m'était confortable... Mais je n'en voulais pas! Cette voix intérieure me parlait très fort mais je refusais de l'écouter et je préférais continuer à vivre des émotions avec une autre personne.

Mon problème c'est que j'aurais voulu combiner le meilleur de Jacques et le meilleur de mon associé pour en faire l'homme idéal que j'attendais. Finalement, je décide de terminer ma relation intime avec mon associé et de revenir à Jacques. Je dois me rendre à l'évidence que mes attentes sont irréalistes. Jacques et moi sommes à nouveau ensemble mais ce n'est qu'en été 1987 que je me sens prête à m'engager véritablement avec lui. Je viens de déménager dans les Laurentides. La voix de mon coeur me dit que je dois m'engager. Je sens que je ne pourrai jamais vivre de relation intime totale et complète si je suis incapable de m'engager intérieurement. Je décide une fois pour toutes que c'est avec lui que je veux être pour toujours. C'est avec lui que je veux véritablement apprendre à aimer l'homme, complètement.

Je fais part à Jacques de mon engagement. *Cette décision est une des meilleures de ma vie.* Tout de suite après, j'ai l'impression que Jacques devient plus excitant, que notre relation a soudainement plus de piquant. Je sais bien qu'il n'a pas changé... C'est ma perception de la situation qui a changé. Plus je me laisse aller à l'aimer sans crainte de me faire avoir et plus je peux m'abandonner dans ma vie sexuelle.

Je réalise que jusqu'ici j'ai plutôt cherché à être aimée. L'amour, je commence à le comprendre, ce n'est pas vouloir être aimé de l'autre. J'ai voulu être aimée de mon premier mari, puis de mon associé. S'ils me laissaient les contrôler ou s'ils faisaient ce que moi je voulais, cela signifiait qu'ils m'aimaient. Ils devaient fournir des preuves de leur amour. *Pour connaître l'amour véritable, on doit au contraire vouloir apprendre à aimer avec une autre personne,* vouloir véritablement donner le meilleur de soi-même.

Quand j'exprime à Jacques mon engagement intérieur face à lui, il m'avoue qu'il n'est pas prêt à s'engager comme moi car il craint d'avoir à revivre une autre déception. Je le respecte et l'admire pour sa franchise. Je lui dis que c'est parfait et je ne lui demande pas de s'engager comme je le fais. C'est pour moi-même que cet engagement est important.

Tout au long des années où j'ai voulu contrôler l'homme dans ma vie, je n'ai fait que m'auto-punir. Mes croyances sexuelles étaient une excuse pour ne pas m'abandonner à l'homme. Je croyais que le sexe n'était pas correct, c'était quelque chose de sale. C'était comme dire que **DIEU** a créé quelque chose de mal et de sale. Aujourd'hui je suis très heureuse d'avoir réussi à lâcher prise dans ma vie sexuelle et de pouvoir accepter que la sexualité fait partie de la spiritualité, de la création divine. *L'expression de ma* *sexualité est un moyen pour moi de vérifier à quel degré je peux m'abandonner à la vie.*

A la parution de ce livre cela fait presque huit ans que Jacques et moi sommes ensemble. Notre relation, autant sexuelle qu'intime, devient toujours plus satisfaisante, plus excitante. Maintenant je sais que c'est faisable! En général le contraire se produit au niveau du couple. La vie sexuelle est excitante pendant les premières années et elle devient vite une situation de contrôle. Toute la vie du couple en est affectée.

Nous avons même décidé de nous marier il y a quelques mois. Nous sommes allés en vacances à Maui, une des îles Hawaiennes, et nous nous y sommes mariés en toute intimité. Mes parents étaient nos témoins. Pourquoi nous sommes-nous mariés? Parce que le mariage est le symbole de l'union du principe masculin et du principe féminin en soi. *Le mariage est pour moi la manifestation physique de mon engagement avec moi-même.* J'utilise ma relation avec Jacques pour vérifier où j'en suis rendue dans l'acceptation du principe masculin en moi. En observant notre relation, je vérifie sans cesse où j'en suis dans mon harmonie intérieure.

Il m'est plus facile d'accepter l'aspect féminin en moi car depuis que je suis toute petite, j'aime l'exemple que je reçois de ma mère. Je la compare à mes tantes et aux autres femmes du voisinage et je la trouve de loin supérieure à toutes les autres. Dans ma tête d'enfant, c'est une femme qui sait tout, qui connaît tout et qui excelle dans tout: les affaires, la maison, la couture, la cuisine. L'idée globale que je me fais de ma mère c'est qu'elle est une femme intelligente et belle, qui a l'esprit vif. Même s'il y a des aspects d'elle que j'aime moins, je lui trouve plus de qualités que de défauts. Je veux hériter de ses qualités mais non de ses défauts. Je ne sais pas que plus l'on dit "Je ne veux pas être – ou devenir – comme cela", et plus l'on s'assure de le devenir. J'hérite donc de ses qualités et de ses défauts.

A travers ma vie intime et sexuelle, je dois aussi prendre en considération ma relation avec mes enfants. Avant de me marier et même après mon mariage, je ne m'arrête pas pour me questionner si oui ou non je veux avoir des enfants un jour. Pour moi il est tout à fait normal d'avoir des enfants. Je me pose uniquement des questions sur "combien?" *Une autre croyance déjà toute faite pour moi!* Je me marie et je me dis que tant qu'à avoir des enfants, je ferai mieux de les avoir le plus vite possible et ce sera fait. J'ai cette attitude dans plusieurs domaines. J'aime la rapidité, je n'aime pas perdre de temps.

Je demande donc à mon mari ce qu'il en pense et combien il en veut. Je ne pense même pas à lui demander s'il en veut. Il me répond qu'il n'y a jamais pensé. Il ne sait pas comment il se sentira dans un rôle de père car étant le plus jeune d'une famille de trois, il n'a pas l'habitude des enfants. Il me laisse libre de décider car il sait que je finirai par m'en occuper. Effectivement il ne s'est jamais senti très à l'aise dans son rôle de père. N'ayant pas eu de modèle de père, il ne sait pas comment s'y prendre avec des enfants. En ce qui me concerne j'ai aimé être entourée d'autres enfants en grandissant. Je décide alors d'avoir entre trois et cinq enfants. J'arrêterai à trois.

Quand je suis enceinte pour la première fois, je souhaite vivement avoir une fille. Je ne sais pas que mon désir est causé par cette difficulté que j'ai à accepter les hommes... Le premier nom que je choisis est un nom de fille, Monica.

JE SUIS DIEU WOW!

Ce n'est qu'à la fin de ma grossesse que je trouve un nom de garçon. C'est d'ailleurs mon mari qui me suggère les prénoms des deux garçons que nous aurons avant notre fille. Il est plus que probable qu'ils aient tous les deux ressenti, à l'état de foetus, que je préférais une fille. Un bébé peut facilement capter tout ce qui se passe en sa mère et autour d'elle. Mais tous les bébés ne réagissent pas de façon identique. Chacun y va à sa façon, selon son plan de vie.

Mon fils aîné, Alan, est l'enfant qui me résiste le plus et ce, depuis son plus jeune âge. Quand il vient au monde, mon mari et moi sommes mariés depuis près de deux ans et j'ai déjà commencé à le critiquer beaucoup. Je trouve que c'est un mari qui manque d'initiative, qui est incapable de prendre des décisions tout seul et je déplore le fait qu'il ne puisse se passer de moi. Il a toujours besoin de ma présence. Je n'aime pas sa dépendance. *Je ne réalise pas du tout que je suis moi-même dépendante de sa dépendance. Celle-ci me permet d'avoir une illusion de pouvoir, ce qui m'arrange puisque de cette façon-là il ne me contrôle pas.* Mais je ne suis pas encore prête à admettre cet état de fait alors je ne veux simplement pas le voir.

Je décide donc de faire un homme de mon fils Alan. Il ne marche pas encore qu'il me résiste déjà totalement. Si je lui demande de ne pas toucher aux plantes quand il se traîne par terre, c'est automatique, il se dirige vers les plantes pour les déterrer. Il fait tout en son pouvoir pour me faire réagir. Jusqu'à ce qu'il parte de chez nous, il fera très souvent le contraire de ce que je lui demande. Si je lui demande de faire du ménage ou d'étudier, il n'en fait rien. Si je lui demande d'arriver à une telle heure, il arrive plus tard. Il sait que j'aime l'ordre et c'est immanquable, à chaque fois

JE SUIS DIEU DANS MES RELATIONS

qu'il sort de la salle de bains, c'est comme si une tornade venait de balayer la pièce; un vrai désastre. Il me dit toujours "oui, oui" quand je lui demande de faire quelque chose parce qu'il sait que je veux entendre un oui mais il disparaît aussitôt sans le faire. Quand je m'en rends compte, je me dis qu'il ne perd rien pour attendre, qu'il va y goûter à son retour. Je suis souvent en train de lui adresser des reproches et de le disputer. Ce n'est que bien plus tard, quand il devient un adolescent, que je réalise à quel point cette vieille méthode est inefficace. Je cesse alors de l'appliquer.

Il n'y a pas longtemps, en lisant les livres de Daniel Kemp, j'ai réalisé que mon fils aîné était un enfant Teflon révolté. Je comprends que les vieilles méthodes ne donnent aucun résultat avec les enfants nouveaux. Cela me rappelle que ma soeur aînée avait le même comportement avec ma mère. J'ai eu à vivre avec mon propre enfant les comportements que je n'avais pas acceptés et que j'avais critiqués d'elle. J'ai dû revivre la situation avec mon enfant. *La vie s'arrange toujours pour nous renvoyer les mêmes situations jusqu'à ce que nous apprenions à avoir plus de compassion.* Mon **DIEU** intérieur a une fois de plus saisi la chance pour m'aider à ouvrir mon coeur. En comprenant et en acceptant le comportement de mon fils aîné, j'ai fait un processus d'amour avec ma soeur.

Aux environs de ses quatorze ans, je deviens beaucoup plus ferme et plus vraie avec lui. Je lui partage ce que je vis et ressens à son contact. Tout de suite un changement se produit dans son attitude envers moi et le reste de la famille. Intuitivement j'ai fait ce que j'avais à faire avec lui. Cependant je ne suis pas consciente que je viens de tomber sur la méthode idéale pour ce type d'enfant. Si je l'avais sû, nos relations auraient pu être encore meilleures car je m'y serais prise plus tôt.

C'est en lisant "Comment éduquer l'enfant Teflon" de Daniel Kemp que je l'ai compris. Mon fils et moi sommes plus amis. Il est clair entre nous que *je faisais tout mon possible en tant que mère avec ce que je savais* et, de son côté, il essayait de me faire comprendre des idées nouvelles à sa façon. Nous nous acceptons aujourd'hui tels que nous sommes, avec nos différences. C'est la raison pour laquelle je me suis spécialisée dans le comportement Teflon. Nous offrons même des ateliers à Écoute Ton Corps pour aider les adultes et les enfants à faire la différence entre un comportement Teflon (nouveau) et un comportement traditionnel. Il n'y en a pas un meilleur que l'autre. Ils sont tout simplement différents et si nous voulons avoir de bonnes relations, il est urgent de savoir faire la différence entre les deux, afin de pouvoir s'ajuster..

Quant à mes deux autres enfants, ils sont beaucoup plus dociles. Tony est un enfant modèle. Il vient au monde trois ans et demi après son frère Alan. Il est tout le contraire de l'aîné. Très attaché à moi, il fait tout pour être aimé. Effectivement, je n'ai pas encore fini de demander quelque chose qu'il se précipite déjà pour me rendre service. Au moment où je le portais, je désirais une fille encore plus intensément que pendant ma première grossesse. Mon premier enfant est tellement rebelle que cela ne m'a pas aidée à désirer un autre garçon. Tony a-t-il fait autant de pirouettes pour être aimé parce qu'il avait peur d'être rejeté? Lui seul sait véritablement ce qui se passait en lui.

A quatorze ans, il décide que je suis une mère injuste et il arrête complètement de me rendre service. Son comportement change. Il est toujours plus docile que son frère aîné mais je sens qu'il y a de la révolte en lui. Il voudrait être capable de me résister plus. Il ne sait trop comment s'y prendre. Une partie de lui m'aime et une autre partie cherche à me rejeter. Je le vois bien dans son regard *mais je ne sais pas comment lui en parler. J'ai peur de me faire dire que je ne suis pas une bonne mère.* Je trouve plus difficile de m'exprimer avec lui qu'avec mon autre fils. Par surcroît, c'est de lui que j'essaie d'être aimée et non de mes deux autres enfants. Ce ne fut que plus tard que j'appris qu'il doutait de mon amour.

Quand Tony est encore bébé, je veux un autre enfant, toujours dans l'espoir d'avoir une fille. En voyant combien mon deuxième fils est facile, je suis même prête à risquer d'avoir un autre garçon.

Avant de donner naissance à mon premier enfant, j'ai fait une fausse couche. Par la suite j'en ai fait trois autres, entre mes deux garçons. Je passe différents examens médicaux pour en connaître la cause, mais les médecins n'y comprennent rien. Mon médecin ne veut pas que je sois enceinte trop vite. Il me prescrit des pilules anticonceptionnelles. Après plusieurs mois, malgré les conseils du médecin, je décide d'arrêter d'en prendre car je n'ai jamais aimé les pilules. Je suis aussitôt enceinte. Après Tony, je fais encore une autre fausse couche. Ma fille Monica est conçue à un moment où j'étais censée prendre la pilule, suite à ma récente fausse couche. Toutefois, je ne veux pas suivre les conseils du médecin. C'est l'année où je suis le plus occupée avec la compagnie Tupperware. Je suis en excellente forme physique, malgré un horaire des plus chargés. Je suis d'ailleurs de plus en plus occupée à chaque grossesse.

JE SUIS DIEU WOW!

Enfin, ma fille tant attendue arrive, deux ans et demi après son frère Tony. Je l'ai tellement désirée que même si j'ai beaucoup à faire, elle se sent aimée. Avec elle il est plus facile de communiquer. Je la "sens" davantage. Elle est une enfant déterminée qui s'occupe de sa vie, de ses études, de ses effets personnels, et qui a beaucoup d'amies et d'activités. Entre elle et moi, il y a un sentiment total d'acceptation mutuelle.

Je me souviens d'un jour où elle me réserve une surprise: elle a quatorze ans. J'entre chez moi dans l'après-midi et elle et ses amies se sont déguisées en "punk". La jeune fille aux cheveux longs s'est complètement métamorphosée. Elle et ses amies viennent de se couper les cheveux très courts et elles les ont fait se tenir tout droit sur la tête avec du gel. Elle a gardé une grande mèche longue dans le dos. Elle est aussi vêtue en conséquence, tout en noir, avec des chaînes aux poignets, autour de la taille et autour du cou. Elle porte d'énormes boucles d'oreilles. Elle me prévient avant de se montrer. "Ne sursaute pas, je suis arrangée à la punk!"

Quand je la vois sortir de la salle de bains, le coeur me fait effectivement un bond. Elle me dit: "Aimes-tu ça?" Comme à ce moment-là *j'ai appris à aimer d'une façon plus respectueuse*, je lui réponds: "Tu me demandes mon opinion alors je dois te dire que je ne trouve pas ça bien beau mais l'important c'est que toi tu t'aimes. Aimes-tu cela?" Elle me répond: "Pas vraiment mais je veux être comme les autres!"

Le sentiment d'appartenance est très important pour les adolescents. Ils croient qu'appartenir à un groupe, c'est imiter le comportement et la tenue vestimentaire du groupe. *Le vrai sens d'appartenance vient de l'intérieur de soi et non de*

JE SUIS DIEU DANS MES RELATIONS

l'extérieur . Je me dis: "Un jour, quand elle sentira qu'elle a sa place partout où elle le décide, elle n'aura plus besoin d'imiter ses amies." Elle décide même de fumer pendant cette période-là. Parce que je le lui permets, même si je ne suis pas d'accord, elle nous respecte, ses frères et moi. Elle ne fume que dans sa chambre ou bien en dehors de la maison. Même si elle est punk, je trouve qu'elle est une belle punk. Je n'essaie même pas de la changer. Quelle différence pour moi!

Cet incident se passe au moment où je commence Écoute Ton Corps et ma façon d'agir avec les enfants est transformée. Notre relation s'améliore graduellement. Un an plus tard, Monica m'annonce fièrement qu'elle a cessé de fumer. Je peux la voir se transformer de jour en jour pour s'épanouir en une belle grande jeune fille avec sa propre individualité. Tout est facile avec elle. *Elle est là tout simplement pour me montrer combien il est agréable d'accepter quelqu'un sans conditions*.

Quand les enfants sont jeunes, je ne suis pas encore assez consciente pour réaliser que si j'acceptais l'homme en moi et les hommes en général, je pourrais avoir avec mes fils et mon conjoint les mêmes relations que j'ai avec ma fille. Elle me montre tout simplement la différence entre l'acceptation de mon principe féminin et la non-acceptation du masculin en moi. Pendant bien des années je ne veux pas voir ce que j'ai à apprendre avec mes fils. Je veux plutôt croire qu'il est normal que des enfants se rebellent parfois et que l'harmonie totale est impossible à atteindre.

Mes fils me montrent qu'ils n'apprécient pas l'attitude que j'ai envers eux. Je ne leur fais pas confiance. Au lieu de les comparer à ma fille, je les compare plutôt l'un à l'autre ou au genre masculin en général.. J'aurais voulu

233

pouvoir prendre la moitié d'un de mes fils et la moitié de l'autre pour les réunir en un fils idéal (comme je faisais avec les hommes).

Même en bas âge, l'aîné n'a pas de problème d'appartenance; il est très individualiste. Tony a plus de difficulté à se sentir aimé. On dit que dans une famille de trois enfants, il est très fréquent que celui du milieu se sente de trop. Il est plus difficile pour lui de sentir qu'il peut avoir une place partout. Certaines personnes n'atteignent jamais ce sentiment d'appartenance de toute leur vie. C'est peut-être pour cette raison qu'inconsciemment, je suis plus portée à prendre pour Tony quand il y a un conflit entre les deux garçons. J'essaie de l'aider à se sentir aimé. Je ne sais pas que personne, que ce soit le père, la mère ou qui que ce soit ne peut faire cela pour quelqu'un d'autre. *Il incombe à chacun de nous d'ouvrir notre coeur pour nous sentir aimés, plutôt que d'attendre que les autres nous aiment.* Avec du recul, je vois que la difficulté que Tony avait de se sentir aimé voulait me montrer ma propre difficulté à me sentir aimée de lui.

Toujours à cause de ma peur de l'injustice, je veux être la mère parfaite et juste. Pour éviter que mes enfants me traitent d'injuste, je les traite tous les trois exactement de la même façon. Par exemple, si l'aîné se couche à huit heures, le deuxième devra se coucher à sept heures et demi et le troisième à sept heures. Je veux éviter les passe-droits. A l'époque *je ne différencie pas du tout "faire une faveur" et "faire un passe-droit".* Quand j'achète les cadeaux de Noël, si je dépense cinquante dollars pour l'un, il faut que je dépense exactement le même montant pour les autres. En réalité, mon fils Tony mérite souvent beaucoup plus que son frère Alan. Il me rend tant de services que je pourrais bien le récompenser davantage. Je n'ose pas le faire par peur de me faire traiter d'injuste! Encore une fois, il est important pour moi d'être une bonne mère. Tout ce que j'ai pu faire dans ma vie, je l'ai fait pour être bonne, la meilleure si possible. Ainsi, je suis satisfaite de moi. Ce n'est que depuis peu que *je suis plus flexible envers moi-même. La recherche de l'excellence en tout n'est pas toujours facile.*

Tony a dix-sept ans quand il me raconte à quel point il me trouve injuste. Je trouve fantastique de pouvoir enfin nous en parler. Je lui avoue combien j'ai eu peur d'être injuste. Je vois maintenant combien il a raison. *A force d'avoir peur de faire quelque chose, on finit toujours par se le faire arriver.* Je suis donc devenue injuste. Maintenant que j'en suis consciente, je réalise que mes critères pour être une bonne mère doivent être modifiés.

Parmi mes croyances il y a celle qui dit que la maison doit toujours être impeccable. En tant que mère, il est important que je donne le bon exemple à mes enfants. Je ne veux pas qu'ils me fassent un jour le reproche d'avoir été une mère négligente. Je fais du gros contrôle pour que la maison soit toujours ordonnée. Je me force à tout ranger continuellement, même si je n'en ai pas toujours envie.

Aussi pour moi une bonne mère fait de bons repas à ses enfants. Je me fais donc un devoir de leur préparer de bons desserts maison et toutes sortes de bonnes choses pour la santé. Malgré mon travail, je m'arrange pour être chez moi avec les enfants pour quatre heures de l'après-midi. Je les aide à faire leurs devoirs, je leur cuisine un bon souper et ensuite je retourne travailler plus tard le soir. Comme je réponds à mes critères de bonne mère et que je crois à ces derniers, je ne me pose pas de questions. Il ne me vient pas à l'idée de demander à mes enfants si je peux faire autre chose. *Je me considère bonne et je ne m'arrête pas à penser que je pourrais être encore meilleure en étant plus à leur écoute.*

Je suis très contrôlante dans certains domaines et très permissive dans d'autres. D'ailleurs mes voisines m'en font le reproche. Elles trouvent épouvantable que je laisse tant de liberté à mes enfants. Je veux qu'ils deviennent autonomes. Pour moi des garçons ne doivent pas être peureux mais plutôt forts et courageux. Dès l'âge de deux ans, ils ont déjà la permission de sortir de la cour arrière tandis que les enfants des voisins sont encore attachés ou sous étroite surveillance.

Au tout début, j'écris leurs coordonnées sur un papier que je mets autour de leur poignet et j'ai l'esprit tranquille. Je me dis que s'ils se perdent, quelqu'un les aidera à retrouver leur chemin. Il arrive qu'effectivement les enfants reviennent accompagnés du laitier ou du boulanger. Si j'habite en banlieu c'est justement pour qu'ils puissent profiter du grand air, alors je ne trouve pas intelligent de les enfermer à l'intérieur. Pour moi il est tout à fait normal de leur donner ce genre de permission. Ce sont des permissions que j'ai eues étant jeunes et que j'ai beaucoup appréciées. Mes trois enfants ont appris très jeunes à développer leur courage et leur autonomie.

Je réalise aujourd'hui que j'ai souvent été protégée en ce qui concerne mon rôle avec les enfants. Je n'en étais pas consciente mais j'avais une grande protection divine en dedans de moi, qui équilibrait souvent les choses dans ma vie. La mère contrôlante et la mère permissive se côtoyaient tout de même assez bien. *Nous atteignons un certain équilibre quand nous sommes capables de bien vivre deux aspects contraires en nous.* Ceux qui essaient trop de contrôler un seul aspect d'eux-mêmes se vident facilement d'énergie parce qu'un aspect de leur personnalité est complètement réprimé. D'autre part, je n'avais pas encore compris que je pouvais exprimer plusieurs aspects contraires et être équilibrée. Quand je me mettais à faire le contraire d'un aspect que je considérais correct ou acceptable, la bataille intérieure commençait. C'est parce que les valeurs que j'avais achetées dans l'enfance reprenaient sans cesse le dessus.

Quand je donnais trop de permissions à mes enfants, on me disait que je risquais de le regretter plus tard ou on me conseillait fortement d'être plus présente à la maison. Ces suggestions reflétaient ce que je me disais intérieurement. A plusieurs reprises j'ai douté de moi. Je craignais de ne pas être une assez bonne mère et d'avoir à le regretter plus tard. Mais je ne pouvais absolument pas les enfermer ou les couver. C'était plus fort que moi. Je les laissais donc libres. Sans le savoir, j'écoutais mon **DIEU** intérieur.

J'ai réussi à laisser les différents aspects de moi s'exprimer assez souvent et c'est ce qui m'a permis de garder un bon équilibre. Même si la santé n'était pas toujours parfaite, cette grande énergie qui m'accompagnait m'a toujours aidée à être très active.

Tout comme mes parents, j'ai aussi beaucoup de difficulté à faire des compliments en famille ou dans ma vie intime. Au travail c'est un peu plus facile pour moi. En tant que chef, j'ai appris que *faire des compliments encourage les gens* et c'est d'ailleurs cela qui m'a aidée à avoir des équipes du tonnerre qui se sont toujours dépassées. Il y a des gens que je complimente pour qu'ils se dépassent. Je le fais quand je crois sincèrement qu'ils peuvent réussir mais manquent d'assurance. A ceux qui ont plus confiance en eux, je fais des compliments quand ils se dépassent. C'est dans la vente que j'ai compris cela. Donc, en tant que chef, faire des compliments me vient plus facilement.

Par contre, dans mes relations familiales et intimes, il y a quelque part en moi une croyance qui me met constamment en garde: "Si tu fais trop de compliments, tu vas perdre le contrôle et ils vont avoir le dessus sur toi" ou bien "Ils vont croire qu'ils sont corrects et n'essaieront plus de s'améliorer". Quand j'étais plus jeune, mes parents parlaient de nous en bien mais toujours en notre absence. Ils ne nous ont presque jamais directement complimentés. Nous apprenions de la bouche de quelqu'un d'autre que maman avait dit de bonnes choses sur nous. C'est une attitude que je critiquais beaucoup, surtout de ma mère. Je me demandais pourquoi elle était incapable de me dire directement les choses qu'elle admirait de moi.

Les choses que nous avons critiquées de nos parents sont celles qui nous donnent le plus de difficulté. Nous devons les vivre à notre tour pour comprendre ce que nos parents vivaient. C'est ce qu'on appelle le karma ou la loi de cause à effet. Je n'arrivais pas souvent à faire de beaux compliments à mon conjoint et pas plus à mes enfants quand ils étaient plus jeunes. Aujourd'hui je m'aperçois que je vante mes enfants devant d'autres personnes. Ils viennent me trouver en disant: "J'ai entendu dire que tu avais dit ça de moi, pourquoi le dis-tu aux autres et pas à moi?" Je leur réponds tout simplement que ça ne me vient pas naturellement.

Je suis en train de développer cet aspect de moi. J'arrive de plus en plus à complimenter les gens autour de moi mais pas encore comme je voudrais le faire. Je suis très exigeante

JE SUIS DIEU DANS MES RELATIONS

envers moi-même et je prends pour acquis qu'il est normal de réussir ou de bien faire ce que je fais; alors je me complimente quand je considère que c'est extraordinaire et je fais la même chose avec ceux que j'aime. Ce que j'ai à faire, c'est être plus alerte à ce qui est normal pour les autres. Mon fils Tony m'a aidée à réaliser ceci.

Un jour, il arrive à mon bureau pour m'annoncer qu'il vient de se trouver un nouveau travail. Quand il voit que je n'ai pas de réaction, il est déçu et me dit: "Ce n'est pas très encourageant de venir t'annoncer une bonne nouvelle, tu ne me félicites même pas. Tu n'es même pas enthousiaste!" Je lui dis alors: "Pour moi, je trouve ça tout à fait normal que tu te trouves un nouveau travail avec le talent et le charisme que tu as. J'ai besoin d'une nouvelle plus extraordinaire que ça pour me transporter." *Je lui ai tout simplement avoué ma vérité.* C'est cet incident qui m'a aidée à réaliser que ce que je considère normal n'est pas nécessairement la même chose pour les autres.

Je me souviens que plus jeune, les religieuses me disaient fréquemment que si je n'utilisais pas mon potentiel, **DIEU** me punirait en me l'enlevant. J'ai toujours cru que cela s'appliquait à tout le monde. C'est pourquoi j'ai de la difficulté à voir quelqu'un avec beaucoup de talent ne rien faire avec son grand potentiel. Dans ma famille et au travail, je suis entourée de gens remplis de talents. Je trouve donc normal qu'ils les mettent à profit. Mais *je réalise aussi que très peu de gens croient véritablement en leur potentiel. Ils ont encore besoin de recevoir des compliments.*

Alors je me suis donné comme consigne de faire des compliments tous les jours, mais sans me forcer. Ces compliments doivent être sincères. Ils peuvent concerner la façon d'être d'une personne ou encore sa performance. J'ai remarqué qu'avec les enfants et le conjoint, j'ai de bien meilleurs résultats quand je les encourage et les complimente que quand je leur souligne ce qu'ils font de pas correct. Même si je le sais depuis longtemps, j'ai de la difficulté à y croire complètement. Une autre chose que je sais mais qui n'est pas encore complètement intégrée!

Une chose sur laquelle je les ai bien encouragés, c'est à avoir de l'initiative. Je les trouve débrouillards et je les admire parce qu'ils n'ont pas peur. Effectivement, les trois ont beaucoup d'initiative. Je vois que je complimente aussi en fonction de mes attentes. Quand ils sont plus jeunes, j'essaie de changer mes enfants sur tout ce qu'ils font de contraire à mes principes ou à mes croyances. *Je veux les contrôler selon mes propres valeurs.* Je décide d'avance pour eux. Plutôt que de complimenter mon aîné sur son intelligence, je lui reproche sans cesse de ne pas assez étudier. Je pourrais lui dire que ce n'est pas grave s'il n'aime pas étudier, qu'il est assez intelligent pour s'en sortir, quel que soit le chemin qu'il choisisse. Je lui dis que le bon **DIEU** va le punir un jour parce qu'il est paresseux et n'utilise pas ses talents. J'essaie toutes sortes de méthodes pour qu'il fasse ce que moi je veux qu'il fasse. Je le manipule, je le menace, j'essaie de lui faire peur.

Avec du recul je peux voir que ma motivation est bonne la grande majorité du temps. Je veux leur bien et je crois sincèrement les aider. C'est pour eux-mêmes que je veux qu'ils réussissent leurs études, pas pour moi. Je veux leur faciliter la tâche pour plus tard. Je les aime au meilleur de ma connaissance. Toutefois je peux voir qu'à certaines reprises, je suis égoïste. Par exemple, je veux qu'ils mangent à l'heure des repas parce que je ne veux pas voir de vaisselle traîner sur les comptoirs tout au long de la journée. Ou bien j'exige qu'ils rangent leur chambre avant de sortir pour que ça ne dérange pas ma vue. Dans de telles occasions je ne pense pas à eux mais à moi. *Je commence à me sentir mieux et ma santé s'améliore lorsque j'accepte intérieurement que j'ai fait de mon mieux. Je me donne le droit d'avoir été le genre de mère que j'ai été.* Je comprends enfin la notion d'amour quand mes fils deviennent des adolescents. Je réalise que je les ai toujours aimés mais le moyen de leur exprimer mon amour n'allait pas selon les lois divines, les lois de l'amour. Je comprends que tout ce que **DIEU** me demande, c'est d'apprendre à exprimer **DIEU** en utilisant tout ce qui m'arrive pour développer ma capacité d'aimer davantage et être de plus en plus en contact avec mon **DIEU** intérieur. Tant que je veux que les autres soient heureux à ma façon, j'utilise le contrôle et je ne vis pas dans l'amour véritable.

Si je me suis fait arriver deux enfants si différents de ce que j'ai désiré, c'est justement pour apprendre à aimer davantage certains aspects de moi que je refoule. Une partie de moi veut parfois laisser traîner les choses, être moins perfectionniste. Ce côté négligeant est complètement refoulé car je ne l'accepte pas. C'est la raison pour laquelle je m'attire un mari et trois enfants qui laissent tout traîner. Tant que nous n'avons pas réussi à équilibrer les aspects contraires en nous, la vie se charge de mettre sur notre chemin les bonnes personnes pour nous apprendre à exprimer et à accepter l'aspect le plus refoulé. C'est d'ailleurs très facile à vérifier. Nous sommes toujours entourés d'une ou de plusieurs personnes qui nous reflètent les parties que nous refoulons en nous. Plus ça nous dérange et plus la partie refoulée est forte. Quand quelqu'un autour de nous se permet de vivre quelque chose que nous n'acceptons pas en nous, ça vient vraiment nous chercher. J'ai mis plusieurs années à découvrir que *rejeter certaines parties de moi, c'était rejeter des expressions de DIEU en moi.* Ces parties criaient en moi, cherchaient à s'exprimer pour pouvoir être acceptées.

Maintenant je laisse parfois traîner des choses sur mon bureau ou sur ma table de travail. Il m'arrive aussi de laisser traîner des choses chez moi mais je ne me reproche plus d'être une mauvaise personne pour cela. Il est certain que le côté perfectionniste en moi est beaucoup plus fort que la partie négligeante. Il gagne donc plus souvent parce que je préfère l'ordre au désordre mais je me donne le droit de vivre les deux. *Voilà ce que veut dire s'accepter: se donner le droit.* Ce qui est nouveau pour moi c'est que lorsque je vais chez quelqu'un où le désordre règne, j'ai beaucoup moins de réactions qu'avant. Je suis moins portée à critiquer intérieurement. Je me dis qu'aujourd'hui cette personne avait envie de laisser traîner et qu'elle finira bien par ranger ses affaires ou peut-être qu'elle est bien dans son désordre.

J'ai aussi de la difficulté à accepter l'aspect paresseux en moi. D'ailleurs ce n'est pas tout à fait réglé. Quand je vois quelqu'un qui paresse, ça me fait réagir parce que j'ai de la difficulté à m'accorder ce droit. Je sais que ce processus n'est pas terminé parce que j'ai souvent l'impression que si je donne des choses à mes garçons – surtout de l'argent – j'encourage leur paresse. J'ai peur qu'ils se disent: "Bof! Pas besoin de se forcer pour gagner ma vie, ma mère finira bien par m'en donner!" Je vois que j'ai de la difficulté à être généreuse à cause de cela. J'ai peur d'encourager ce que je perçois comme étant de la paresse. Au moins j'en suis consciente alors je peux m'observer quand cet aspect prend le dessus. *L'important c'est de me donner le droit de prendre tout le temps qu'il faudra pour y arriver.* En apprenant à accepter tous les aspects en moi, je peux accepter les différents aspects des autres. *Et en me donnant le temps d'y arriver, je peux donner le temps aux autres aussi.*

Évidemment, je suis aussi contrôlante avec mon premier conjoint qu'avec moi-même et les enfants. Je décide de tout: les repas que nous mangeons, nos activités de fin de semaine, nos invités, nos sorties, le budget, les vacances, etc. J'accepte même des invitations sans le consulter. Quand il rentre le soir, je lui annonce que nous aurons un party la semaine suivante. Pour moi, ça va de soi: il est censé me suivre. Par contre je le consulte quand je n'arrive pas à me décider toute seule, quand je suis incertaine. Comme il veut toujours me faire plaisir, il me répond: "Et toi, est-ce que ça te tente?" Je me choque parce que je voudrais qu'il me donne son opinion, qu'il m'aide à prendre ma décision. Je lui dis alors: "Pour une fois que je te donne l'occasion de prendre une décision... C'est toujours moi qui décide tout. J'aimerais ça que de temps en temps, toi aussi tu prennes des décisions!" Mais le seul temps où je lui demande de prendre des décisions, c'est quand j'en suis moi-même incapable. Je le critique de plus belle. Alors si la fois suivante il décide quelque chose qui va à l'encontre de mes plans, je le critique encore: "Tu décides sans me consulter et tes choix ne me plaisent pas du tout!"

Pauvre homme, il ne sait plus sur quel pied danser. Il a de la difficulté à choisir ses vêtements tout seul et il me demande toujours mon avis. Je le critique aussi à ce niveau-là: "Quand est-ce que tu vas faire un homme de toi? J'ai déjà bien assez de trois enfants à habiller!" Et quand il décide de s'acheter un vêtement tout seul, je ne suis pas d'accord avec son goût. Quoi qu'il fasse, je le critique. Il ne sait vraiment plus quoi faire pour me faire plaisir. Au niveau monétaire, je m'occupe du budget et je veux aussi tout contrôler. S'il achète quelque chose sans me consulter, je ne le digère pas. Je trouve toujours une raison pour laquelle il ne doit pas acheter ceci ou cela. Il n'en a pas besoin, ou bien il a mal choisi le moment. Il devrait attendre plus tard. *Derrière cette attitude, il y a à la fois mon besoin de tout contrôler et une grosse insécurité financière que je m'efforce de cacher. Quand nous voulons tout contrôler à ce point, c'est qu'intérieurement nous vivons des peurs. Ce qui est triste c'est que ça mène toujours à la perte de contrôle de toutes façons.*

Je contrôle même les visites dans sa famille. Il préfère de beaucoup visiter ma famille. Il aime la compagnie de mes parents, de mes frères et soeurs. Il vient d'une famille anglaise et il n'a que sa mère et deux soeurs. Je lui dis: "Ça fait bientôt un mois que tu n'as pas vu ta famille! Il est temps qu'on y retourne. J'ai pensé que ça serait une bonne idée d'aller les visiter en fin de semaine." Ou alors je les invite simplement chez nous. Je décide pour lui parce que selon moi un bon fils devrait vouloir rendre visite à sa mère plus souvent. Même si je m'ennuie en leur présence, *je me force parce que je crois être de mon devoir de le faire.* En faisant mon devoir, je peux me sentir une bonne personne et une bonne épouse.

Quand je veux le quitter, j'invoque toutes ces raisons pour justifier notre séparation. Je me dis que j'en ai assez de tout décider. Je ne réalise pas qu'en me séparant, je fuis, je n'ai rien appris sur moi. C'est seulement l'année précédant Ecoute Ton Corps, quand je décide d'écrire tout ce

244

que je mange et bois, que je réalise combien j'ai toujours été rigide envers moi-même et les autres. C'est après cette grosse prise de conscience que je commence à transformer ma façon d'agir avec les enfants. Je m'intéresse à ce qu'ils aiment.

Ils écoutent de la musique que je n'aime pas particulièrement et plutôt que de les en empêcher, je fais une entente avec eux. Je leur dis: "Que pensez-vous de mon idée? Je vois que nous avons tous des goûts différents en musique. Quand je suis à la maison, peut-on écouter ma musique? Quand je ne suis pas là, vous pouvez écouter votre musique tant que vous voulez et aussi fort que vous le voulez." Comme je ne suis pas là souvent, ils y gagnent. Cette façon de faire est tellement plus efficace que si j'avais critiqué leur choix et exigé qu'ils n'écoutent plus ce genre de musique.

Le gros point de discussion avec les enfants depuis leur tout jeune âge est le rangement dans la maison. *J'ai l'impression que si je ne dis rien, ils profiteront tous de la situation et que ça sera encore pire. Une autre croyance que j'ai entretenue longtemps!* Je suis convaincue que je dois les chicaner pour réussir à enfin avoir de l'ordre. J'ai mis quinze ans à prendre conscience que *cette croyance ne m'a jamais apporté le résultat désiré,* qui est que tout soit ordonné.

Le fait que j'aie continué tout ce temps-là malgré l'absence totale de résultats heureux m'a montré combien j'ai la tête dure. *Toute cette énergie gaspillée inutilement à m'agripper à mes idées!* Voilà une bonne façon de découvrir si une croyance est bonne pour soi: regarder si elle rapporte le résultat désiré. Si non, il est temps de la laisser de côté. Cela s'appelle "lâcher prise." Et lâcher prise veut dire lâcher notre mental avec toutes ses croyances et se diriger vers **DIEU** avec son amour inconditionnel.

Quand j'apprends qu'il existe une autre façon d'aimer, je commence à devenir plus consciente des besoins des autres. Je me dis que, dans le fond, mes enfants ont de la chance de pouvoir regarder du désordre sans que cela n'affecte leur bonheur. Au lieu de continuer à vouloir les changer, je me dis qu'il serait peut-être profitable pour moi d'être un peu comme eux. Une petite voix en moi prend alors le dessus et me dit: "Quelle sorte de maison ça va être si je deviens comme eux!" *Ce qui me fait souvent tarder à changer ma croyance c'est la peur de devenir le contraire, d'aller à l'autre extrême. C'est une peur irréelle.*

Graduellement je réalise que mes enfants ne sont pas contraires à moi. En réalité ils ne font que se donner le droit d'exprimer leurs différents aspects. Ça nous fait vraiment réagir quand quelqu'un se permet de faire des choses que nous avons jugées inacceptables. Alors je décide de risquer. Je commence à dire à mes enfants que je souhaite de tout mon coeur apprendre à ne plus me laisser déranger par le désordre quand je rentre chez moi. Je leur avoue que je les envie d'être si bien dans leur peau, même si plein de choses traînent.

Vu que j'en suis incapable au début et que je veux m'habituer graduellement à cette nouvelle méthode, je leur demande de ranger dans les pièces que j'utilise régulièrement. Ils ont une entière liberté en ce qui concerne leurs chambres et le sous-sol. Je m'habitue peu à peu à tolérer que leurs chambres soient sens-dessus-dessous. Je ferme leur porte de chambre pour ne pas voir le désordre.

JE SUIS DIEU DANS MES RELATIONS

Je me souviens qu'un jour quelqu'un vient chez moi pour la première fois et veut visiter toutes les pièces. "Oh tu ne lui as pas montré ma chambre!" s'exclame ma fille Monica. Je lui réponds: "Bien oui, ta chambre fait partie de la maison!" "Oh non, ça n'a pas de sens, tu ne peux pas montrer une chambre aussi à l'envers que ça!" ajoute-t-elle. C'est là que je vois qu'en réalité, elle aussi est dérangée par le désordre. Quand mes enfants laissent traîner c'est pour me faire réagir. Ils ont besoin de plus d'espace. Ils ne veulent pas me donner raison tant que moi je ne leur donnerai pas raison. Je comprends enfin qu'un aspect d'eux aime autant l'ordre qu'un aspect de moi aime le désordre. *De temps en temps j'ai besoin de laisser les choses aller, de ne pas tant me stresser, de ne pas tant prendre les choses à coeur...* tout comme eux ont besoin de temps à autre de faire un beau ménage dans leurs affaires.

Alors je commence par ramasser les choses qui me dérangent le plus. Je le fais moi-même, sans rien dire, pour leur donner plus d'espace. Sans mot dire, je ferme les portes d'armoires que mes enfants laissent machinalement ouvertes. Plutôt que de crier ou de les critiquer, je m'organise toute seule sans déclencher de disputes inutiles. Je réalise pleinement l'injustice de mes demandes antérieures. *Je voulais continuellement que les autres me rendent heureuse quand je leur demandais d'agir selon mes attentes.*

Après quelques mois de ce régime, les enfants commencent à ramasser leurs affaires et à fermer les portes d'armoires. J'en arrive au point que même si les portes sont parfois ouvertes, je ne m'en rends même plus compte. L'atmosphère devient de plus en plus paisible.

JE SUIS DIEU WOW!

Ensemble, nous décidons aussi de nous diviser les tâches ménagères. *Je fais une liste de toutes les choses à faire dans une semaine.* Nous en arrivons à quatre tâches par personne, par semaine. Je demande aux enfants de choisir celles qu'ils préfèrent et je garde le reste. En général, ça va bien quelques semaines et je dois leur rappeler leurs engagements. D'eux-mêmes, ils commencent à les tenir de plus en plus. Parfois l'un d'eux vient me trouver: "Je n'ai pas le temps de laver le plancher aujourd'hui mais je vais le faire demain ou après-demain!" Ce n'est pas parfait mais quelle différence dans l'attitude générale. On sent que tout le monde respire un peu mieux.

C'est aussi avec les enfants que j'ai appris à donner sans attentes. *Je n'avais vraiment jamais vu à quel point je donnais souvent avec attentes!* Par exemple, quand je décide de déménager avec Jacques, Tony a alors dix-neuf ans et habite chez moi avec sa petite amie. Je leur annonce: "Jacques et moi avons décidé de déménager ensemble et nous voulons être seuls. Vous devez vous trouver un appartement!" Comme ce sera leur premier appartement, je leur offre de leur donner beaucoup de choses pour les aider à démarrer dans leur nouvel endroit. Je leur donne effectivement presque tout ce dont ils ont besoin, jusqu'au réfrigérateur. Environ deux semaines avant le déménagement, je demande à Tony de m'aider à préparer les boîtes. Il me répond: "Oui, oui!" mais n'est jamais là.

Le jour du déménagement, il est tellement pris dans son propre déménagement qu'il n'a pas le temps de m'aider. Je vis alors de la déception et de la colère! "Avec tout ce que je t'ai donné, tu ne veux même pas m'aider? Je ne peux pas croire que tu ne fais absolument rien pour me remercier en retour!" Il me regarde avec ses grands yeux et me dit: "Bon,

(1985) Je suis la conférencière invitée dans un congrès à Montréal.

(automne 1985) Je fais l'expérience de donner le cours Écoute Ton Corps
à des enfants de 6 à 12 ans.

(1986) En vacances en République Dominicaine avec mes enfants.

(février 1987) L'équipe lors de l'ouverture officielle du Centre de Santé Sainte- Agathe-des-Monts

(été 1990) Party annuel de l'équipe d'Écoute Ton Corps chez moi.

(décembre 1990) Avec trois de mes soeurs chez moi à Prévost.

(décembre 1990) Avec mon conjoint Jacques.

(décembre 1990) À Noël avec mon petit-fils David.

(décembre 1990) Chez moi, party de Noël de l'équipe avec leurs conjoints.

(décembre 1990) Photo de l'équipe lors du brunch bénéfice au restaurant Le Rustik de Châteauguay.

(juin 1990) A l'Hôtel Méridien lors de la célébration organisée pour fêter la vente du 100,000[e] livre Écoute Ton Corps.

(février 1991) Party surprise organisé par l'équipe d'Écoute Ton Corps pour mes 50 ans.

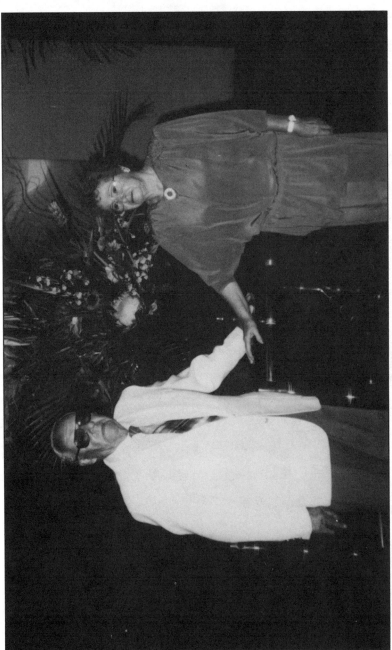

(mai 1991) Mes parents à Maui lors de notre mariage. Ils ont respectivement 78 et 76 ans.

(mai 1991) Avec Jacques, lors de mon deuxième mariage célébré à Maui, Hawaii

(été 1991) Photo avec mes enfants prise chez moi.

(été 1991) Vue sur le lac de chez moi à Prévost. Quoi de mieux pour l'inspiration!

est-ce que tu me les donnes oui ou non tes choses?" Ouf! Je l'ai reçu en plein visage! Je réalise combien nombreuses sont mes attentes. J'avais oublié de prendre des arrangements avec lui. Je sais que j'ai le droit d'avoir des attentes mais elles doivent être clairement définies et exprimées. Il aurait fallu que je dise à Tony: "Il me fait plaisir de te donner telle chose mais en retour je te demande telle chose. Es-tu d'accord?" *J'ai plutôt pris pour acquis qu'il doit être reconnaissant et deviner mes attentes.*

J'ai souvent eu cette attitude dans le passé: vouloir que mes proches fassent de la télépathie et devinent mes besoins. Je me souviens d'avoir souvent vu ma mère agir de cette façon avec mon père. *Je suis heureuse d'enfin découvrir que cette attitude m'apporte plus d'émotions que de bonheur. Il est donc plus bénéfique pour moi de croire à autre chose.* Cet incident m'a bien aidée. J'ai appris à lâcher prise davantage et à ne donner que lorsque je veux véritablement donner. Si je veux donner avec conditions, je le spécifie avant. Cette prise de conscience m'a aussi aidée à être plus claire dans mes demandes.

Quand nous donnons avec conditions non avouées, nous ne sommes pas en contact avec notre **DIEU** intérieur. Nous avons peur de manquer de quelque chose. En réalité, il est tellement plus sage de se dire: "Ça me ferait bien plaisir que quelqu'un m'aide dans cette chose..." mais sans rien exiger et sans attentes que ça se fasse comme nous le voulons. Il s'agit d'être à l'écoute de nos vrais besoins, de faire la demande à notre **DIEU** intérieur qui, lui, s'arrange pour nous faire arriver la personne idéale pour nous au bon moment. Les choses finissent par s'arranger d'elles-mêmes.

Tu as sûrement fait l'expérience de lâcher prise auparavant et d'avoir devant toi une personne qui te suggère ou t'offre exactement ce que tu désires, sans que tu ne lui aies rien demandé. *Ces choses-là arrivent pour te rappeler que tu peux avoir confiance en ton DIEU intérieur.* Tu n'es jamais seul. Tu n'as plus à exiger l'aide des autres. Tu peux demander mais sans attentes. Tu n'as plus à contrôler la personne qui va t'aider. En développant de plus en plus la foi et l'assurance que les choses finissent toujours par s'arranger, les solutions arrivent souvent d'une façon inattendue.

Toutefois, pour apprendre à donner sans conditions, j'ai dû commencer par m'accepter quand je donnais avec conditions. Il y a encore des circonstances où je trouve cela difficile à faire, surtout avec les hommes. En m'acceptant davantage, ça facilite le processus.

Aujourd'hui mes deux fils sont adultes et ils continuent à avoir une conception de la vie qui est parfois différente de la mienne mais nous pouvons en discuter et nous accorder le droit de ne pas avoir les mêmes croyances. Avec eux je me sens maintenant beaucoup plus amie que mère. Tous les deux continuent de m'aider à faire la paix avec l'homme en moi. *Tout ce que j'ai à faire, c'est de garder en mémoire qu'ils sont dans ma vie pour que je puisse me voir à travers eux.*

Je dois avouer que ma fille Monica et moi avons beaucoup de traits en commun. Il est rare que je lui reproche quelque chose car il y a une très bonne harmonie entre nous. Nous pensons de la même façon et elle est presque toujours d'accord avec mes idées. Nous aimons les mêmes choses. Alors avec elle je n'apprends pas vraiment à aimer. Elle est plutôt là pour me rappeler combien l'amour inconditionnel est agréable.

JE SUIS DIEU DANS MES RELATIONS

Dans l'ensemble, je peux dire que je n'ai pas trouvé difficile d'avoir et de vivre avec mes enfants. Je n'ai jamais eu de problèmes majeurs avec eux. J'observais les autres enfants et j'ai toujours préféré les miens. Même si je les critiquais, je leur trouvais aussi des qualités. Avec mon métier de gérante d'équipe, j'avais appris à récompenser les meilleurs de l'équipe par des cadeaux, des trophées, etc. J'ai souvent utilisé cette méthode avec les enfants. Je leur donnais plus d'attention quand ils étaient sages que quand ils faisaient de mauvais coups. Cette méthode a souvent donné de bons résultats. Un autre point dans l'éducation des enfants fut que leur père ne me contredisait pas quand je décidais pour les enfants. Il me faisait entièrement confiance. Ils ont rarement été un point de discorde entre nous.

Mes relations avec mon ex-mari sont de plus en plus chaleureuses. Je le trouve aujourd'hui plus sympathique, plus humain. Il m'arrive de ne pas être d'accord avec lui, surtout en ce qui concerne les enfants, mais *je suis capable de sentir sa motivation à agir comme il le fait*. Il m'est plus facile de le comprendre maintenant. Je le vois se transformer sans cesse pour le mieux. Il a fait une grande évolution d'amour et son cœur est de plus en plus ouvert. Comme il a eu pour modèle un père alcoolique et violent, il aurait facilement pu devenir comme lui. Mais il lui a pardonné et il vit une vie très heureuse avec sa troisième épouse. Il s'est marié l'été dernier et Jacques et moi avons été invités à son mariage.

Quand nous faisons des fêtes de famille, mon ex-mari et sa femme sont invités ainsi que l'ex-conjointe de Jacques, en plus de nos enfants respectifs et nos petits-enfants. Nous nous retrouvons tous ensemble et nous profitons avec plaisir de nos belles relations amicales. C'est ce que j'appelle "se séparer dans l'amour". **DIEU** ne voulait pas notre séparation. La volonté de **DIEU** c'est que nous profitions de chaque incident dans notre vie pour apprendre à aimer davantage. L'important est: "Comment je réagis maintenant face à cette séparation?" *Quel bénéfice y a-t-il à développer de la rancune, des idées de vengeance ou de haine quand cela nous coupe de notre DIEU intérieur, de notre bonheur?*

Avec le temps, j'ai également appris à aimer mon père et ma mère d'un amour différent. J'avais mis mon père sur un piédestal et je refusais de le voir tel qu'il était. Maintenant j'accepte de le voir comme un homme avec des peurs, comme tous les autres hommes. Il a en lui un petit garçon qui a peur, qui vit de l'insécurité et qui ne pouvait pas être démonstratif comme nous le désirions ma mère, mes soeurs et moi. Un jour j'ai demandé à mon père s'il lui arrivait de souhaiter être un peu plus démonstratif, être capable de nous dire combien il nous aime. Il m'a répondu: "Oui, mais j'en suis incapable." *J'ai appris à accepter que même s'il n'est pas exprimé, l'amour est là quand même.*

J'ai toujours pensé que ma mère le dominait et le dirigeait mais aujourd'hui je peux voir que, dans le fond, ça l'arrangeait bien d'avoir une femme qui prenait toutes les décisions. Mon père n'avait pas besoin de tout contrôler pour aimer la vie. Tandis que chez des femmes comme ma mère et moi, notre pouvoir décisionnel nous aide à nous valoriser, à nous sentir importantes. Dans ma vie de couple avec Jacques, en général c'est souvent moi qui décide des détails de notre vie personnelle. Nous gérons notre temps en fonction de mon agenda. En début de semaine, je lui énumère les soirs où je suis libre pour être avec lui. Il organise son horaire en conséquence. Il s'occupe de ses choses à lui quand je ne suis pas là. Je trouve merveilleux d'avoir un homme qui se rend aussi disponible pour moi. En réalité Jacques fait avec moi la même chose que mon père faisait avec ma mère. Ce type d'arrangement nous rend service à tous les deux. Je peux maintenant accepter qu'être un homme ne veut pas nécessairement dire "tout décider". Je peux respecter le fait qu'il y a différentes façons d'être un homme.

Je me souviens qu'au début, quand je me suis aperçue que Jacques voulait que je décide de tout, je l'ai critiqué intérieurement. "Ah non! Pas un autre comme ça qui ne peut pas décider!" J'ai tout de suite compris que les aspects de Jacques qui ressemblaient à certains aspects de mon ex-conjoint étaient là pour m'apprendre à accepter ce que je n'avais pas voulu accepter avec le premier. J'ai ensuite compris qu'avec mon horaire et ma façon d'être, j'étais très privilégiée d'avoir un homme si flexible et toujours heureux de mes choix. Je me suis enfin rendue compte que Jacques, tout comme mon père, ne dit oui que quand ça fait son affaire. Alors il décide autant que moi. Il décide si ma décision fait son affaire! Quand il désire quelque chose de différent de moi, il me le dit et dans la mesure du possible, j'essaie d'y accéder car il fait beaucoup moins de demandes que moi.

En apprenant à aimer davantage, à donner et guider sans attentes, que les gens suivent mes conseils ou non, ça ne me dérange plus. Le secret est de connaître nos préférences, ce qui crée une certaine attente mais de ne pas être attaché à cette attente; être ouvert à d'autres résultats. Ce changement m'aide non seulement dans mes relations mais aussi dans mon travail. Je donne mes cours, je fais des conférences et je suis heureuse de partager une philosophie à laquelle je crois. Que les gens me croient ou non, pratiquent la philosophie proposée ou non, cela ne m'affecte plus. C'est beaucoup moins forçant et exigeant de cette façon. Je peux maintenant animer des ateliers intensifs pendant toute une fin de semaine, en plus de mes grosses semaines régulières, et ne pas ressentir de fatigue ni être vidée d'énergie. Quand une personne ressent de la fatigue après avoir donné un cours ou discuté avec quelqu'un, c'est qu'elle veut imposer ses croyances aux autres. Elle a donc des attentes! Elle n'est pas ouverte aux choix des autres.

Il est bon d'être alerte, vigilant, de s'observer soi-même. J'ai beaucoup de plaisir à me voir me transformer graduellement et à apprendre à être plus vraie. L'été, il arrive que les enfants se présentent chez moi à l'improviste. Je demeure à la campagne sur le bord d'un lac. Parfois ils arrivent en groupe. Je ne les ai même pas invités et ils décident de venir se baigner dans le lac. Je suis toujours contente de les voir, c'est sûr, mais je les avertis: "Aujourd'hui je ne vous ai pas invités. Si vous voulez vous servir du terrain, allez-y mais je ne range rien derrière vous. Je veux qu'après votre départ, il ne reste aucune trace de votre passage ici ...et je n'ai pas l'intention de vous faire à souper!"

La première fois que je fais cela, une petite voix me dit: "Franchement Lise, tu ne vois pas souvent tes enfants, tu pourrais être plus charitable et te forcer un peu plus quand ils viennent." Peu après, Jacques me dit: "Comment peux-tu dire des choses pareilles à tes enfants? Moi je n'en serais jamais capable. Franchement, même si t'as pas le goût de faire le souper, on peut téléphoner et faire livrer une pizza

254

ou autre chose pour eux. Il me semble que ça n'a pas d'allure de ne pas les inviter à souper!" Je demande à Jacques: "Mais toi Jacques, as-tu vraiment le goût d'avoir tout ce monde-là à souper et de nettoyer derrière eux?" Comme toujours Jacques n'est que mon écho, il reflète tout haut ce que je pense tout bas. Après m'avoir répondu "non", je lui dis que je suis en train de me pratiquer à exprimer ce que je veux vraiment. Je lui demande de me laisser une chance de le faire parce que *je veux apprendre à dire ce que j'ai à dire, me donner le droit d'être comme ça.* Je sais que quand j'aurai appris à le faire, je cesserai complètement de juger ceux qui le font.

Cette scène s'est produite à quelques reprises l'été dernier. Je me suis entendue avec Jacques. Les enfants ont été bien moins dérangés que je ne l'ai été moi-même. Ils ne m'ont pas traitée d'égoïste. Pour eux c'est normal. Ils sont tellement francs qu'ils apprécient la franchise chez tout le monde. Si je m'invitais chez un de mes enfants et qu'il n'avait pas le goût de me recevoir, il me le dirait carrément et je sais fort bien que ce n'est pas par manque d'amour. Ils me donnent l'heure juste. Auparavant j'aurais pensé: "Ils sont bien égoïstes ces enfants-là! Après tous les repas que je leur ai faits, pour une fois que je leur demande d'aller souper chez eux, ils me refusent!" *Ce qui me fait le plus plaisir dans tout ça c'est que je peux m'observer, constater ce qui m'arrive sans m'en vouloir quand je ne parviens pas toujours à être la mère parfaite.*

En ce qui concerne mes relations avec mes amis, je me suis toujours considérée privilégiée d'en avoir beaucoup. Très jeune, au couvent et dans mon voisinage, je suis déjà populaire. Avec mes amis et amies je trouve plus facile de me révéler. Ça m'aide à m'équilibrer pendant la période où je ne me révèle pas beaucoup dans ma vie intime et familiale. Avec mes amis, je ne suis pas dans le contrôle. Je me permets de m'abandonner plus, de me laisser aller. Plusieurs amis ont été de passage dans ma vie pendant plusieurs années. C'est toujours avec une immense joie que je revois ces anciens amis. Avec les années, j'ai eu à apprendre à ne pas me sentir coupable d'en laisser tomber quelques-uns. Je développe de nouvelles amitiés et il vient un temps où je ne peux plus toutes les entretenir. Cependant ils sont tous encore là, dans mon coeur. Malgré mon horaire et ma famille, je trouve régulièrement du temps pour les amis. Je dois cependant planifier ces visites à l'avance dans mon agenda, tout comme je planifie d'avance mes vacances.

Je continue à lâcher prise davantage. Dans certains domaines cela se fait lentement, dans d'autres c'est plus rapide. J'apprends à être moins possessive, moins contrôlante, à être vraie et à m'accepter telle que je suis. Les choses s'arrangent comme par enchantement, avec beaucoup moins d'émotions. Ça ne se fait pas du jour au lendemain. J'ai la chance de l'enseigner et ça me permet de l'apprendre plus vite. J'ai commencé par accepter que ça ne se ferait pas tout de suite, que je devais me donner du temps. Ça se fait petit à petit. A certains moments je suis consciente de mon sentiment de culpabilité quand je ne me trouve pas assez correcte selon mes attentes. Je vérifie si ce que j'exige de moi-même est réaliste ou bien si c'est au-delà de mes limites présentes.

Ce qui est extraordinaire c'est que mon DIEU intérieur s'arrange pour qu'il y ait toujours quelqu'un autour de moi pour me refléter ce que je ne veux pas voir. Être l'expression de **DIEU** c'est se voir, se connaître et être

JE SUIS DIEU DANS MES RELATIONS

capable de s'accepter tel que l'on est. C'est pouvoir se dire:
"Bon je suis de telle ou telle façon présentement. Est-ce
selon ma préférence?" Et quand ce n'est pas comme je
veux, j'accepte que cet état n'est que temporaire et non
permanent.

Il se peut que 80% du temps je choisisse d'être la mère
généreuse et que l'autre 20% du temps je sois une mère
plus égoïste. Toutefois ce que j'appelle être une mère
égoïste n'est pas nécessairement perçu comme tel par les
gens autour de moi. Je me vois selon mes valeurs.

*Il est bien important d'accepter que toutes les personnes
que nous avons choisies, même inconsciemment, sont
celles dont nous avons besoin.* Elles sont là pour nous aider
à nous connaître davantage, à nous regarder, à nous aimer
d'un amour toujours grandissant et réaliser que nous ne
pouvons rien voir ni entendre ni percevoir de quelqu'un
autour de nous sans que cela ne nous appartienne. Donc, si
ce que je vois chez les autres me dérange, c'est que la même
chose me dérange en moi aussi. Je m'observe et je découvre
que parfois je suis ainsi mais je ne veux pas me l'avouer
car c'est inacceptable. Ou bien je ne me donne carrément
pas le droit d'être ainsi. Je fais du contrôle. Dans ce cas, il
est plus difficile de m'observer. *Alors plus je refoule et
rejette cet aspect de moi et plus il m'est difficile de
l'accepter chez quelqu'un d'autre.*

Je te suggère de faire l'exercice suivant: Dresse une liste
de tout ce qui te dérange chez une autre personne, ce que
tu vois ou perçois des gens de ton entourage immédiat.
Commence ensuite à graduellement accepter que chacun
de ces aspects-là fait partie de toi, même ceux qui sont les
plus difficiles à accepter. Donne-toi le droit d'être ou de
vouloir être ainsi. *Regarde le bon côté de ce que tu considères*

comme "pas correct" ou "inacceptable". Donne-toi la possibilité d'exprimer certains des aspects que tu as remarqués chez les autres. Sois plus tolérant envers toi-même en acceptant tes peurs et ta vulnérabilité dans certains de tes comportements.

Ensuite fais une liste de ce que tu admires chez les autres et accepte aussi le fait que c'est un aspect que tu possèdes mais que tu ne crois pas posséder. Pour t'aider davantage, dans le dernier chapitre je mentionne le côté positif des aspects de moi qu'auparavant je jugeais négatifs.

CHAPITRE 6
JE SUIS DIEU DANS MON CORPS ET DANS MA VIE PHYSIQUE

Mon **DIEU** intérieur m'a beaucoup contactée à travers des malaises et des maladies physiques. En fait, c'est par le biais de ces messages que je suis devenue plus consciente dans ma vie et cela m'a beaucoup aidée dans mon cheminement personnel. Je suis tellement enthousiasmée des messages du corps que j'ai donné plus de trois cents définitions métaphysiques de différentes maladies dans mon livre "**Qui es-tu?**" Si tu ne l'as pas déjà lu, je te le conseille fortement. *Les messages du corps sont très utiles pour apprendre à nous connaître, à nous aimer davantage et surtout à savoir lesquelles de nos croyances ne sont pas bénéfiques.* Le corps humain est vraiment extraordinaire. Si nous ressentons de la douleur au niveau physique, c'est que nous souffrons dans notre vie mentale, émotionnelle ou spirituelle.

Je reçois mon premier gros message à dix ans: une amygdalite. Comme je l'ai déjà mentionné dans le premier chapitre, ce que mon **DIEU** intérieur essaie de me dire à travers cette maladie c'est que ce serait "correct" d'exprimer ce que j'ai à dire et que je n'ai pas besoin de prendre mon rôle de bonne petite fille modèle tant au sérieux. Au moment de l'incident pour l'argent de mes patins, j'aurais pu me permettre de laisser sortir ce que je ressentais intérieurement sans qu'il y ait des répercussions catastrophiques. Bien souvent la petite fille qui se rebelle et qui a quelque chose à dire est une partie de soi qui veut s'exprimer, s'affirmer. Si nous l'étouffons continuellement, nous aurons de plus en plus de difficulté à la laisser s'exprimer et nous n'oserons plus nous affirmer quand nécessaire. Nous cherchons à nous contrôler mais nous nous sentons de plus en plus mal. Le situation devient finalement incontrôlable.

Si, dès notre jeune âge, nous pouvons apprendre à exprimer aux autres ce que nous avons à leur dire, c'est un atout majeur pour notre vie future. Je n'aurais pas eu à me faire enlever les amygdales si je m'étais donné le droit de dire à ma mère toute la déception, la colère et la peine que je vivais. Ça m'aurait aussi permis de me mettre dans sa peau et comprendre ce qu'elle vivait, elle aussi, à ce moment-là. J'aurais pu à la fois m'affirmer, réclamer mon dû et ressentir de la compassion pour ma mère.

Adolescente, je reçois d'autres signaux de mon corps. Entre seize et dix-huit ans, je m'évanouis souvent. Intérieurement, je sais très bien que je me prépare à prendre une grande décision et que je vais quitter mon petit village pour aller vivre à Montréal. Même si c'est mon plus grand désir, j'ai très peur de faire face à l'avenir. *Je ne suis pas consciente de cette peur, sinon mon corps n'aurait pas eu besoin de me parler* à travers ces évanouissements. S'évanouir est une façon de fuir une situation. Notre corps est tellement merveilleux! Notre **DIEU** intérieur passe à travers lui pour nous apprendre quelque chose de nous que nous ne savons pas encore ou que nous ne voulons pas voir. Il veut nous aider à *revenir sur la route de l'amour, la foi, la confiance, plutôt que de rester sur le chemin de la peur.*

JE SUIS DIEU DANS MON CORPS
ET DANS MA VIE PHYSIQUE

Ensuite mon corps vient me parler par des problèmes de menstruations. Ce n'est que depuis quelques années que ça va mieux de ce côté-là. Mes menstruations ne sont pas particulièrement douloureuses mais très irrégulières. Elles sont parfois très longues et je perds du sang en abondance pendant huit à neuf jours. Ça ne m'affaiblit pas assez pour m'empêcher d'aller travailler mais j'y goûte à chaque mois. J'ai aussi un cycle irrégulier, de quarante et cinquante jours. Mon **DIEU** intérieur cherche à me signaler que je n'accepte pas ma féminité comme je devrais le faire. Vu que je n'accepte pas l'homme en général, je ne veux pas être séduite par lui. En refoulant ma sexualité, j'ai moins de risques de me faire avoir par un homme. Souviens-toi que depuis mon enfance, *l'idéal que je me suis fait d'un homme est irréaliste et j'exige ce même idéal de mon homme intérieur.*

Ce faisant, je fais tellement travailler l'homme en moi que la femme en moi est automatiquement refoulée, non exprimée dans sa totalité car elle est trop sur ses gardes et occupée à pousser l'homme en moi. Adolescente, je critique beaucoup les garçons de mon âge qui sont, à mon avis, très immatures. Je suis attirée par des garçons qui ont plusieurs années de plus que moi.

Dès qu'un aspect de soi n'est pas accepté, son aspect contraire est débalancé. Par exemple, tant que je n'ai pas accepté mon aspect traîneuse, mon aspect ordonnée était très contrôlé. C'est la même chose pour les aspects féminin et masculin en soi. Je me suis souvent fait des accroires. Je pensais que j'étais d'une certaine façon mais en réalité j'exprimais tout le contraire. J'étais toujours la dernière à m'en rendre compte. Je refusais ma sexualité mais je m'habillais de façon attirante pour les hommes.

JE SUIS DIEU WOW!

On peut facilement remarquer ce même phénomène partout. *Une personne se voit d'une certaine façon et tout son entourage constate qu'elle exprime le contraire.* C'est toujours signe qu'un aspect n'est pas accepté, donc que la personne exerce du contrôle. Avec ce message de menstruation, mon corps me dit aussi que ma vie de femme manque de joie. Tout problème relié au sang indique un manque de joie.

Quand je commence à être menstruée, à l'âge de onze ans, ma vue se met à baisser et je deviens myope très vite. Mon corps me dit: "Arrête donc d'avoir peur de ton avenir de femme!" En devenant menstruée, il n'y a plus aucun doute possible, je deviens une femme et c'est une réalité difficile à accepter, inconsciemment bien sûr. Avec du recul, tous ces messages sont devenus clairs, faciles à interpréter. A onze ans, l'idée d'être une femme, en plus de tout ce que j'exige de l'homme en moi n'est pas trop agréable à envisager. Une bonne raison pour désirer encore plus être un garçon!

Même l'optométriste qui m'a suivie pendant près de trente ans m'a dit avoir remarqué que la grande majorité des petites filles dont il fait l'examen de la vue vivent ces deux symptômes simultanément. Il sait qu'il y a un lien entre les menstruations et la myopie mais ne peut l'expliquer. Il m'en a parlé quand il a examiné ma fille, à qui le même phénomène est arrivé. Comme la myopie empêche de voir au loin, mon corps me dit: "Tu ne veux pas voir ta vie future en tant que femme, très bien, je vais accéder à ton désir. Je vais t'arranger pour que tu vois seulement ton présent". En réalité, *Mon DIEU intérieur veut m'aider à me ramener sur la voie de l'amour de la vie plutôt que la peur.*

JE SUIS DIEU DANS MON CORPS
ET DANS MA VIE PHYSIQUE

À l'âge de quarante et un ans, le message des yeux devient plus fort. J'ai une grave infection due à une bactérie dans mon oeil gauche. À cette époque-là, je travaille pour la compagnie Belkraft International. Je passe dix jours à l'hôpital. Je suis isolée parce que les médecins craignent que cette bactérie soit contagieuse. Je suis sûre que ma dernière heure est venue. J'ai tellement mal que je n'en dors plus. Dès que je parviens à m'assoupir un peu, quelqu'un entre dans ma chambre pour m'injecter des antibiotiques directement dans les yeux. Je reçois ce traitement à toutes les heures. J'ai aussi d'autres antibiotiques par intraveineuses. Il y a de la circulation jour et nuit dans ma chambre d'hôpital, la lumière s'allume à chaque heure. Les stores, eux, sont toujours fermés vu que je ne peux même pas faire face à la lumière du soleil ou du jour. Il y a sans cesse du va-et-vient dans ma chambre: injections d'antibiotiques aux heures, pouls, température, repas, ménage de la chambre...

Je dois aussi continuer à gérer les affaires de Belkraft. J'ai eu une permission spéciale pour que ma soeur, qui est ma secrétaire, vienne me visiter chaque jour. Elle m'apporte le courrier et me demande mes instructions pour la journée. Ni elle ni moi n'étions préparées pour ce long séjour à l'hôpital. Cet incident se produit la même semaine que le début de notre exposition au "Salon de la Bonne Bouffe". Plusieurs décisions de dernière minute doivent être prises et ma soeur n'a jamais organisé une telle exposition.

Je fais chaque jour des efforts surhumains pour faire ce travail. Mon médecin est furieux, il ne veut pas que je sois dérangée et encore moins me voir travailler. Il craint que la bactérie apparaisse dans l'autre oeil. Je ne l'écoute pas,

je fais à ma tête. *Mes engagements passent avant tout.*
Comme toujours, je suis très exigeante envers moi-même.
À ma sortie de l'hôpital, au bout de dix jours, mon
système nerveux est complètement ébranlé. La moindre
petite chose m'irrite terriblement. Physiquement c'est l'expérience la plus difficile que j'ai eu à vivre. C'est un autre
message de mon **DIEU** intérieur mais cette fois-ci, quel
message! Il est grand temps pour moi de voir que j'ai
d'autres choses à faire dans la vie que le travail que je fais
présentement. Depuis quelques mois je ne suis plus aussi
enthousiasmée par mon travail. Je me sens moins heureuse.
En apparence, tout va bien mais j'ai toujours le sentiment
qu'il me manque quelque chose. Il y a des tas de choses
que je ne veux pas voir. Je ne peux pas m'imaginer faire
autre chose. Ma personnalité contrôlante est de plus en plus
dominante. Je fonctionne surtout avec l'homme en moi. Je
ne travaille qu'avec des hommes. Je vis dans un monde
d'hommes et je suis un des hommes. C'est l'univers dans
lequel j'évolue depuis déjà trois ans. Je suis une des deux
seules femmes employées chez Belkraft au niveau régio-
nal.

Mon problème étant à l'oeil gauche, c'est donc mon côté
féminin qui est touché et qui me dit: "Vas-tu enfin t'ouvrir
à la femme en toi? Quand vas-tu te décider à suivre ton
intuition, y aller selon tes désirs? Arrête de vouloir atteindre
cet idéal d'homme que tu t'es donné. Il te sera impossible
d'y arriver. Tu t'en demandes trop et pendant ce temps, c'est
la femme en toi que tu négliges!" Mon message est très fort
mais je ne sais pas ce que ça veut dire. Je ne connais pas
encore les messages métaphysiques. Même le médecin va
dans le même sens que mon **DIEU** intérieur. Il me donne
un repos minimum de deux mois. Mais je n'écoute pas ses

JE SUIS DIEU DANS MON CORPS
ET DANS MA VIE PHYSIQUE

conseils. Je retourne tout de suite au travail à ma sortie de l'hôpital. J'engage quelqu'un pour conduire ma voiture car je ne vois que d'un oeil.

Vu que je n'ai pas encore compris le message, mes guides doivent donc utiliser le biais des rêves pour enfin m'atteindre. Au printemps 1982, je fais le rêve prémonitoire qui va me guider vers Ecoute Ton Corps. C'est la première fois de ma vie qu'un rêve est assez puissant pour que j'y pense à tous les jours. Plus l'idée de donner des cours de croissance prend forme en moi et plus mon oeil guérit vite. Le médecin est stupéfait. Selon lui, comme la cornée a été complètement détruite par les bactéries, j'aurais dû avoir une transplantation environ six mois après que la plaie se soit cicatrisée.

Les événements entourant cet incident tiennent presque du miracle dès le début. L'infection a débuté lors d'une convention de Belkraft au sud de l'Ontario, environ dix heures de voiture de chez moi. Je ne peux pas conduire mon auto pour revenir. Je souffre beaucoup. L'oeil me brûle de plus en plus. Le soir de mon arrivée, je me rends à la clinique la plus proche et le médecin me donne des gouttes en disant que ce n'est qu'une infection bénigne. Le lendemain matin, après avoir à peine fermé l'oeil de la nuit, une petite voix intérieure crie très fort pour que j'aille à l'hôpital. C'est surprenant venant de moi parce que je ne suis généralement pas attirée par les hôpitaux ni les médicaments.

Ma soeur accepte de me conduire à l'hôpital et je découvre que l'hôpital que j'ai choisi est celui où se trouvent les plus grands spécialistes pour les yeux. **WOW!** *C'est ça être guidée par mon DIEU intérieur!* Le médecin m'annonce que cette bactérie, qui se multiplie à une vitesse phénoménale, aurait détruit mon oeil si j'avais attendu une journée de plus pour me rendre à l'hôpital. De retour chez moi, il me prescrit trois différentes sortes de médicaments à prendre tous les jours. Je finis par les jeter dans les toilettes au bout de deux semaines. Je ne sais pas encore que le corps parle par les maladies mais je crois beaucoup à la puissance du subconscient. Je parle donc à mon corps en lui disant: "Le pire est fait, les médecins ont arrêté la bactérie, maintenant toi, mon corps, fais le reste, guéris-toi, je te fais confiance!" *Je ne le sais pas à ce moment mais en réalité je parle à mon DIEU intérieur.*

Je continue cependant à aller voir mon médecin une fois par mois pour confirmer que mon corps fait bien son travail. Mon cas est exceptionnel. Le médecin en charge du département spécialisé pour les yeux a sa petite troupe d'internes autour de lui quand il m'examine. Ils sont tous heureux de voir à quel point la guérison progresse vite parce qu'ils ont même craint que l'infection ne gagne l'autre oeil. Je ne leur ai jamais dit que j'avais supprimé les médicaments. Pour moi, ç'aurait été un acte d'orgueil. Le médecin n'a jamais su pourquoi j'ai refusé la transplantation de la cornée. Après trois mois, j'ai arrêté de lui rendre visite.

Aujourd'hui je n'ai même plus de myopie de l'oeil gauche. Il me reste encore un mince voile sur la cornée qui m'empêche de voir complètement bien. Quand je suis au soleil, ce voile disparaît tout à fait. Je constate que depuis ce temps je suis beaucoup plus ouverte à mon intuition féminine. C'est pourquoi la myopie de cet oeil s'est guérie. J'écoute beaucoup plus mon intuition sans l'analyser. J'ai pu faire également le lien avec ce que j'ai vécu dans ma vie passée avec mon associé. Dans cette autre vie, c'est exac-

JE SUIS DIEU DANS MON CORPS
ET DANS MA VIE PHYSIQUE

tement au même âge que je m'étais crevé l'oeil gauche. La différence c'est que dans ma vie précédente, je n'ai pas modifié mon comportement. Voilà pourquoi *j'ai eu à revenir vivre la même expérience mais pour la dépasser cette fois-ci.*

Mon oeil droit est encore myope et je dois continuer à porter des lunettes pour voir au loin. J'en ai surtout besoin pour conduire et quand je donne des cours et des conférences. Il est important que je vois les yeux des gens. Mon corps sait qu'un jour je veux en arriver à me libérer de mes contraintes concernant le futur à un point tel que je vais finir par me défaire totalement de cette myopie. *Je me donne le temps d'y arriver.* Le fait que je sois obligée de porter des lunettes me rappelle que j'ai besoin d'aide extérieure pour mieux voir, dans tous les sens du terme. Intérieurement, je sais que je vais me guérir de cette myopie de l'oeil droit qui est reliée à mon côté masculin. Ça se fera le jour où j'accepterai totalement l'homme en moi, avec tout ce que ça implique.

Mais retournons en arrière. Au début de mon mariage, je fais plusieurs fausses-couches inexpliquées. Je passe toutes sortes d'examens pour en déceler la raison. Mon médecin me dit que je manque d'hormones féminines. Il me demande de l'avertir dès que mes menstruations sont en retard de quelques jours. Il me donne aussitôt une forte dose d'hormones féminines à prendre. J'en conclus donc que ces fausses-couches sont aussi reliées au fait que mon principe masculin est plus fort que mon principe féminin.

Les trois enfants que j'ai portés se sont rendus à terme sans problèmes. Un fait intéressant à noter c'est que mes deux garçons sont nés deux semaines après la date prévue par le médecin. Ils n'étaient pas pressés de venir au monde et sentaient sûrement ma non acceptation de l'homme. Je me souviens que ces semaines de retard ont été très longues, les deux fois. Je parlais aux bébés, je les suppliais de naître, je perdais patience. Ils sont nés quand ils ont bien voulu naître. Je n'ai pas eu de contrôle. Avec ma fille, le contraire s'est produit. Elle est née exactement à la date que je lui avais demandé. Rien n'est laissé au hasard. Tout est là pour nous aider sans cesse à nous connaître mais malheureusement, il nous est impossible de devenir conscients de tout en même temps. *Notre DIEU intérieur connaît la vitesse à laquelle nous pouvons aller et nous devons accepter ce rythme.*

Aussi j'ai pu remarquer un autre phénomène physique depuis quelques années. Depuis mon adolescence, mon sein gauche est plus volumineux que le droit, presque le double. Plus je deviens consciente des besoins de l'homme en moi et plus mon sein droit s'est développé pour enfin atteindre le même volume que l'autre. Je ne peux expliquer ce phénomène davantage mais je suis convaincue qu'il existe un lien direct entre le volume de mes seins et l'homme et la femme en moi. Comme le sein est relié au côté maternel de l'être humain et que le côté droit du corps est relié au principe masculin, c'est peut-être que je "materne" plus l'homme en moi, en étant moins exigeante.

Je commence aussi à faire des crises de foie après la venue des enfants. Le foie est le foyer de la colère refoulée. Je vis souvent de la colère parce que les choses ne vont pas selon mes attentes. Ma colère est presque toujours refoulée parce que la partie raisonnable en moi dit que ce n'est pas correct de vivre de la colère. Aussi, me choquer est difficile parce qu'il faut me déchoquer après. Je crois que me déchoquer veut dire admettre que l'autre a raison. Cette

JE SUIS DIEU DANS MON CORPS
ET DANS MA VIE PHYSIQUE

admission me fait avoir peur de perdre le contrôle. Il y a donc deux croyances non bénéfiques pour moi qui sont à la base de ce problème.

Avec toute cette colère refoulée, j'ai aussi des maux de gorge et des laryngites pendant plusieurs années. *Quand on ne veut pas comprendre un message, notre DIEU intérieur s'arrange pour nous parler autrement.* Il y a souvent plusieurs malaises et maladies qui sont liés ensemble. Parfois se défaire d'une croyance peut éliminer plusieurs problèmes à la fois. Mon **DIEU** intérieur me dit qu'il serait bon pour moi d'exprimer ce que j'ai à dire sans accuser les autres ni vouloir les changer. *Je n'ai qu'à voir l'amour dans les choses que j'entends des autres.* Le mal de gorge arrive souvent lorsque quelqu'un nous dit quelque chose qui ne fait pas notre affaire et, au lieu d'exprimer ce qui se passe en nous, nous critiquons intérieurement. La colère est alors refoulée. Bien souvent nous oublions de voir la motivation de l'autre personne, sa façon à elle de concevoir la vie.

Quand nous nous rencontrons chaque semaine, il arrive que mon associé me fasse plusieurs remarques sur ma façon de travailler. Il me dit souvent que si Ecoute Ton Corps souffre financièrement c'est parce qu'il y a quelque chose de pas correct en moi. Il faut que je change. Je vis beaucoup de colère parce que je trouve qu'il a tort de me lancer cela sans me donner la solution. Quand je lui demande s'il peut pointer le problème du doigt, il me répond que c'est à moi de le découvrir. Je me sens rabaissée et je l'accuse intérieurement de me faire sentir basse, pas bonne, inadéquate. *Je ne veux même pas admettre qu'il est l'écho de ce que je pense de moi.*

En même temps, je me sens coupable de ne pas pouvoir identifier le problème. Mais je ne réussis pas à exprimer à mon associé comment je me sens et je rentre chez moi frustrée. Combien de maux de gorge et de laryngites apparaissent suite à nos rencontres! Mon corps me conseille de plutôt m'attarder à la pensée que mon associé ne veut que le bien d'Ecoute Ton Corps. Il ne sait tout simplement pas dans quels mots me le dire. Il ne me parle pas ainsi parce qu'il ne m'aime pas, bien au contraire! Je le critique et je lui en veux parce que je ne suis pas d'accord avec sa façon de me le dire. Je veux même contrôler la façon dont les gens me parlent. Mais il est impossible de contrôler les autres à ce point-là! Mon **DIEU** intérieur m'avertit d'écouter mon associé avec plus d'amour et de compréhension; d'arrêter de vouloir que tout soit à mon goût. Quand je finis par comprendre mon message, le mal de gorge disparaît. Quand il revient, c'est parce que je retourne dans ma tête.

Nos malaises ont toujours quelque chose à nous apprendre au niveau de l'amour. C'est notre **DIEU** intérieur qui nous fait voir que nous n'obéissons pas aux lois divines de l'amour. Les maux de gorge sont aussi reliés à notre créativité. Il y a beaucoup de retenue à cause du fameux contrôle; nous ne pouvons donc pas véritablement créer notre vie de façon bénéfique pour nous.

Ma tendance à me retenir et à vouloir contrôler, en plus de me causer des maux de gorge, se manifeste au niveau physique par la constipation. Certaines personnes sont plus portées à retenir les liquides et à enfler. Mon message à moi c'est la constipation. Il y a beaucoup d'autres maladies qui sont reliées au contrôle. Mon corps me dit tout simplement qu'*il serait bon que je lâche prise et que je laisse aller mes vieilles idées*. Mes valeurs et mes croyances sont si fortes que je suis sûre d'avoir raison. Je refuse donc de lâcher prise. Aussitôt que quelqu'un remet en question ma façon de penser ou d'agir, donc mes croyances, je ne l'accepte pas. Je fais tout pour convaincre l'autre d'accepter ma vision plutôt que d'écouter ce que l'autre veut me dire. *Je ne m'ouvre pas assez aux idées des autres.* Aujourd'hui il y a une nette différence. Il m'arrive à l'occasion de souffrir de constipation mais ça ne dure pas bien longtemps car je suis tout de suite alerte au message.

Quand je deviens très active avec Tupperware, j'ai souvent des maux de jambe. Le médecin me dit que c'est un début de rhumatisme. Un autre me dit que c'est de l'arthrite. Ce que mon corps me dit c'est: "Utilise tes jambes pour aller de l'avant avec joie plutôt qu'avec force!" J'ai l'attitude qu'il faut que je fasse tout par moi-même pour avancer dans la vie car je ne peux me fier à personne, pas même à mon conjoint. Quand c'est le "il faut" qui nous motive dans la vie, tout devient lourd: c'est exactement ce que je ressens dans mes jambes, une grosse lourdeur!

Derrière cette attitude se cache aussi une peur inconsciente. Je suis donc motivée par la peur de ce qui va m'arriver plus tard si je ne suis pas assez active maintenant. Aujourd'hui je suis plus active que jamais mais ma motivation n'est plus la même. Je n'ai plus jamais ces maux de jambe car maintenant je suis motivée par tout ce que j'apprends en étant plus active. Je choisis d'être plus active car je sais que plus je mets mon potentiel en pratique et plus je découvre **DIEU**.

Une autre indication du manque de joie est l'apparition de varices aux jambes. J'ai déjà mentionné que tout problème de sang est relié au manque de joie dans notre vie. *Un bon moyen pour ramener de la joie c'est d'être plus enfant, moins raisonnable, plus spontané, ne pas prendre les choses tant au sérieux.* Je n'ai maintenant presque plus de varices. Elles disparaissent peu à peu chaque année. Une autre preuve que le corps est merveilleux! Si on écoute la croyance populaire, avec l'âge les femmes sont censées avoir plus de varices! J'ai décidé de ne pas croire à cela!

J'ai aussi eu des migraines qui sont revenues à plusieurs reprises. Ce message est relié au pouvoir de créer notre vie. Quand nous avons des migraines, c'est que nous ne sommes pas dans notre "Je suis" comme nous le devrions. Les migraines sont reliées à notre véritable individualité. Nous nous "cassons la tête" et pendant ce temps, nous ne sommes pas à l'écoute de notre **DIEU** intérieur. Nous mettons de l'énergie au mauvais endroit. Nous en oublions de créer notre vie comme nous le désirons. Les maux de tête m'arrivent immanquablement quand je me tape sur la tête, quand je me critique intérieurement pour quelque chose. Mon **DIEU** intérieur m'aide ainsi à devenir consciente de cette critique pour que je la cesse. *La volonté de DIEU c'est que nous nous aimions même si nous ne répondons pas toujours à nos attentes.* Je n'ai maintenant plus de migraines, seulement des maux de tête à l'occasion.

Tout comme mon père, j'ai eu des torticolis pendant plusieurs années. Au début, je me dis que c'est héréditaire, que je suis comme mon père. Comme avec le torticolis il est difficile de tourner le cou de gauche à droite, le message de mon corps est: "Je veux te faire comprendre qu'en ce moment tu ne veux voir seulement que ce qui fait ton affaire. Tu es trop rigide. Tu ne veux pas voir tous les aspects de la situation. Réalises-tu que cette attitude te ralentit et te fait mal?" Ces torticolis m'arrivaient lorsque je me rendais compte d'une situation où j'avais une mise

JE SUIS DIEU DANS MON CORPS
ET DANS MA VIE PHYSIQUE

au point à faire mais que je refusais de la faire. Je faisais semblant de ne rien voir pour retarder cette mise au point. Une autre attitude basée sur la peur!

Avec un mal de cou, il est intéressant aussi de noter s'il est douloureux de faire le signe de tête non ou oui. S'il est douloureux de faire non, notre corps est en train de nous dire que nous avons de la difficulté à dire non à une situation ou à quelqu'un. Il serait dans notre intérêt de dire non sans s'accuser, sans se sentir coupable. La même chose s'applique pour le oui.

Pendant plusieurs années j'ai souvent eu des crampes aux orteils, pieds, mollets et cuisses. Elles me disaient d'arrêter de tant m'accrocher et de lâcher prise. *J'ai beaucoup de messages pour me dire de lâcher prise, d'avoir davantage confiance, d'avoir moins peur.* Il est intéressant de noter que mon corps me dit que j'ai des peurs inconscientes mais qu'au même moment, je crois sincèrement que je ne suis pas peureuse. J'ai le comportement d'une personne brave car je suis courageuse.

Autre message très révélateur dans ma vie: les vaginites que j'ai eues pendant les quinze années de mon premier mariage. Ça m'arrive au moins deux fois par année. Je reviens de chez le médecin avec une prescription d'antibiotiques et la recommandation de ne pas faire l'amour pendant au moins dix jours. Pour moi c'est un merveilleux problème! C'est en quelque sorte une façon inconsciente de diminuer les relations sexuelles que j'appréhende tant. Les vaginites résultent aussi de toutes les colères qui restent enfouies à l'intérieur de moi reliées à ma sexualité refoulée. Je vis souvent de la culpabilité car je suis relativement consciente du fait que j'utilise le sexe comme moyen d'échange. Je ne m'aime pas dans ce rôle mais *je veux tellement garder le contrôle et ne pas me laisser aller que je continue ce même comportement.* Voilà un exemple de maladie qui apporte un cadeau. Une bonne raison pour ne pas l'arrêter!

J'ai remarqué ce comportement chez beaucoup de gens. Plutôt que de changer une attitude non bénéfique, nous préférons nous rendre malades pour arriver à nos fins. Ces vaginites on cessé au moment où j'ai quitté mon premier mari. J'ai eu d'autres culpabilités sexuelles par la suite, durant les années qui ont suivi ma séparation mais j'étais consciente de ces culpabilités! C'est pour cela que mon corps physique n'avait pas à me le dire. C'est plutôt le corps émotionnel qui souffrait.

Pendant les deux dernières années de mon association, j'ai mal au coude droit. Le bout du coude, juste sur l'os, se met à élancer soudainement. Je finis par découvrir que ce mal me dit que j'ai peur de rester coincée dans une nouvelle situation. Comme le coude nous aide à plier le bras pour nous permettre d'embrasser quelqu'un, métaphysiquement un mal de coude nous avertit que nous avons de la difficulté à embrasser une nouvelle situation. Cette difficulté vient de notre attitude et non de la situation en particulier. Plus mon associé me dit que je dois changer et transformer quelque chose en moi pour vivre quelque chose de nouveau et de prospère à Ecoute Ton Corps et plus ça me fait peur. Je lui résiste, je ne m'ouvre pas à ce qu'il a à me dire. Je suis trop occupée à le critiquer. Ce signal est très bénéfique pour moi.

Il continue à l'occasion de m'arriver et je lui en suis bien reconnaissante. Il m'aide à devenir consciente quand j'ai des doutes sur quelque chose de nouveau que j'entreprends. En sachant que j'ai peur, il est plus facile pour moi de vérifier si mes peurs sont bien fondées ou non. Je sais maintenant que *parfois mes peurs m'indiquent que je veux aller trop vite ou que ce que j'entreprends est au-delà de mes limites présentes.* Je peux donc prendre une meilleure décision pour moi. Si mes peurs sont irréelles, mon coude me dit: "Vas-y, embrasse cette nouvelle situation avec confiance. **DIEU** est toujours en toi pour te guider."

Comme je suis une personne qui a besoin de défis, je dois prendre beaucoup de décisions et de risques dans ma vie. Quand j'hésite et doute de moi, de mon **DIEU** intérieur, un moyen que mon corps a souvent utilisé est le mal de dents. J'ai la bouche pratiquement remplie de plombages dentaires, accumulés au cours des années. Depuis que je me suis familiarisée avec la signification métaphysique du mal de dents, je suis heureuse de ne plus avoir aucune nouvelle carie dentaire. Auparavant, j'en avais régulièrement à chaque année. Aussitôt que je commence à avoir mal aux dents, je prends un temps d'arrêt et je vérifie à l'intérieur de moi quelle décision me cause de l'inquiétude. *Comme toujours, mon DIEU intérieur, m'aide à passer de la peur à la foi.*

Un des gros messages que j'ai eu est le mal de dos. Il a duré plus de quinze années sans arrêt. Il débute quand je me marie et cesse quand je commence à faire ma démarche intérieure. Ce n'est pas surprenant avec l'attitude de tout me mettre sur le dos et de ne pas me laisser soutenir par mon mari et mes enfants à cause de mon manque de confiance en eux. Si quelqu'un m'avait dit que j'avais cette attitude, j'aurais répondu: "Ce n'est pas de ma faute, j'y suis obligée. Je n'ai pas grand choix, quelqu'un doit s'occuper de tout. Si j'arrête de le faire, je me demande où s'en

277

irait toute la famille. Une chance que je suis là!" Je ne le disais pas dans le temps, mais je le pensais. Le mal au dos arrive à quelqu'un qui est insoutenable et qui se croit indispensable pour le bonheur et la réussite des autres. Elle croit aussi détenir la vérité. Toutefois cette personne se plaint qu'elle en a trop sur le dos et qu'elle aimerait bien se faire aider, se faire soutenir.

Avec l'attitude de vouloir tout diriger à notre goût, après un certain temps notre entourage finit par ne plus vouloir nous aider. Ils ont l'attitude: "Tu veux toujours que ce soit à ton goût? Fais-le donc seul." Dans le fond, ils ont bien raison. Il est très frustrant de vouloir soutenir quelqu'un d'insoutenable. Le mal de dos disparaît quand on accepte l'aide des autres à leur façon ou qu'on fait seul ce qu'on veut particulièrement à notre goût, sans se plaindre.

Il est facile de constater que mes messages physiques m'indiquent que je ne veux pas voir plusieurs aspects de moi. Je dois donc me forcer à paraître le contraire. C'est ainsi que je deviens contrôlante et portée sur la critique. *Ma façon de critiquer m'indique à quel degré je m'accepte.* Comme je critique beaucoup et dans de nombreux domaines, il est évident que je ne m'accepte pas encore beaucoup.

J'agis de la même façon avec les autres. Personne n'y échappe, je critique partout et tout le monde. Quand je suis un cours, je passe le professeur au peigne fin. Quand je ne critique pas sa tenue vestimentaire ou sa diction, ce sont ses fautes au tableau que je remarque. Quand je vais au restaurant, j'examine tous les gens aux autres tables, je les critique et je les juge sans les connaître. Quand je rentre à la maison ce n'est pas différent. Dès que je passe le seuil de la porte, je commence. Le conjoint et les enfants y passent à tour de rôle. Les années où j'ai une femme de ménage, je n'aime pas sa façon de procéder et j'ai toujours quelque chose à lui reprocher. Toutefois, la plupart de ces critiques ne sont pas exprimées verbalement. Je les garde en moi. Quand je décide de les exprimer, à cause de cette forte retenue, elles sortent sur un ton accusateur. À mon travail, je veux apprendre à déléguer des tâches mais je veux tellement que tout soit à mon goût que je n'y parviens pas.

D'ailleurs, les personnes qui ont de la difficulté à déléguer sont, sans exception, des personnes qui ont la critique facile, à cause de leurs attentes. Pourtant, *il est si agréable de pouvoir déléguer!* Depuis que j'ai appris à le faire, je trouve extraordinaire que d'autres personnes puissent faire mes choses. Maintenant je sais que même si elles ne s'y prennent pas de la même façon que moi, elles peuvent obtenir de merveilleux résultats.

Ce qui m'a énormément aidée, c'est quand j'ai réussi à accepter que d'autres personnes donnent les cours que j'ai créés, à leur manière. Je forme moi-même mes animateurs et je les suis de près. Ils sont régulièrement filmés sur vidéo et quand je les regarde faire, je m'aperçois qu'ils n'expliquent pas la matière comme je le fais mais je me dis: "C'est correct pareil! Pourvu qu'ils aident d'autres personnes à s'aimer davantage; dans le fond, c'est tout ce qui importe." Je les reprends uniquement lorsque je sens qu'ils ne transmettent pas la notion d'amour véritable. Parce que je les accepte, je reçois des bons commentaires. Je donne des conférences un peu partout et les gens viennent me trouver pour me dire combien ils ont aimé tel ou tel animateur. Au début, quand j'avais de la difficulté à accepter que la matière ne soit pas donnée à ma façon, les gens me le reflétaient bien. Ils venaient me dire: "On aurait mieux aimé que tu nous donnes le cours toi-même parce qu'on n'a pas tellement aimé l'animatrice!" Ces situations arrivaient parce que je n'avais pas encore lâché prise.

Ça ne fait que quelques années que je suis consciente de m'être toujours autant critiquée que je critiquais les autres. Encore une autre chose que je savais avec ma tête mais qui n'était pas encore intégrée en moi. *Quelle différence entre savoir quelque chose avec notre intellect et le savoir dans nos "trippes", le sentir en soi. Je savais que notre attitude avec les autres est un reflet de notre attitude intérieure.* Mais je n'avais pas fait le lien en ce qui concerne la critique. J'avais l'impression que je m'aimais, que j'étais sûre de moi, que je connaissais tout mon potentiel. Je ne savais pas que m'aimer, c'est m'accepter même quand je n'exprime pas toujours mes qualités les meilleures.

Aujourd'hui j'accepte de plus en plus mon côté critique. Quand je me surprends à critiquer autour de moi ou à me critiquer, ce n'est pas ma préférence mais au moins c'est plus facile à accepter. Ça m'aide à constater que j'ai encore des attentes. Cependant ces attentes sont généralement motivées par mon désir de vouloir faire du bien à l'autre ou à moi-même. Je me console en sachant qu'il y a de l'amour derrière mes critiques. Il me faut tout simplement plus de temps pour en arriver à tout accepter sans attentes. Les critiques qui me nuisent le plus émotionnellement et physiquement sont celles que je fais en me sentant supérieure, quand j'abaisse l'autre.

Suite à mes observations, ce qui semble affecter le plus l'humain et lui créer le plus de malaises physiques sont la critique, la colère, la rancune et la culpabilité. La critique nous durcit, la colère nous fait bouillir et cause de l'infec-

JE SUIS DIEU DANS MON CORPS
ET DANS MA VIE PHYSIQUE

tion, la rancune nous ronge à l'intérieur et la culpabilité nous fait rechercher une punition, comme un accident ou une douleur quelconque. La maladie est la bataille entre le coeur et la tête.

Cette bataille entre le coeur et la tête est aussi une indication de la rivalité entre le principe féminin et le principe masculin en soi. Les deux ne demandent qu'à vivre dans l'harmonie. *La tête doit être au service du coeur et non l'inverse.*

Maintenant, passons des messages du corps à l'entretien de ce dernier. Notre corps a besoin d'activités physiques et de divertissements. Jacques, mon conjoint, est très physique et m'aide beaucoup dans ce domaine. Il m'aide à me rebrancher physiquement. Ensemble, nous faisons de la marche, du ski de fond l'hiver, de la natation l'été et nous aimons bien la danse aussi. Faire l'amour avec lui est aussi une activité physique très agréable.

Quand la température le permet, je fais ma méditation matinale en faisant le tour du lac, ce qui représente environ une demi-heure de marche. Je fais de l'exercice tout en profitant des beautés de la nature, sans compter que j'aime beaucoup méditer. Je consacre une heure chaque journée à la lecture. Je ressens toujours le besoin d'apprendre des choses nouvelles. Je lis donc des livres traitant de spiritualité, de parapsychologie et de psychologie humaine. J'aime apprendre tout ce qui se fait de nouveau dans le domaine de l'être.

Comme je travaille beaucoup mentalement, il est important que j'équilibre ma vie avec des activités physiques. Une activité physique qui est excellente pour moi est l'entretien de mes plantes d'intérieur. La maison en est remplie. Tout en m'occupant de mes plantes, je reprends contact avec la nature, je me rebranche à notre mère, la Terre. Je suis fascinée par la grande richesse de la Terre. Tant de choses y poussent! M'occuper de mes plantes me rappelle les années où j'aidais mon père à faire son jardin chaque été. J'étais émerveillée de voir les légumes sortir de la terre. Ce phénomène me met en contact avec **DIEU**. *Seulement l'énergie divine peut être la cause d'un tel phénomène.* On place une graine dans la terre et avec de l'eau et de la lumière, elle devient un plan de tomates ou un arbre. **WOW!** Alors je me dis que si la terre a ce pouvoir, *quels merveilleux pouvoirs les humains peuvent avoir s'ils se mettent à y croire!*

Je ne m'ennuie jamais chez moi. Jacques non plus. Nous nous voyons un jour ou deux par semaine et c'est du temps de qualité. Nous en apprécions chaque minute car nous aimons beaucoup être ensemble.

Une autre activité physique que j'aime, c'est m'installer dans la cuisine et préparer des petits plats de fantaisie. Je ne fais plus autant de repas que lorsque j'avais les enfants mais j'adore encore cuisiner. Jacques est un fin gourmet et nos enfants aiment bien quand je cuisine pour eux.

Chaque année je prends deux semaines de vacances avec Jacques et plusieurs jours ici et là, seule, pour me recycler et m'améliorer dans mon travail. Pour moi suivre des cours fait partie des plaisirs de la vie. Certaines personnes aiment aller au cinéma ou sortir le soir, moi j'aime suivre des cours. L'important ce n'est pas la quantité d'heures que je consacre à ma vie physique ou à ma vie professionnelle mais plutôt le bonheur que j'éprouve au moment où j'y consacre du temps.

JE SUIS DIEU DANS MON CORPS
ET DANS MA VIE PHYSIQUE

Si nous pensons que la vie est une corvée, alors tout ce que nous faisons nous pèse sur le dos. *Ce n'est pas ce que nous faisons qui doit être changé mais plutôt notre attitude face à nos occupations.* L'attitude fait toute la différence. Prenons l'exemple du repassage. Une personne peut se dire: "Oh non, il faut encore que je repasse, ça ne finit jamais et c'est tellement ennuyant!" Intérieurement elle va ressentir le repassage comme une tâche lourde, douloureuse. Par contre, si cette même personne commence à penser au bonheur qu'elle éprouvera à la vue de tout son beau linge bien repassé, son repassage va se faire beaucoup plus facilement. Je suis moi-même très particulière en ce qui concerne mes vêtements et mes souliers et je prends plaisir à en prendre soin. Je m'arrange pour repasser quand j'ai un bon film à regarder. Je ne me rends même pas compte que je repasse. Il y a toujours moyen de joindre l'utile à l'agréable.

Un passe-temps qui m'énergise est le magasinage. Cela ne veut pas dire que je passe des heures dans les magasins. Au contraire, je vais directement à mes besoins. Magasiner est une façon pour moi d'utiliser mon intuition. J'achète vite un bijou ou un morceau de linge parce qu'il me saute aux yeux et quand je rentre chez moi, je réalise que c'est le morceau qui me manquait pour compléter un ensemble. *À chaque fois, je dis merci à mon DIEU intérieur de m'avoir guidée au bon endroit, au bon moment.*

Étrenner un nouveau vêtement me donne de l'énergie. Maintenant je me donne le droit de me payer de belles choses. J'avais l'habitude de me culpabiliser, je trouvais que je dépensais trop. Le critique en moi me disait que je n'en avais pas véritablement besoin. C'était la bataille à l'intérieur de moi. Une voix me critiquait et l'autre lui répondait: "C'est vrai que je n'en ai pas véritablement besoin mais j'y ai droit, je ne l'ai pas volé, je le mérite bien avec le nombre d'heures de travail que je fais par semaine! De plus, je n'enlève rien à personne!" Puis la voix critique reprenait de plus belle. Finalement je finissais par me dire: "O.K., je le mérite!"

J'ai aussi constaté que plus j'apprends à m'aimer et plus je veux être entourée de beauté. Je peux dire: "Merci mon **DIEU**" de pouvoir me permettre de plus en plus de belles choses grâce aux revenus additionnels provenant de la vente de mes livres. *Devant la beauté, mon coeur s'ouvre et cela me permet de voir et de sentir DIEU plus facilement.* Je dois avouer que je fais des efforts pour voir **DIEU** dans la laideur. Ces efforts sont cependant bien récompensés car je me sens tellement mieux lorsque j'arrive à voir **DIEU** dans toutes les circonstances.

Les personnes organisées doivent non seulement organiser leur horaire de travail mais aussi leurs loisirs. J'aime bien organiser des parties et j'en profite pour utiliser ma créativité. Je prends plaisir à trouver de nouveaux thèmes, de nouveaux jeux. Je prends le temps d'en organiser quelques-uns par année. Presque toutes mes activités sont planifiées d'avance et je me sens heureuse parce que ma vie est bien remplie. Dans mon horaire, je prévois parfois des journées pour ne rien faire et ces journées-là sont importantes aussi. Je m'assois, flâne, paresse, magasine et fais ce qui me plaît. Si j'ai envie de dormir, je dors et si j'ai envie de me baigner, je me baigne. Ces moments-là sont aussi très importants. *Si l'on se dit: "quand j'aurai terminé mon travail..." On ne trouve jamais le temps de se détendre.*

JE SUIS DIEU DANS MON CORPS
ET DANS MA VIE PHYSIQUE

Je planifie même mes journées pour écrire, pour être créative. J'ai rencontré plusieurs artistes qui disent devoir attendre l'inspiration. Ils font le contraire de ce que je fais. Je crois personnellement que je peux donner un petit coup de pouce à l'inspiration. D'autres se disciplinent et consacrent tant d'heures par jour ou par semaine à leur création. Ils considèrent le temps consacré à leur oeuvre comme un travail régulier. C'est une bonne façon de maintenir une création en mouvement en y mettant de l'énergie régulièrement. Ils ont plus de chances d'arriver à vivre des fruits de leur art.

Six mois à l'avance, j'avais planifié de débuter l'écriture de ce livre et j'ai bloqué du temps dans mon agenda exprès pour ça. Aussitôt que je sais que j'aurai à écrire quelque chose, que ce soit un livre, un cours ou une conférence, le projet s'ancre en moi. *Les idées m'arrivent facilement et je les note à mesure.* J'ai toujours mon enregistreuse à portée de la main, dans la voiture. C'est comme si j'ai donné à mon subconscient l'ordre d'être prêt pour telle date.

Au niveau alimentaire, mes habitudes ont beaucoup changé depuis quelques années. Quand je suis petite, ma mère nous habitue à manger de la viande trois fois par jour. Nous avons du bacon ou du jambon avec nos oeufs le matin, de la viande le midi et de la viande le soir. Je n'aime pas la viande mais toute jeune, j'achète la croyance qu'il faut en manger tous les jours sans quoi je risque de tomber malade. Je suis très particulière et je ne peux pas tolérer de voir le moindre petit morceau de gras dans mon assiette. Quand ma mère me sert un morceau de viande, je l'examine sous tous les angles et j'enlève la moindre petite parcelle de gras.

JE SUIS DIEU WOW!

Je demande toujours qu'on me donne le plus petit morceau de viande. Par contre, j'aime beaucoup les légumes.

Quand je me marie, je continue à servir de la viande tous les jours à ma famille parce que je crois encore que c'est bon pour la santé. Par contre, je sers de petites portions. Comme ces conflits intérieurs sont fréquents chez les humains! *Une partie de soi désire quelque chose et une autre partie ne veut pas nous laisser accéder à ce désir!* Cette dernière dit: "Non, non, ce n'est pas correct." J'arrive à un compromis... Inconsciemment la partie qui a dit non accepte que l'autre partie réduise les portions graduellement. C'est vers l'âge de quarante ans que je finis par savoir et croire que le corps humain n'a pas besoin de viande pour être en santé.

Au début de ma démarche intérieure, quand je veux perdre du poids, j'étudie le corps humain et je découvre que notre système digestif n'est pas conçu pour digérer le gras animal. Quand je réalise que manger de la viande donne beaucoup de travail au corps humain, il est très facile pour moi de commencer à la supprimer graduellement. De temps à autre, il me prend un goût de viande et je le contente. Ces envies s'espacent de plus en plus et finalement je ne mange plus que du poulet, une fois de temps en temps. Aujourd'hui je ne peux même plus manger de poulet, plus aucune viande du tout. Je mange très peu de fruits de mer. Ce qui me plaît le plus, c'est une bonne assiette de légumes ou du bon poisson frais. J'aime aussi les pâtes alimentaires.

Je veux en arriver un jour à manger seulement ce qui pousse dans la nature. *Je réalise que plus je suis en contact avec mon DIEU intérieur et plus je suis en contact avec le DIEU de toutes les espèces vivantes de la Terre.* Main-

286

JE SUIS DIEU DANS MON CORPS
ET DANS MA VIE PHYSIQUE

tenant que je suis au courant des conditions horribles dans lesquelles les animaux destinés à l'alimentation sont élevés depuis plusieurs années, il me serait encore plus impossible de toucher à une bouchée de ces animaux.

Aucune loi ne régit la cruauté envers les animaux destinés à l'alimentation. Aucun n'est épargné: le poulet, la dinde, l'oie, le veau, la vache, le porc, le boeuf, etc. La grande majorité ne voient jamais le soleil. Les animaux sont principalement nourris de produits chimiques pour la plupart très nocifs à l'être humain. Ils sont même parfois nourris de leurs propres excréments. Ils sont gardés dans des cages où ils ne peuvent pas bouger, ce qui leur permet d'engraisser encore plus. Ces animaux développent plusieurs maladies qu'ils ont encore lorsqu'ils sont abattus. Les éleveurs disent: "Je ne suis pas payé pour un animal en santé, je suis payé au poids."

Les animaux deviennent tellement agressifs et enragés qu'ils essaient de s'entretuer. Comme nous le savons, ils sont naturellement doux et paisibles s'ils sont dans leur habitat naturel. Comme ils ont un corps émotif (moins développé que celui de l'homme), toutes les souffrances, l'agressivité, la rage et les grandes peurs vécues durant leur vie et à leur mort sont enregistrées dans leur corps émotif. Je ne veux pas faire subir tout cela à mon corps en mangeant leur chair. Mais ce qui me peine beaucoup, c'est de réaliser à quel point nous les humains sommes devenus insensibles envers les autres expressions de **DIEU** dans la nature. Nous continuons à encourager de telles atrocités. *Ce qui se passe sur la terre est le résultat de ce qui se passe en chacun de nous, les humains.*

Quand quelqu'un me demande: "Tu ne manges plus de viande?", je réponds: "Non, je suis végétarienne." Immanquablement les gens répliquent: "Même pas de poulet?" John Robbins[1] mentionne dans son livre que lui aussi se fait souvent poser la question et il répond: "À ma connaissance, du poulet ce n'est pas un légume!"

J'ai remarqué que *plus je deviens consciente et plus il se passe une transformation au niveau alimentaire. Mes goûts changent.* Mon corps rejette de plus en plus les choses dont il n'a pas véritablement besoin pour vivre en santé. Certains aliments empêchent le bon fonctionnement de certains organes et d'autres embrument les facultés mentales. Le sucre, en grande quantité, dérange énormément le cerveau. Les personnes qui consomment beaucoup de sucre et d'autres hydrates de carbone, comme du pain, des pâtes alimentaires etc., ont souvent de la difficulté à prendre des décisions. Ils hésitent parce que leur cerveau est débalancé. Le cerveau a besoin d'une quantité précise de glucose lors de la digestion (les hydrates de carbone se transforment en glucose) et dès qu'il en a un peu plus ou un peu moins que le dosage exact, il est aussitôt déséquilibré. Je ne mange plus de desserts sans en être consciente maintenant. Je remarque que c'est surtout quand je fais un travail ou un effort intellectuel assez prononcé que mon cerveau me réclame plus de glucose[2].

En modérant la critique, j'ai aussi modéré le sel. Il m'a fallu un an pour réussir à l'éliminer presque totalement de mon alimentation. Au début je trouvais que tout manquait

1   "Se nourrir sans faire souffrir". John Robbins. Éditions Stanké 1990.

2   Pour en savoir plus long sur le scandale du sucre, je recommande de lire "Le mal du sucre" de Danièle Starensky. Publication Orion Inc. 1981.

288

JE SUIS DIEU DANS MON CORPS
ET DANS MA VIE PHYSIQUE

de goût mais aujourd'hui je suis bien heureuse de connaître le vrai goût de ce que je mange. J'ai simplement développé une nouvelle habitude. De temps à autre il m'arrive d'avoir une envie de salé et j'en ajoute alors dans ma nourriture. Mais je ne sale plus automatiquement comme je le faisais auparavant.

J'utilise sans cesse mon alimentation pour devenir plus consciente de ce qui se passe en moi. Quand je mange ou bois quelque chose dont je n'ai pas besoin, je le sais vite car je sens une espèce de lourdeur en moi ou bien j'ai mal au coeur. Je m'arrête alors pour faire le lien avec une situation de ma vie présente où je n'écoute pas mes besoins. Peut-être certaines peurs ont-elles pris le dessus? L'idée est de simplement en être conscient. Inutile d'essayer de se contrôler ou d'arrêter, le fait d'utiliser la nourriture pour s'observer et s'accepter fait déjà toute la différence. Elle nous rend service, donc elle devient plus facile à assimiler.

Quand je me suis familiarisée avec les besoins du corps physique, la perfectionniste en moi m'a dit: "Il ne faut plus manger de sucre, de viande, de sel, ni boire d'alcool." Pour la viande et le sel ce fut assez facile de me donner le droit d'arrêter graduellement. Mais pour le sucre et le petit verre de vin en mangeant, ce fut plus long et difficile. Plus je me disais "il ne faut pas" et plus j'en avais envie. Alors je me mettais à me critiquer. "Comment se fait-il que je manque tant de volonté... que je sois incapable de m'enlever ça de l'idée?" Je faisais du contrôle mental en me disant: "Une personne spirituelle ne devrait jamais prendre d'alcool."

Aujourd'hui j'ai appris à ne pas me sentir coupable quand je prends un verre de vin. Les gens qui arrêtent de boire quand ils ne sont pas prêts à le faire transfèrent leur dépendance dans le sucre. Pour moi, ce n'est pas une solution du tout! Chose certaine, je sais que mon corps n'a besoin que de très peu de sucre. Quand j'en mange par indulgence, j'en suis consciente. Ça me donne des occasions pour apprendre à m'aimer davantage, à ne pas me critiquer. Je peux ainsi arrêter de cataloguer quelqu'un de "mauvaise personne" quand je le vois ne pas écouter ses besoins.

Je bois de plus en plus d'eau. Chez moi j'ai de l'eau pure, de l'eau distillée. Au bureau, nous avons de l'eau purifiée par osmose. Si je vais ailleurs et qu'il n'y a pas d'eau purifiée, je bois l'eau qu'on me présente. Il ne s'agit pas d'exagérer non plus et de refuser de l'eau parce qu'elle n'est pas assez pure. Mieux vaut boire de l'eau qui n'est pas à 100% pure que de ne pas en boire du tout. En tout cas, c'est ma philosophie.

Le but de la vie c'est d'être heureux. Tout le monde cherche le bonheur. *C'est à travers l'acceptation que toute chose s'harmonise d'elle-même.* Je me dis que si je n'écoute pas toujours mon corps, il est bien plus profitable de voir les bons côtés que de me critiquer. Premièrement, je deviens consciente du message que je reçois et deuxièmement, je me donne le droit de jouir à plein du moment présent, en disant merci pour ce que je mange ou bois. La digestion se fait beaucoup mieux dans l'amour.

La phase d'acception ne suit pas automatiquement la prise de conscience, c'est même souvent le contraire. Beaucoup de gens se critiquent davantage de continuer à faire des choses après avoir appris que ce n'est pas bon pour eux. *L'idée de devenir conscient est importante pour se connaître et s'accepter davantage une fois qu'on se connaît.* Je le répète encore une fois, s'accepter veut dire se donner le droit pour le moment de faire quelque chose alors que ce n'est pas notre préférence et que nous visons un autre but pour plus tard. Quand nous nous faisons accroire que nous sommes différents de ce que nous sommes vraiment, il n'y a pas d'acceptation.

Quand j'avais le goût de mordre dans un morceau de viande, mon corps me disait que j'avais de la colère refoulée intérieurement; il y avait quelqu'un que j'avais envie de mordre. Mon corps ne me demandait pas d'arrêter de manger de la viande. Au contraire, il était important que j'en mange tout en admettant et acceptant que présentement je ne pouvais pas encore exprimer ce que je vivais. Je préférais faire du transfert sur la viande à la place de m'exprimer. Je savais que mon but était de parvenir à exprimer toutes mes émotions au fur et à mesure que j'en vivais, pour arrêter d'accumuler de la colère au point de vouloir mordre quelqu'un. Quand j'ai supprimé ma consommation de viande, j'ai réalisé que ça allait de pair avec mon progrès dans l'expression de mes émotions. Plusieurs autres messages ont disparu en même-temps: les maux de gorge, les crises de foie et les torticolis.

Mon goût pour le sel me disait que je voulais souvent "ajouter mon grain de sel" partout. Aussitôt que quelque chose n'était pas à mon goût, je critiquais. *La critique n'est jamais bénéfique quand on ne se mêle pas de nos affaires et quand on ne nous a pas demandé notre avis.*

Prendre un verre de vin en mangeant signifie "détente" pour moi. J'ai toujours vu mes parents prendre un verre quand ils fêtaient ou quand ils faisaient une halte dans leur horaire chargé. Cette croyance que verre de vin égale détente est forte en moi puisque j'aime prendre un verre de vin quand je me détends. Si je voulais tant arrêter l'alcool, c'était parce que je voulais arrêter le sucre. J'ai appris que manger du sucre ou boire de l'alcool en mangeant un repas acidifie tous les aliments dans l'estomac. J'ai alors voulu arrêter le sucre en exerçant du contrôle mental. Ma motivation est bonne, j'aime mon corps. Cependant, tant que je ne serai pas assez douce envers moi-même, j'aurai à me payer des douceurs par le sucre. Quand j'ai le goût de manger sucré, je vérifie automatiquement si mon corps en a besoin. J'ai pris une entente avec lui. J'attends deux heures après les repas et si j'ai encore le goût du sucré, alors je me satisfais.

Je trouve merveilleux d'avoir un guide aussi précieux -mon corps- qui m'indique sans cesse où j'en suis intérieurement.

Un autre de mes goûts, à seize ans, fut la cigarette. Je travaille au bureau d'avocat à Richmond. Tout en me dictant ses lettres, mon patron fume et ne se soucie guère où s'en va la fumée. Je la reçois directement dans le visage et, je ne sais pour quelle raison, j'aime la senteur de la fumée. Je me souviens avoir pensé:" Je me demande si ça goûte ce que ça sent?" Chez nous, ma mère ne fume pas et mon père fume quelques cigarettes par semaine, en lisant son journal le dimanche ou quand il se repose. Deux de mes soeurs aînées fument en cachette de mes parents. Comme je suis une personne d'action, je décide de m'acheter un paquet de cigarettes. Le soir, chez moi, j'ouvre mon paquet et je m'allume une cigarette. Ma mère très surprise, me regarde et me dit: "Tu fumes? Depuis quand?" Je lui réponds: "Depuis aujourd'hui. Je veux savoir si je vais aimer cela." Horrifiée, elle me dit: "Je suis très déçue. Il n'y a que toi qui fumes. Tu n'es pas un bon exemple pour les plus jeunes."

JE SUIS DIEU DANS MON CORPS
ET DANS MA VIE PHYSIQUE

Cette remarque me pique et me met en colère car je trouve injuste de me faire disputer alors que je suis vraie. Elle devrait disputer celles qui lui font des accroires. Pour me venger, je lui dis que mes deux autres soeurs fument. Je lui demande: "Est-ce que tu préfères que je te mente? Tu le sais que je peux fumer, si je le veux, quand je ne suis pas à la maison. Je n'aime pas avoir à vivre dans le mensonge et me sentir coupable." Devant une telle logique, elle abdique, ne dit plus rien et me laisse faire. Par la suite, mes soeurs ont pu fumer ouvertement.

J'ai fumé jusqu'à l'âge de vingt-trois ans, donc pendant sept ans. Ce qui m'a motivé à arrêter, c'est une promesse que j'ai faite à **DIEU**. Après avoir eu mon premier enfant, je redeviens enceinte et je fais une fausse-couche. Comme je veux avoir un autre enfant, je promets à **DIEU** que si je suis à nouveau enceinte et que j'arrive à terme sans complication, j'arrêterai de fumer.

Je redeviens enceinte, j'arrête de fumer et, deux mois plus tard, encore une autre fausse-couche. Alors je me dis: "Mon voeu n'a pas été exaucé, je peux donc recommencer à fumer". Tout de suite après, je me rends bien compte que si je recommence à fumer, je ne punirai pas **DIEU**; c'est moi-même que je punirais. J'arrive à la conclusion que ce ne serait vraiment pas intelligent de recommencer. Alors ma décision est formelle: j'arrête de fumer. Cette fois ma décision n'est pas basée sur une condition. Elle est motivée par l'amour de moi, par respect pour mon corps physique et ma santé.

Quand mon corps ne va pas bien, ce n'est pas parce qu'il veut me punir ou qu'il juge sévèrement mes comportements. *C'est mon mental qui juge, qui n'accepte pas une situation ou quelqu'un*. Je prends alors le temps de me questionner un peu. En général, je découvre qu'il y a des peurs derrière mes malaises physiques. Encore une fois, merci mon **DIEU** de me rendre consciente de mes peurs. *Une fois que j'accepte ma peur, elle devient automatiquement mon alliée plutôt qu'une ennemie qui m'envahit.* Notre **DIEU** intérieur est toujours là pour nous guider. Il utilise toutes sortes de signaux qu'il nous envoie pour nous ramener sur une voie plus facile, plus douce. **DIEU** ne nous souhaite aucune souffrance. *Chacun de nous créons nos propres douleurs quand nous résistons à notre* **DIEU** intérieur qui veut seulement que nous vivions dans l'amour. Ce que **DIEU** veut pour nous, sans exception, c'est la santé, la perfection, l'harmonie, la facilité et la paix.

La souffrance signifie que nous ne sommes pas en contact avec notre **DIEU** intérieur. Le corps est tout simplement le reflet de ce qui se passe à l'intérieur de nous. Alors si je m'alimente d'une façon qui fait du tort à mon corps physique, c'est que j'ai en moi des croyances qui font du tort à mon corps émotionnel et à mon corps mental. À chacun de nous de les découvrir, de les accepter et de décider quelle est notre préférence.

Aujourd'hui je suis heureuse de constater que tout semble s'être bien placé dans mon corps. Certains malaises ont complètement disparu comme la constipation, les rhumatismes, les vaginites, les torticolis, les crises de foie, les maux de jambes, les problèmes de menstruations... De temps à autre j'ai un début de mal de gorge, à peu près une fois par année. Maintenant je suis en mesure d'y voir tout de suite. Il m'arrive aussi d'avoir un début de mal de dos et je vois tout de suite à quoi c'est relié. Un signe qui me revient à l'occasion est le mal au coude. Si j'ai parfois mal à la tête, je me demande: "Pourquoi je me casse la tête en

JE SUIS DIEU DANS MON CORPS
ET DANS MA VIE PHYSIQUE

ce moment?" ou bien "Est-ce que je suis en train de m'en faire pour rien?" La plupart du temps le message est que je me tape sur la tête. Tout de suite je réalise que le contrôle veut reprendre le dessus et mon mal de tête disparaît comme par enchantement aussitôt que j'accepte qu'il peut y avoir du bon même si ça ne va pas à mon goût. *Le "lâcher prise" fait des merveilles!*

Même en vieillissant, le corps humain peut être de plus en plus en forme. Certaines personnes pensent que je ne me détends jamais parce qu'elles me voient faire de longues heures de travail. Je considère que je travaille quand je fais les choses qui me plaisent le moins, comme prendre des décisions administratives. Cela correspond approximativement à deux heures par jour. Tout ce qui concerne le côté humain comme par exemple donner des cours et m'occuper des gens n'est pas du travail pour moi. J'aime tout ce que j'apprends et ça m'énergise. Plusieurs fois par semaine, je quitte ma maison vers huit heures du matin et j'y retourne vers minuit ou une heure du matin. Je suis encore plus énergisée le soir que le matin.

En général je me sens d'humeur joyeuse et en super forme. Il m'est très facile de récupérer parce que je fais des choses que j'aime. Je n'ai besoin que de quelques heures de sommeil par jour pour m'énergiser à nouveau. Jeune, j'avais besoin de beaucoup plus car je vivais plus d'émotions et j'avais plus d'attentes. Ces dernières puisent leur énergie dans le corps physique pour pouvoir s'alimenter au niveau du corps astral. L'alimentation idéale pour le corps astral est l'amour. Ainsi il n'a pas besoin de se nourir à partir du corps physique.

Être en bonne santé est un cadeau extraordinaire de la vie et c'est là pour tous. J'ai plus d'énergie à cinquante ans que j'en avais à vingt-cinq. Auparavant je ne pouvais pas être active quinze heures en ligne sans un temps d'arrêt. Je devais faire une sieste au milieu de la journée. Je suis très heureuse de ne plus croire ce dicton populaire qui dit qu'avec l'âge, la santé décline. Je n'ai même plus l'impression de vieillir. Je sais aujourd'hui que *plus j'ai la foi en mon DIEU intérieur, plus je lui fais confiance en ce qui concerne les résultats dans ma vie et plus je m'alimente à la source directement.* Mon corps physique est ainsi épargné et plus en forme.

Je constate aussi que plus j'apprends à aimer ce qu'il y a en moi et plus je respecte mon corps qui est le vêtement extérieur de mon âme. Je m'en occupe de toutes les façons possibles. Je le couvre de beaux vêtements en tissus les plus naturels possibles; je le nourris de la meilleure qualité d'aliments possible; je le fais masser régulièrement (mon conjoint est mon masseur privé, **WOW**!); je vais chez l'esthéticienne une fois par mois. Je crois sincèrement que je ne peux pas m'occuper de mon âme et négliger mon corps. Les deux vont de pair et sont la création de **DIEU**. Ils sont aussi importants l'un que l'autre.

J'ai encore beaucoup de rêves à réaliser et il est important que mon corps suive. Il sait que j'ai besoin de lui et je le remercie tous les jours de tant m'aider. *Merci mon corps!*

CHAPITRE 7
JE SUIS DIEU WOW!

"Je suis DIEU" est un état de conscience difficile à définir dans nos mots humains. **DIEU** est une énergie que nous ressentons au plus profond de soi quand nous prenons le temps de vivre notre moment présent, d'expérimenter ce que nous vivons sans l'analyser. C'est la sensation la plus sublime qu'il soit donné de vivre à l'être humain.

DIEU s'exprime sous toutes sortes de formes. Sur la terre, il y a beaucoup d'expressions de **DIEU** et sur les autres planètes, il en existe des milliers d'autres. À l'intérieur de nous, **DIEU** s'exprime sous différents aspects que l'on peut aussi appeler "différentes personnalités". Chaque être humain a des douzaines et des douzaines de personnalités[1]. *Nous entrons véritablement en contact avec notre essence, notre véritable individualité, lorsque nous apprenons à accepter chaque partie de nous comme faisant partie de DIEU.*

Ce qui nous rend la tâche plus difficile dès le départ, c'est que notre éducation ne nous a pas donné l'exemple de l'acceptation totale. Jeune, nous apprenons que certaines

---

1   Je ne parle pas ici du phénomène pathologique des personnalités multiples reconnues en psychiâtrie dans lequel les différentes personnalités ne se connaissent pas et s'expriment séparément. Je parle ici plutôt de tous les aspects en soi qui s'expriment souvent ensemble et qui se connaissent.

choses sont bien et que d'autres sont mal. Nous sommes félicités pour certains comportements et réprimandés pour d'autres. Si notre façon d'être ou d'agir est louable, alors cela doit être la volonté de **DIEU**. Si nous allons à l'encontre de ce qui est considéré bien, c'est donc mal et **DIEU** nous punira. C'est de cette façon que nous avons été mis en contact avec **DIEU**, ce qui a eu pour conséquence de réveiller des tas de peurs et de créer énormément de culpabilité sur la terre. Par peur d'être punis ou rejetés, nous avons appris à rejeter certaines parties de nous-mêmes.

Les recherches intérieures que j'ai faites tout au long de ma vie m'ont toutes ramenée au même point central! Il est vital que j'accepte chacune des personnalités en moi. Quand je ne le fais pas, je rejette des aspects qui pourraient m'être très profitables. Quand je veux contrôler ou rejeter des parties de moi que je ne veux pas exprimer ou même voir, ça me demande une énorme quantité d'énergie pour garder tout ça embouteillé bien hermétiquement à l'intérieur de moi.

Aujourd'hui j'éprouve du plaisir à redécouvrir certaines parties de moi. Je les laisse émerger, j'entre en contact avec elles, je prends le temps de les accueillir et de leur faire de la place. J'apprends à les accepter même quand je ne suis pas d'accord. Certaines parties ont été tellement rejetées que bien souvent elles émergent de façon brusque et maladroite. Ça fait peur au début mais ça finit par se placer avec le temps. *Je suis toujours plus énergique parce que je m'accueille plus dans ce que je suis, dans mes différents aspects*. Je suis ouverte à l'idée que je vais continuellement découvrir de nouveaux aspects en moi que je ne connais pas encore ou que j'ai enfouis au plus profond de moi-même.

300

JE SUIS DIEU WOW!

Pour les accepter plus vite, *le secret est de voir le bon côté de tous ces aspects de moi à mesure que je les découvre.* En voici quelques exemples: la personnalité la plus forte en moi était le contrôleur. Cet aspect était là pour me protéger de ma vulnérabilité. Notre vulnérabilité vient de l'enfant en nous. C'est l'homme en soi qui a plus de difficulté à accepter l'enfant vulnérable. Certaines personnes sont tellement en contact avec leur vulnérabilité qu'elles en deviennent des victimes de la vie. L'important c'est de trouver le juste équilibre.

J'ai enfin découvert et accepté que l'enfant en moi est une partie très utile, même avec toutes ses peurs. C'est la partie de nous qui est la plus importante à découvrir. La plupart de nous avons refoulé notre enfant intérieur depuis l'âge de cinq ou six ans. Nous nous sommes coupés de lui pour devenir des adultes trop vite. Nous voulions devenir vite des grandes personnes très raisonnables et surtout ne plus ressentir notre vulnérabilité. Entre autres choses, l'enfant nous guide, nous dit de lâcher prise, de ne pas trop contrôler et d'essayer de nouvelles choses quand des situations sont trop difficiles.

J'ai réalisé que cet enfant pouvait me montrer le chemin. Quand je suis très enthousiaste devant un projet, c'est aussi l'enfant en moi qui ressort, débordant de zeste et de joie de vivre. C'est de là que vient aussi ma créativité. Quand j'essaie de contrôler toutes mes peurs pour camoufler ma vulnérabilité, je bloque ma créativité et mon enthousiasme face à la vie.

Comme je l'ai mentionné dans un précédent chapitre, mon corps m'envoie souvent un élancement dans le coude quand j'ai peur. Si une personne avait les deux coudes raidis, elle ne pourrait plus plier ses bras pour embrasser quelqu'un. Mon corps m'envoie alors un signal pour me faire réaliser que présentement l'enfant en moi a besoin de se faire prendre dans les bras du parent en moi. Il a peur et a besoin d'être consolé, réconforté. Il a peur de ne pas être à la hauteur, de se tromper, de ne pas être aimé. Il a peur du rejet, de l'abandon, de se faire réprimander par l'adulte en moi.

Je me donne le droit d'avoir peur en demandant à l'enfant en moi: "Quel est le désir qui se cache derrière cette peur?" Je peux ainsi le réconforter en me concentrant sur ce désir et en me faisant confiance. Auparavant, l'adulte en moi disait à l'enfant d'arrêter d'avoir peur, ce n'était pas correct. Le contrôleur en moi s'est développé pour faire plaisir à l'adulte en prétendant que je n'avais pas peur. Ainsi l'enfant a été étouffé car le contrôleur est devenu plus fort. *Cet étouffement vient du masque que nous portons quand nous nous contrôlons pour paraître différents de ce que nous sommes véritablement.*

Pour renouer les liens avec cet enfant, j'ai créé la petite détente suivante: dans une position assise ou couchée, prends quelques minutes pour détendre chaque partie de ton corps et assure-toi de bien respirer. Une fois les muscles du corps bien relâchés, visualise un petit enfant de cinq ou six ans qui vient vers toi et prends-le sur tes genoux. Demande-lui de te parler de ce qui le chagrine, de ses peurs, de ses anxiétés... et ensuite console-le, serre-le très fort contre toi et rassure-le. Ressens beaucoup d'amour pour cet enfant. Dis-lui que tu seras toujours là près de lui et que tu vas l'aider à surmonter ses peurs, à trouver des solutions.

Cette détente est excellente pour toucher à l'enfant en soi. Elle peut être répétée plusieurs fois. Cet exercice peut t'aider à avoir plus de compassion pour toi-même quand tu deviens conscient de tes peurs. Ainsi, au lieu de fuir tes peurs, de ne pas les voir, il te sera plus facile d'y faire face. J'ai constaté qu'en acceptant la vulnérabilité de l'enfant en moi, je suis plus consciente de ma sensibilité. J'ai toujours été sensible mais cet aspect de moi fut bien camouflé. Je me donne de plus en plus le droit de verser des larmes quand je suis en présence de quelque chose de très touchant. Je m'aperçois que je suis encore plus touchée par les événements heureux pour moi ou pour quelqu'un d'autre.

La travailleuse assidue en moi, aidée de la pousseuse, n'était pas plus **DIEU** que la paresseuse en moi. Tant que les deux premières prenaient le dessus, la troisième restait étouffée. *Je ne me donnais pas le droit d'être paresseuse et je rejetais totalement cette partie de moi.* En réalité, la paresseuse en moi voulait simplement m'aider à me rééner-giser et créer mentalement pendant que je faisais de la paresse physique. Auparavant je ne pouvais m'arrêter de travailler car il y avait toujours en moi une petite voix qui me poussait et me disait que ce n'était pas raisonnable, pas correct. Je me sentais coupable et dans ces moments de dialogue intérieur, je finissais toujours par me souvenir de quelque chose que j'avais oublié de faire et qui était urgent ou important. À la simple idée de paresser, déjà je n'avais pas la conscience tranquille. Le pousseur en soi s'arrange toujours pour nous laisser savoir ce qu'il nous reste à faire. Sa liste n'a pas de fin.

Aujourd'hui je reconnais qu'une partie de moi aime bien paresser. Cette partie-là est moins forte que l'autre mais je suis consciente de son utilité. C'est mon côté paresseux qui fait que j'ai appris à mieux m'organiser. Je simplifie, je trouve toutes sortes de moyens pour faciliter mon travail. Par exemple, dans ma maison il y a des escaliers. Plutôt que de monter et descendre les escaliers sans arrêt quand je fais du rangement, je place différents articles sur le bord des marches et je ne fais qu'un seul voyage. C'est mon côté paresseux qui m'évite de faire la navette plusieurs fois entre les étages. Cet aspect de moi a des idées très pratiques.

J'ai aussi constaté que le critique en moi peut m'être bien utile. Il m'aide à juger si certaines décisions sont bénéfiques pour moi, à développer mon discernement. Il m'est utile tant que je ne l'utilise pas pour abaisser l'autre ou pour vouloir le changer. Je me sers aussi de mon critique pour savoir si je suis dans l'amour ou si je suis en train de me mêler de quelque chose qui ne me regarde pas. Avec lui, j'apprends à me connaître.

Par exemple, il y a quelques mois je suis en train de souper en compagnie de plusieurs autres personnes quand soudainement je me rends compte que je critique intérieurement l'une d'entre elles parce qu'elle mange beaucoup de dessert. Après réflexion, je réalise que dans ce cas-ci, je critique par amour pour l'humain. Je trouve que c'est dommage pour sa santé. J'ai donc vu que ma critique était basée sur l'amour. Je voulais aider l'autre. Toujours dans le même repas, je critique ensuite le comportement d'un homme face à sa femme, que je juge inacceptable. Là, je vois que je ne me mêle pas de mes affaires.

Dans le premier cas, aucune émotion n'est reliée à ma critique. Je suis observatrice de la situation. Dans le deuxième, je ressens de la colère. Je me rends compte que ce que je reproche à cet homme, c'est de manquer de respect envers sa femme. J'en profite pour utiliser la technique du miroir pour réaliser que je ne m'accepte pas quand il m'arrive de manquer de respect. Alors au lieu d'en vouloir à ce monsieur, je lui deviens plutôt reconnaissante. Il me permet de me connaître plus. Ainsi, *le critique en moi m'aide sans cesse à découvrir des aspects de moi que je n'ai pas encore acceptés.*

La perfectionniste en moi est une partie qui me porte à critiquer. Avant, rien n'était assez parfait pour moi. Tout et tous y passaient. Pour moi, mes enfants et mon mari n'étaient jamais assez disciplinés, assez ordonnés, assez parfaits. Je me critiquais et je critiquais tout le monde. D'ailleurs, l'un ne va pas sans l'autre, ça marche dans les deux sens. Je croyais que quand je faisais bien quelque chose ou disais bien les choses, ça voulait automatiquement dire que j'étais quelqu'un de bien. J'ai réalisé que l'important n'était pas d'atteindre la perfection dans le "faire" mais plutôt dans le "être"; que *la perfection au niveau de l'être implique que l'on soit capable de faire des erreurs et de se sentir bien quand même.*

L'essentiel c'est que je m'aime malgré mes erreurs et que je m'accepte, même quand j'ai oublié quelque chose, même si je n'ai pas accompli telle ou telle chose aussi bien que je l'aurais voulu; c'est de ne pas juger que je suis une mauvaise personne pour autant, veiller à ce que ma capacité d'aimer n'en soit pas amoindrie. Quand je m'aime malgré mes erreurs, je sais que je suis sur la bonne voie. Je ne veux plus gaspiller d'énergie à me sentir coupable, à me rejeter, à avoir honte ou à me blâmer. Présentement, la grande majorité des humains gaspillent leur énergie ainsi, se coupant de leur **DIEU** intérieur. Plutôt que de gaspiller mon énergie ainsi, j'ai décidé de l'utiliser à me créer une vie de bonheur.

Pour y arriver, j'ai demandé à la perfectionniste en moi de me faire voir les bons côtés de mon être. Elle peut aussi continuer à m'aider dans ce que je fais. Elle m'aide constamment dans mes projets, dans mon travail. Grâce à elle, je n'oublie pas certains détails importants et les choses peuvent se faire plus rapidement. Je ne recommence un travail que très rarement. Ma recherche de l'excellence est toujours présente, mais j'ai dû apprendre à accepter que même si je n'excelle pas toujours, ça ne diminue en rien cette recherche.

Parmi les lois qui régissent la Terre, l'amour est la plus grande. Être parfait sur la Terre, c'est aimer dans toutes les circonstances. Il est important de se souvenir qu'aimer ne veut pas dire être d'accord, avoir la même opinion. Nous avons toujours le droit de ne pas être d'accord avec tel ou tel geste ou telle ou telle parole venant de l'autre (ou de soi-même). Nous sommes tous sur la Terre pour une seule raison: s'accepter et accepter les autres toujours davantage ce qui a pour effet de faire grandir notre amour pour la vie. Je ne veux pas dire qu'il faille clamer "je t'aime" à tout le monde. Aimer veut dire accepter les gens tels qu'ils sont, accepter que tout le monde fait de son mieux. Accepter aussi qu'il y a de grands souffrants. *Certaines personnes ont plus de difficulté que d'autres mais tout le monde suit son chemin à sa façon et à son rythme.* Quand tous les êtres humains seront arrivés à cet amour total, la Terre aura atteint la perfection et l'humain saura et croira qu'il est **DIEU**.

C'est seulement dans ma relation avec Jacques que j'ai fini par accepter la sensuelle en moi. Si mon premier mari parlait tout le temps de sexe, c'est parce qu'il reflétait un aspect de moi que je refusais totalement de voir en face. Pouvoir m'abandonner à ma sensualité a été très bénéfique. J'ai vraiment compris ce que lâcher prise voulait dire.

Depuis, je peux plus facilement le faire dans d'autres domaines.

La personnalité qui voulait plaire était très forte en moi. Tout enfant, dès la naissance, est extrêmement vulnérable. Il regarde, observe, écoute tout ce qui se dit et il découvre des moyens pour arrêter d'avoir peur, d'être aussi anxieux et si vulnérable, pour moins souffrir. Il essaie le plus possible de plaire à tout le monde. Tous les enfants développent des mécanismes de défense selon leurs besoins. J'étais une bonne petite fille et ensuite une bonne élève au couvent. Selon moi, plaire voulait dire être raisonnable.

Je me faisais un devoir d'être une bonne épouse, une bonne amie, une bonne mère, une bonne employée, une bonne patronne. J'ai dû exercer énormément de contrôle pour coller à l'image que je m'étais donnée. Cela me vidait d'énergie. J'avais peur de perdre le contrôle et d'ailleurs les quelques fois où je me suis choquée, je perdais effectivement le contrôle parce que ça débordait. Je m'étais trop retenue.

Il est important d'accepter qu'il est irréaliste de vouloir plaire à tout le monde. Bien souvent quand nous nous efforçons de plaire, ça ne nous plaît même pas, pas plus que ça ne plaît à l'autre. Quand un enfant est révolté, c'est souvent signe qu'un de ses parents essaie trop d'être un bon parent et de plaire à son enfant. C'est ce qui est arrivé avec mes deux fils. Je n'acceptais pas la partie de moi qui ne voulait pas toujours être une bonne mère. J'aurais été déçue de moi-même si j'avais admis que j'avais une telle partie en moi. Il a toujours été important que je réponde à mes propres exigences face à moi-même. D'autres parents prennent la décision d'être de bons parents pour ne pas être critiqués par leurs enfants. C'est exactement le contraire qui se passe car nous ne sommes pas nous-mêmes. En tant que parent, nous avons le droit de ne pas toujours être le bon parent parfait. Il est très exténuant de faire de la télépathie pour savoir ce qui pourrait bien plaire à l'un et à l'autre.

Je me permets de plus en plus de dire ce que je pense, comme lorsque mes enfants sont venus à l'improviste chez moi, je me suis donnée la permission de ne pas plaire à tout le monde. Quand je me force pour plaire et que j'en suis inconsciente, je m'en aperçois tout de suite par la façon dont les gens me reçoivent. Quand les autres refusent mes offres ou vérifient: "Es-tu bien sûre...", ça m'aide à aller voir ce qui motive mes offres. Une offre qui ne vient pas du fond du coeur est motivée par une peur. *Ça me donne donc l'opportunité de devenir consciente de cette peur et de l'accepter comme faisant partie de moi présentement.*

L'important c'est de m'accepter dans les deux facettes de cette personnalité: celle qui veut plaire et celle qui n'en ressent pas le besoin! Ce que je trouve fantastique, c'est que notre **DIEU** intérieur se charge de nous mettre en contact avec les aspects de nous que nous rejetons. Il s'arrange pour qu'il y ait quelqu'un auprès de nous qui reflète une partie réprimée ou qui souffre de la même façon que nous. En voyant ce qui nous dérange chez les autres, nous réalisons que c'est une partie de nous qui est rejetée. Il est important d'apprécier le bon côté de chacun des aspects que nous avons. C'est comme ça que nous reprenons contact avec notre puissance intérieure. Comme il est bon et plaisant de se réapproprier de l'énergie jusque-là réprimée!

Je peux aussi voir le bon côté de la niaiseuse en moi que j'ai tant rejetée. Depuis que je n'ai plus peur d'avoir l'air niaiseuse, je suis devenue beaucoup plus transparente. Il m'est plus facile d'être spontanée et vraie. J'ai pu constater qu'en étant transparente, je peux toucher et aider plus rapidement et plus efficacement ceux qui viennent à moi.

Être **DIEU**, c'est être capable de se dire: "Je suis ce que je suis et j'accepte ce que je suis maintenant", et d'avoir la même acceptation pour tout le monde. Quand il m'arrive de rencontrer ou d'entendre parler de gens qui perdent le contrôle, des criminels ou des violents, je sais maintenant qu'il s'agit de personnes qui ont réprimé des aspects d'eux-mêmes de façon tellement radicale qu'elles en perdent le contrôle. Plutôt que d'être en contact avec leur **DIEU** intérieur et d'aimer la vie telle qu'elle est, elles ne sont en contact qu'avec leur mental inférieur (mind en anglais). Celui-ci est rempli de croyances, de désirs insatisfaits qui créent des blessures intérieures profondes.

Quand une personne désire que le bonheur vienne de l'extérieur, elle n'est pas en contact avec DIEU. Plus nous croyons que quelque chose est bien ou mal et plus cette chose prend de l'ampleur dans notre vie. Plus nous y mettons de l'énergie et plus nous finissons par la faire arriver. C'est un processus qui ne se fait pas souvent au niveau conscient mais, effectivement, les choses que l'on redoute ou que l'on juge finissent toujours par prendre le dessus sur nous et nous envahir.

L'étude de nos différentes personnalités nous aide énormément à développer notre conscience. Pour nous connaître davantage et atteindre la maîtrise, il est important d'élever notre niveau de conscience, d'être alerte et de nous ouvrir. Nous ne devenons pas conscients; nous choisissons plutôt de l'être ou de ne pas l'être. Être conscient signifie vivre notre moment présent à plein, être dans l'expérience de ce qui se passe. Aussitôt que le mental prend le dessus, nous ne sommes plus dans l'expérience. Nous sommes alors dans nos croyances ou dans le résultat désiré. *Pour être conscients, nous devons agir mais sans être attachés aux résultats.* S'exercer à être le plus conscient possible chaque jour rend la vie beaucoup plus facile et agréable.

Cependant si tu décides d'élever ton niveau de conscience, il est important pour toi de t'ouvrir et d'accepter qu'en devenant plus conscient, tu vas peut-être découvrir certaines choses qui sont moins agréables que d'autres. Une personne plus consciente devient plus sensible à ce qui est. Elle voit et ressent les choses telles qu'elles sont plutôt que de continuer à accepter la perception de son mental. Lorsque nous entrons en contact avec des parties depuis longtemps refoulées et que nous désirons les laisser s'exprimer, elles peuvent se manifester d'une façon incontrôlée. Il est important de s'accepter, de se donner le temps d'arriver à un meilleur équilibre.

Il est aussi important d'accepter l'idée qu'il y a un contre-aspect à tous nos aspects. Il suffit de regarder toutes nos parties dominantes pour commencer à imaginer quels autres aspects sont là aussi. *Chez la plupart des humains, quand un des aspects a été trop utilisé, avec le temps son aspect contraire qui a été refoulé finit par ressortir en force.*

Un autre moyen d'être plus en contact avec nos différentes parties, tous nos "Je suis", c'est l'observation des émotions que nous vivons. Nous vivons des émotions quand quelque chose vient toucher une partie de nous que nous rejetons. Observe-toi. Quand tu vis cette émotion, va voir quelle partie de toi vient d'être touchée. Peut-être est-ce le petit enfant qui a peur. Peut-être la paresseuse se sent-elle étouffée. Tes émotions peuvent devenir des alliées très appréciables pour l'exploration de toutes les parties de toi.

Nos rêves aussi sont d'excellents outils pour devenir plus conscients des différentes personnalités qui sommeillent en nous. J'ai un cahier sur ma table de chevet et j'y note tous les rêves dont je me souviens. Il y a beaucoup de cours sur l'interprétation des rêves. Ils peuvent énormément nous aider à discerner des parties de nous-mêmes que nous rejetons. Vu que nous les rejetons à l'état d'éveil, elles utilisent les rêves pour émerger et s'exprimer.

Avec le recul, je réalise que toutes les qualités dont j'étais fière et qui me faisaient sentir spéciale, toutes ces qualités auxquelles je m'accrochais en rejetant leurs aspects contraires, me faisaient devenir plus intolérante, inflexible et nerveuse. Toutes ces parties dominantes en moi qui voulaient que je sois toujours une personne impeccable, bonne, capable, studieuse, généreuse, courageuse, travaillante, raisonnable, compatissante et d'humeur égale m'empêchaient de m'accepter et d'accepter les autres. Je comprends! Quel contrat! Ce que je croyais bon ne l'était pas nécessairement. Je continue à développer les qualités qui me sont plus faciles à aimer mais je garde toujours à l'esprit que leurs aspects contraires peuvent aussi m'être bénéfiques.

Comme tu peux le constater, il y a plusieurs aspects en moi. C'est ainsi pour tous les êtres humains. Être **DIEU**, c'est apprendre à voir le bon côté de tous les aspects en soi. Par exemple, le réveil-matin sonne. Le travailleur en toi veut se lever, le paresseux veut rester couché. Le pousseur te dit tout ce que tu as à faire. Si tu as eu un parent travaillant qui te dominait, la mère en toi ou le père te dispute quand tu veux écouter le paresseux. Pour accepter toutes ces personnalités, en leur parlant une à une, elles vont toutes te dire le bien-fondé de leurs désirs. Elles veulent toutes ton bien. En les remerciant et en les acceptant, il devient plus facile à toutes ces personnalités de s'entendre, de co-habiter en toi et de se manifester à tour de rôle.

Être **DIEU**, c'est non seulement apprendre à aimer tous nos aspects mais faire la même chose avec les gens autour de nous. Comme par exemple, être capable de voir, quand une personne se fâche, le petit enfant en elle qui a peur et qui perd le contrôle. Cette façon de voir ce qui nous entoure aide à développer l'écoute, la tolérance et la patience. Nous vivons ainsi beaucoup moins d'émotions!

Être DIEU c'est aussi savoir que tout ce qui m'arrive est là pour m'aider à devenir de plus en plus consciente de ma beauté et de ma force intérieure. L'essence divine est toujours là et l'expression parfaite de **DIEU** en moi est la bonté, la beauté, l'harmonie, l'amour, la paix, la santé et l'abondance. Lorsque le contraire se produit, ma superconscience ou mon **DIEU** intérieur utilise un moyen pour me signaler que je me suis éloignée de Lui. Plus je m'éloigne de mon essence et plus j'ai peur, plus je veux tout contrôler.

Les gens me demandent ce que veut dire lâcher prise. C'est développer une foi totale en soi et les autres, savoir qu'il y a toujours une bonne chose qui va se produire à un moment donné. C'est aussi savoir qu'à travers mes expériences, je peux découvrir plein de choses qui vont m'aider dans mon évolution en tant qu'être humain. Lâcher prise c'est aussi continuer à poser des gestes et non pas baisser les bras, abandonner, abdiquer, ne plus rien faire ou devenir victime; c'est plutôt continuer à faire des actions mais sans s'inquiéter du résultat. Il est important de planifier, d'avoir des buts: "Dans six mois je veux avoir accompli telle chose. Je vais avoir besoin de ceci et de cela à telle date."

Cependant il est encore plus important de vivre notre moment présent et de s'en remettre à **DIEU** pour les résultats; ce qui veut dire faire les actions que nous croyons nécessaires pour arriver à notre but mais en sachant que **DIEU** en nous connaît mieux la route vers le bonheur que notre mental; lui faire confiance en étant ouvert aux idées nouvelles qui surgiront, en acceptant d'utiliser d'autres moyens que ceux planifiés et surtout en acceptant d'avance qu'il y a peut-être quelque chose de mieux pour nous. *Apprendre à ne pas être attaché aux résultats est un moyen extraordinaire pour avoir plus de paix intérieure.*

Le petit enfant en moi est émerveillé devant ce **DIEU** intérieur qui est omniprésent, toujours là pour me guider. Je n'arrête pas de dire "Merci mon **DIEU**!"

Et pour toi, cher lecteur, que signifie "être **DIEU**"? Quelle a été ta première réaction au titre de ce livre? Le trouvais-tu prétentieux?

En ce qui me concerne *l'affirmation "je suis DIEU" n'est prétentieuse que si je refuse d'accepter que tout ce qui vit peut aussi affirmer "JE SUIS DIEU".* Le mot **DIEU** est le symbole de la lumière, l'amour, la foi et la confiance. Son contraire, le mot Satan, est le symbole de la noirceur, la haine, la peur, les doutes. Ces derniers ne sont qu'une négation et non pas une absence de lumière, d'amour, de foi et de confiance. Quand tu renies une partie de toi, tu vas vers la noirceur, le non amour et la peur. Quand, au contraire, tu t'acceptes dans tout ce que tu es, en sachant que tu es en train d'apprendre, tu te diriges vers l'amour, la lumière. Tu reprends contact avec DIEU!

Quand tu ressentiras un profond respect pour tout ce qui vit sur la Terre, alors tu auras véritablement reconnu la présence divine en tout ce qui vit. Quand tu ne seras plus capable de tuer un insecte, quand tu demanderas la permission à une fleur avant de la couper, quand tu cesseras de polluer la terre, quand tu aimeras assez les animaux pour ne plus les manger ni les utiliser comme vêtement, tu sauras alors que tu es de plus en plus près de ton essence divine. On reconnaît **DIEU** en soi au même degré qu'on le reconnaît en dehors de soi. Je vois un avenir merveilleux pour la planète Terre à mesure que nous serons plus conscients de cette présence divine, imprégnant chacune des cellules vivantes de la planète de notre amour et de notre lumière.

Pour récapituler et conclure ce chapitre et ce livre, voici les moyens que j'ai découverts et que je veux te partager pour être toujours plus en contact avec ton **DIEU** intérieur.

Lâche prise, laisse-toi aller à la volonté de **DIEU**. Ne crains plus **DIEU** comme un juge sévère qui veut te punir. *Sache que tout ce qui t'aide à avoir une vie bien remplie de bonheur, de joie, de santé, d'abondance, en autant que ça ne fait pas de tort à qui que ce soit, est la volonté de DIEU pour toi.* **DIEU** est ta superconscience, l'énergie universelle qui ne veut que du bon pour tous. En y croyant au plus profond de toi, tu seras conscient de tout ce qu'il y a de bon dans ce qui t'arrive.

Prends le temps de te demander ce que tu veux vraiment. Visualise ce que tu veux, ressens-le comme si c'était déjà là et fais des actions en conséquence. N'oublie pas toutefois de faire confiance à ton **DIEU** intérieur; ne t'inquiète pas inutilement.

JE SUIS DIEU WOW!

Un exemple que je peux te donner à cet effet s'est produit un an avant d'écrire ce livre. Depuis plusieurs années, je rêvais d'aller vivre en montagne, dans la nature et près d'un cours d'eau. J'ai commencé par demeurer sur le Mont-Royal, la seule montagne à Montréal, et j'y suis restée pendant deux ans. J'ai ensuite déménagé dans les Laurentides, une chaîne de montagnes au Nord de Montréal. J'ai habité dans la banlieue de Saint-Sauveur, une jolie petite ville. Je louais l'étage supérieur d'une maison perchée sur une montagne. J'avais une vue magnifique. C'est là que j'ai écrit mon deuxième livre "Qui es-tu?" N'étant pas prêt à voyager les soixante kilomètres soirs et matins, Jacques s'était loué un petit appartement à Montréal. J'y allais parfois pendant la semaine et lui venait passer toutes les fins de semaine à Saint-Sauveur.

Après deux ans de ce régime, mon propriétaire décide de réintégrer son logement. Je demande à mon **DIEU** intérieur de nous trouver l'endroit idéal, Jacques étant maintenant prêt à faire la navette. Je lui demande un endroit encore mieux pour écrire en paix. Je veux quelque chose de beau car la beauté m'énergise beaucoup. L'idéal c'est la montagne, avec une belle vue sur un lac. Comme mon **DIEU** intérieur sait exactement de quoi j'ai besoin, je ne fais aucun plan précis.

Je demande à un agent d'immeuble de me trouver quelque chose en lui faisant part de ma préférence. Elle me fait visiter certains endroits mais ils ne me plaisent pas. Je ne m'en fais pas. *Je fais confiance à mon DIEU intérieur. Je lui dis que je suis trop occupée et que je m'en remets à Lui pour la solution.* Mon agent me dit d'oublier le bord de l'eau car ils sont rares dans les Laurentides. Ceux qui sont disponibles sont très chers.

JE SUIS DIEU WOW!

Un jour elle me dit qu'une de ses amies a une maison vieille de cent cinquante-huit ans, sur une montagne et au bord d'un joli petit lac très pur et qu'elle consentirait peut-être à me la louer. Je lui dis: "Tu sais que je préfère le moderne aux vieilles choses!" Elle me répond: "Elle planifie de faire une rénovation totale de la maison et je suis sûre qu'une fois rénovée, tu vas l'aimer. C'est un coin paisible avec deux âcres de terrain et à seulement trente-cinq minutes de Montréal. Je suis sûre que ce serait un endroit idéal pour toi, pour écrire."

Elle a vu juste. C'est d'ailleurs la même dame qui trouvera le futur Centre de Paix et de Santé d'Ecoute Ton Corps. Jacques et moi allons visiter la maison. Elle est en effet dans un état pitoyable mais l'emplacement et la vue sont splendides. En imaginant cette maison rénovée, je sais au plus profond de moi que c'est là que je veux demeurer. Quel cadeau du ciel! Cette dame et son mari avaient planifié de vivre leurs années de retraite dans cette maison d'été mais ils venaient tout juste de changer d'idée.

Comme les travaux de rénovation venaient à peine de commencer, ils ont accepté qu'ils soient adaptés à mes goûts personnels. Nous avons pu emménager dans une maison entièrement rénovée, sans que cela ne nous coûte un sou. Nous vivons dans ce petit paradis depuis juillet 1989 et nous l'avons loué avec option d'achat. Même si mon plus grand désir est de continuer à vivre là, j'ai lâché prise là-dessus aussi. Je sais que s'il nous est bénéfique d'acheter cette maison, la possibilité va se présenter à nous. Un tel abandon est possible une fois que nous avons pris conscience de nos peurs.

En effet, une peur crée tellement de bruit et de distorsion à l'intérieur de l'être humain qu'il devient insensible à tout.

Tous ses sens sont affectés et déforment ce qui se passe véritablement. Sache que tes peurs t'éloignent de **DIEU** et de la vie de bonheur que tu désires au plus profond de toi. Quand tu as peur, tu ne vois plus, tu ne sens plus, tu n'entends plus la réalité telle qu'elle est. Tu es trop occupé à croire ton mental qui, lui, n'est plus en contact avec **DIEU** à cause de tes peurs. Découvre le désir qui se cache derrière cette peur et fais l'effort nécessaire pour croire que ce désir peut se réaliser en reprenant contact avec ta puissance intérieure, avec **DIEU**. Avec de la pratique, les efforts ne seront plus nécessaires.

Sache que la volonté de DIEU est ta volonté à toi de vivre dans le bonheur total. Quand tu t'aperçois que tu vis de la douleur ou qu'il y a absence de plaisir ou de joie de vivre, prends un moment d'arrêt et deviens conscient que tu as oublié DIEU en toi ou en ceux qui t'entourent.

Deviens plus conscient de tes croyances. Regarde les résultats dans ta vie. S'ils ne coïncident pas avec tes désirs, c'est signe qu'ils cachent une croyance qui ne t'est pas bénéfique. Fais des actions différentes et tu finiras par croire à autre chose. Par exemple, si tu crois qu'en économisant, tu ne vivras pas d'inquiétude financière et qu'en même temps tu t'aperçois que malgré tes économies, tu continues à t'inquiéter, à avoir peur de perdre ce que tu as, c'est signe que cette croyance n'est pas bonne pour toi. En réalité, toutes tes croyances non bénéfiques sont toujours basées sur une peur.

Apprends à donner davantage sans attentes. Pour ce faire, observe-toi lorsque tu donnes quelque chose à quelqu'un ou quand tu dois demander quelque chose à quelqu'un. Es-tu déçu s'il te dit non? Si oui, c'est que tu as des attentes. Plus tu donnes pour le plaisir de donner et plus tu ouvres ton coeur et reprends contact avec DIEU, avec l'amour, avec la lumière. *On dit que lorsqu'un sacrifice ou un don est douloureux, c'est qu'il repose sur un refus réel de donner. Un tel don est basé sur une peur.* Utilise tous ceux qui t'entourent pour apprendre à te regarder à travers eux. N'oublie pas que tout ce qui t'entoure est un miroir qui te renvoie ton image. *Dans ce miroir, ne t'arrête pas à regarder l'action ou la parole de l'autre. Regarde plutôt ce que ça représente pour toi.* Prétends que tu es seul sur Terre. Tu ne vis qu'avec des miroirs. Si tu n'aimes pas ce que tu vois dans tel ou tel miroir, c'est qu'il y a un manque d'acceptation en toi. Plus tu vivras dans la joie et dans l'amour, plus les miroirs deviendront agréables à regarder. Si ce que tu vois est tellement beau que ça te paraît inaccessible, ça indique aussi un manque d'acceptation de toi.

Ton **DIEU** intérieur s'arrange toujours pour que tu sois entouré des miroirs dont tu as besoin pour devenir conscient de tous les aspects que tu acceptes ou non en toi. Chaque situation, chaque échec apparent n'est qu'une expérience de plus pour toi pour te diriger sur la route qui mène vers l'amour. Tout dépend de ta réaction. Choisiras-tu la route vers l'amour ou bien le chemin inverse, celui de la peur, du doute, de la haine ou de la rancune?

Etre **DIEU** veut aussi dire avoir le pouvoir divin de créer notre vie selon nos pensées, croyances, actions, paroles. Nous récoltons ce que nous semons. Le fait d'être consciente et de croire que tout ce qui sort de moi me revient, c'est-à-dire la loi de cause à effet, m'a enlevé un gros poids sur le dos. *Je n'ai plus besoin de me sentir responsable pour quelqu'un d'autre car toutes mes inquiétudes pour cette autre personne ne servent à rien.* Elle ne peut récolter que ce qui lui est dû, ce qu'elle a semé. La grande loi du retour se gère par elle-même. Je n'ai même plus besoin de vouloir punir ou réprimander quelqu'un pour ses actions ou pour sa façon de penser. C'est au moment de la récolte que cette personne va comprendre plus vite et non avec la morale que je peux lui faire entretemps. Je réserve mes conseils ou mon aide aux personnes qui me les demandent. C'est ça aussi respecter le **DIEU** des autres. Accepter que nous choisissont souvent des routes différentes mais que nous arriverons tous un jour au même endroit: notre source, **DIEU**. Comme tout ce qui émane de soi nous revient, un compliment, un don, une critique, un jugement négatif finit par te revenir, automatiquement. Cela peut se manifester de façons différentes: ou bien tu deviens ce que tu critiques ou bien tu seras critiquée pour la même chose, ou bien encore tu vivras avec quelqu'un qui va devenir de plus en plus comme l'objet de ta critique.

Tout cela est voulu pour te permettre d'apprendre à aimer dans toutes les circonstances. Par exemple, je jugeais ma mère parce qu'elle ne me faisait pas de compliments. Elle disait à d'autres personnes ce qu'elle aimait de moi. J'agis souvent de cette façon-là aujourd'hui. Intérieurement je sais fort bien que quand je félicite quelqu'un devant une tierce personne, je suis sincère et j'ai la bonne intention de le dire à la personne concernée mais je l'oublie par la suite. Je peux maintenant non seulement savoir ce que ma mère vivait mais aussi ce qu'elle ressentait. Je ne peux plus la juger à cet effet et, quand il lui arrive encore de dire du bien de moi à d'autres personnes plutôt qu'à moi directement, cela ne me dérange plus, je la comprends.

JE SUIS DIEU WOW!

J'ai également beaucoup jugé ceux qui se faisaient des accroires, et plus particulièrement les hommes. J'ai réalisé que moi aussi je me suis fait des accroires et que je m'en fais probablement encore. Bien souvent nos accroires sont l'expression de ce que nous voudrions être. Nous ne voulons pas accepter que nous n'y sommes pas encore. Quand nous arrêtons de vivre dans l'attente du résultat désiré et que nous voyons du beau dans notre moment présent, il est facile d'arrêter de se faire des accroires.

J'ai vu aussi que le fait de se faire des accroires est parfois nécessaire pour notre survie. C'est une expression de nos limites. Si je me fais accroire que tout va bien, c'est parce que je ne veux pas voir ce qui ne va pas, inconsciemment bien sûr. J'ai trop peur ou je ne saurais vraiment pas quoi faire avec. *Il est important d'accepter ses limites.* C'est comme se dire: "Je sais que je suis **DIEU** mais en ce moment, je ne peux pas l'exprimer à la perfection car c'est au-delà de mes limites." Cependant *nous ne devons pas donner une réalité permanente à quelque chose de temporaire; les limites sont toujours temporaires!* Comme tout ce qui vit change, nous devons croire qu'un jour nous arriverons à exprimer **DIEU** dans toute sa perfection. Tout comme un pianiste peut dire à ses débuts: "Je sais que je suis un musicien et je le sens au plus profond de moi mais je ne peux jouer une nouvelle partition sans commettre d'erreur, c'est au-delà de mes limites. Avec de la pratique, j'y arriverai."

Je suggère de vérifier si une limite est réelle, véridique ou si elle provient de ton mental ou de tes peurs. Une fois qu'une limite irréelle est acceptée et reconnue, il devient plus facile de la dépasser et de prendre de plus en plus de risques. Je constate avec du recul que *chaque risque que*

JE SUIS DIEU WOW!

j'ai osé prendre m'a un peu plus rapprochée de DIEU. Chaque risque m'a fait découvrir ma puissance intérieure. Je ne regrette aucun de ces risques même si je sais qu'à certaines reprises, j'ai forcé mes limites. Ce que j'ai appris et les résultats à long terme ont compensé pour tous les efforts fournis.

Un moyen de reprendre contact avec **DIEU** est la méditation. Porter son attention sur sa lumière intérieure au niveau du chakra du coeur (situé entre les seins) tout en observant sa respiration pendant au moins vingt minutes par jour ne peut qu'apporter de bons résultats. Toutes les techniques de méditation sont bonnes. Trouve celle qui te convient le mieux, c'est-à-dire celle qui t'aide le plus à arrêter ton mental, à devenir observateur de ta lumière et de ta respiration. L'important c'est la persévérance. Les bienfaits de la méditation ne sont pas évidents au début.

Quand tu t'aperçois que tu t'es éloigné de **DIEU**, un bon moyen pour t'aider à reprendre contact est de prendre un temps d'arrêt, penser à quelqu'un que tu aimes beaucoup, envers qui tu sens une belle chaleur dans ton coeur quand tu penses à cette personne. Ressens ce grand amour en toi pendant plusieurs minutes. L'effet est instantané. Tu auras une impression de grande clarté et de paix intérieures. **DIEU** t'aime avec cette même chaleur. Crois-y. J'ai même vécu l'expérience, après cet exercice, de trouver quelque chose que j'avais perdu et que je cherchais depuis plusieurs jours.

N'oublie pas aussi d'être reconnaissant. Utilise toutes les occasions possibles pour dire: "Merci mon DIEU". Comme tu peux le constater, cette expression vieille comme le monde ne dit pas: "Merci **DIEU** là-bas!" mais bien: "Merci mon **DIEU**." En ce faisant, porte tes mains sur ton coeur, ton âme. Sens **DIEU** en toi, sens la joie de vivre! Tu deviendras de plus en plus conscient d'événements tout à fait inexplicables qui arriveront pour te faciliter l'existence.

Ceux qui ne peuvent accepter qu'ils sont **DIEU** mais qui croient être une parcelle de **DIEU** sont en train de dire que **DIEU** peut se diviser. **DIEU** est une énergie entière, indivisible, qui forme un tout. Nous sommes tous inter-reliés non seulement sur la Terre mais aussi entre toutes les autres planètes de l'Univers. C'est seulement dans leur apparence extérieure que les expressions de **DIEU** diffèrent. Tout comme les vagues de l'océan: chacune a une forme différente mais l'ensemble n'en demeure pas moins l'océan. Elles font un tout. Tout ce qui vit sur la Terre prend aussi des formes différentes mais toutes ces formes sont inter-reliées dans l'invisible. Tout être humain peut dire "Je suis **DIEU**" tout comme la goutte d'eau dans l'océan peut dire "Je suis l'océan". Une goutte peut-elle être plus l'océan qu'une autre? Y aurait-il un océan s'il n'y avait pas de gouttes? **DIEU** est donc l'ensemble de tout ce qui vit, tout comme l'océan est l'ensemble des gouttes qui le forment.

J'aime aussi utiliser l'exemple de la rose. Le plus petit bouton de rose peut affirmer avec certitude "Je suis une rose". Nous savons tous que la rose n'a pas atteint sa perfection, qu'elle n'est pas ouverte encore. Avec de la lumière et de l'eau, elle y parviendra. C'est la même chose pour l'humain. Avec de l'amour (la lumière) et le contact avec ce que nous ressentons (l'eau) nous arriverons à exprimer **DIEU** dans toute sa perfection. Nous avons tous le choix d'affirmer: "Non, je ne suis pas une rose, je ne suis qu'un bouton" ou "Oui, je suis une rose et je suis aussi parfaite que je peux l'être présentement."

JE SUIS DIEU WOW!

Que nous l'aimions ou non, que nous croyions que c'est un sacrilège ou non, nous sommes **DIEU**! Nous ne pouvons pas le renier. Le plus tôt nous y ferons face et le plus vite nous l'exprimerons dans toute sa splendeur.

Certains ne veulent pas prendre la responsabilité d'être **DIEU**! C'est vrai que c'est une grande responsabilité. Car, en tant que **DIEU**, on accepte d'être le créateur de notre propre vie et de tout ce qui l'habite. *Ceux qui souffrent et refusent d'accepter que leurs souffrances sont leur propre création, croyant plutôt que les causes sont extérieures, continuent à se créer un monde de souffrance.* Ils sont complètement en charge de leur monde et ils récoltent ce qu'ils ont créé. La loi de la responsabilité dit que nous sommes responsables de tout ce qui nous arrive. Entendons-nous bien: elle ne dit pas "coupable" de ce qui nous arrive! Cette loi signifie que nous sommes tous responsables de notre réaction à une expérience ou à un événement. Nous n'avons pas besoin de nous casser la tête et de trouver pourquoi cette expérience nous arrive. Notre **DIEU** intérieur sait que cette expérience peut nous aider à grandir spirituellement. Notre seule responsabilité est notre réaction. Celle-ci (l'effet) devient ensuite la cause d'une autre expérience et ainsi de suite. Notre vie est une suite de causes et d'effets.

Au début de ma recherche intérieure, cette loi fut la première que j'ai apprise et demeure encore aujourd'hui, à mon avis, la plus importante.

Sans cette notion de responsabilité, nous ne pouvons connaître l'amour véritable ou devenir le vrai maître de notre vie.

JE SUIS DIEU WOW!

Que penser des gens qui accomplissent des choses extraordinaires, des Chopin, des Einstein, des Newton et quantité d'autres moins connus mais tout aussi extraordinaires? D'où vient ce pouvoir de créer? De la même source que le tien et le mien. Il ne s'agit que d'y croire et d'affirmer sans cesse: *"Je suis DIEU!"*

Avec cette affirmation, ce qu'on appelle un problème, un obstacle, semble devenir autre chose. On réalise que c'est notre mental qui appelle cela un problème. Quand on l'utilise comme une marche pour aller plus haut, la solution arrive vite. Bien des gens appellent cette solution "chance". Cette chance est tout simplement l'ouverture à l'expression divine. On ne doit jamais oublier qu'on récolte toujours ce qu'on sème.

Toutefois ce que certains appellent la chance peut s'avérer tout le contraire si l'ouverture à **DIEU** n'est pas faite. Je peux donner comme exemple: gagner à la loterie ou obtenir une promotion au travail. *Si cette chance engendre de la peur plutôt que de l'amour, le bonheur d'expérimenter DIEU disparaîtra.* Nous sommes tous au courant que des milliers de gagnants à la loterie sont devenus plus malheureux ou plus malades suite à cette supposée chance. La seule chance qui existe est quand on utilise tout ce qui nous arrive pour nous rapprocher de **DIEU**.

Un problème peut être comparé à un nuage. Quand on s'élève au-dessus, il y a seulement de la lumière, du soleil: **DIEU!** J'ai découvert que le plus grand obstacle au bonheur, à expérimenter **DIEU**, donc l'amour, la paix intérieure, l'abondance, la santé, c'est notre mental inférieur, notre intellect. Aussitôt que le mental, qui inclut les désirs, les pensées, les peurs et les croyances, prend le dessus, nous cessons d'être dans notre moment présent, dans l'expérience.

Notre mental est programmé d'avance par toutes nos croyances. Nous ne devons pas lui en vouloir. Seulement le reconnaître. Nous devons plutôt revenir à notre préférence, à ce que nous voulons dans la vie. En général, le mental nous limite. Il est facile de constater ce fait dans le plan physique. Une personne veut aller danser un soir de semaine et son mental lui dit: "Non, ne va pas danser. Tu vas te coucher tard et tu seras fatiguée demain!"

Quand on décide d'aller au-delà du mental, il est étonnant de constater notre grande endurance physique. Nous appelons ce phénomène "le deuxième souffle". Quand un coureur olympique n'en peut plus et croit s'écraser, c'est son mental qui lui dit qu'il n'est plus capable. Aussitôt qu'il décide de continuer, il retrouve un nouvel élan, il est rempli d'énergie. Il est maintenant à l'écoute de ses corps supérieurs qui sont branchés à l'énergie universelle. Notre mental nous joue des tours ainsi sur tous les plans. C'est pour cette raison qu'il est si important de ne pas toujours écouter le mental; d'écouter plutôt le coeur qui voit du beau dans le moment présent, qui expérimente.

L'évolution est dans l'expérience. C'est le moyen d'apprendre qui est le plus durable, contrairement aux autres moyens comme la lecture, l'analyse ou la philosophie. Aussitôt que l'intellect est à l'oeuvre, je ne fais qu'apprendre mentalement. C'est n'est pas intégré. Comme par exemple si j'apprends dans un livre comment jouer au bridge et que je ne l'expérimente pas, je vais tout oublier rapidement. Aussitôt que je mets en pratique ce que j'ai appris dans le livre, je commence à le sentir, à intégrer cette connaissance. Je comprends ce que j'ai appris. Ça s'appelle de l'intégration et c'est appris pour toujours.

Il est facile de comprendre ceci en observant un enfant. Il est constamment dans l'apprentissage car il vit ses expériences sans les analyser. Aussitôt qu'il commence à s'adapter au monde des adultes et apprend à raisonner, il n'est plus le petit enfant heureux et sans soucis qu'il était en naissant. Ça ne veut pas dire qu'il faille arrêter de raisonner. Ça veut plutôt dire qu'*il importe d'être assez conscient pour savoir qui dirige: ton mental ou ton coeur?* Qui décide quand utiliser le mental? Quand ce dernier servira seulement pour comprendre que la vie, les autres et nous-mêmes sommes tous des expressions divines, le mental inférieur se fondra dans le mental supérieur.

Aussitôt que nous voulons arrêter quelque chose, c'est le mental qui est à l'oeuvre. Comme par exemple, si nous voulons arrêter un comportement, une peur, ou une douleur dans notre corps, nous ne sommes plus en contact avec **DIEU**. C'est la vraie souffrance qui débute. Quand on expérimente plutôt ce qui nous fait souffrir, on vient de découvrir un moyen de nous libérer de la souffrance. Ceci est facile à comprendre pour ceux qui utilisent la métaphysique. Quand nous avons une maladie physique, plutôt que de tout faire pour nous en débarrasser, si nous remercions ce mal dans notre corps parce qu'il nous aide à nous connaître davantage, ce malaise physique disparaîtra quand l'attitude non bénéfique reliée à celui-ci aura été cernée et intégrée. Ce message nous aide à devenir plus conscients et plus aimants et nous pouvons lui en être reconnaissants.

Être DIEU, c'est arrêter de se créer des conflits pour se défaire d'autres conflits. C'est être présent et avoir con-

JE SUIS DIEU WOW!

fiance en la vie, ne pas avoir peur d'affirmer sans cesse: *"Je suis DIEU, DIEU je suis."* Le mental est aussi à l'oeuvre quand nous ne voulons pas que quelque chose arrête, quand nous désirons que la même expérience se continue. En ayant ce désir, nous arrêtons l'expérience réelle. Nous expérimentons plutôt le désir. L'évolution arrête et nous nous fermons ainsi au nouveau.

J'ai cinquante ans et encore l'éternité devant moi. Que je continue dans cette vie-ci quelques mois, quelques années ou encore une autre cinquantaine d'années, ce n'est pas important. Tout ce que je comprends et que j'intègre à travers l'expérience est acquis pour toujours et me servira sur un autre plan que la Terre et dans mes prochaines vies sur la Terre. Il n'y a jamais rien de perdu.

Pour le moment, je planifie de continuer à transmettre tout ce que je sais pour le restant de mes jours. J'aime communiquer, je suis une communicatrice née. C'est un véhicule qui me permet de me découvrir tout en espérant que mes paroles puissent aider ceux qui m'écoutent. Je sens une grande urgence d'aider le monde sur la planète Terre. Nous vivons présentement dans un monde à l'envers.

Nous continuons de croire que la paix est l'absence de guerre et que la santé est l'absence de maladie. La réalité est tout à fait contraire. La guerre, sous toutes ses formes, est l'absence de paix intérieure et la maladie est l'absence de santé spirituelle. Les deux nous indiquent une grande absence d'amour véritable.

Je veux faire ma part pour que la société dépense son énergie et ses milliards de dollars pour la paix et la santé. Ce sera merveilleux quand au Québec, on aura une carte d'"assurance santé" plutôt qu'une carte d'"assurance maladie". Mon but est que l'enseignement d'Écoute Ton Corps se répande partout dans les écoles, les hôpitaux, les prisons, à la radio et à la télévision. Nous pourrions épargner des milliers de dollars en frais médicaux à notre gouvernement. Cet argent pourrait être utilisé pour enseigner aux gens à être heureux et croire en leur grand potentiel plutôt que de continuer à entretenir leurs croyances et à les supporter financièrement comme s'ils étaient des incapables.

J'ai toujours eu un grand amour pour la vie et je veux aider les gens à choisir la vie au lieu de simplement ne pas vouloir mourir. La peur de mourir, avec toutes les décisions qu'elle fait prendre, est un blocage continuel à la joie de vivre.

J'ai une grande facilité à comprendre l'être humain, à faire des synthèses et à les communiquer. Depuis les débuts d'Écoute Ton Corps, *il est de plus en plus facile pour moi de savoir et de sentir quelque chose au plus profond de moi.* J'ai hâte de le transmettre. C'est pourquoi je continue à enseigner et à écrire. Je sais que je ne laisse pas les gens indifférents en disant "ma" vérité. Qu'on me critique ou qu'on m'aime, tout ce qui m'importe, c'est que mon travail aide à améliorer la qualité de vie des gens.

Je prends souvent des risques, n'ayant pas de preuves scientifiques de ce que j'avance. Par exemple quand j'affirme: "L'amour véritable peut guérir toutes les maladies!", je peux seulement constater que des milliers de personnes se sont effectivement guéries en ouvrant leur coeur et en pardonnant. Comment? Je ne le sais pas, mais ce que je sais c'est que j'y crois. Le mot incurable fait peur à bien des gens mais ce mot, pour moi, signifie incurable par des moyens extérieurs. Nous devons donc aller à l'intérieur pour nous guérir. Ceux qui y résistent sont ceux qui ne veulent pas encore accepter leur grand pouvoir de créer leur vie.

Je continue moi-même à étudier un peu partout. Je n'ai pas de maître spirituel en particulier, ni de "gourou". Mon vrai maître et modèle est Jésus. Je prends grand plaisir à lire sa vie et ses enseignements. Je sais qu'il est le plus grand modèle d'amour ainsi que le plus grand modèle de la puissance que cet amour peut apporter à celui qui s'y ouvre. Toutefois, j'aime bien être en présence de gourous ou d'autres grandes personnes que j'admire. Il y a toujours quelque chose à apprendre.

Cependant, l'intégration de toutes ces connaissances s'est effectuée à travers les expériences vécues avec mes conjoints, mes enfants, mes employés, ma famille et mes amis. Comme pour moi apprendre, comprendre et m'améliorer font partie intégrante de ma vie, mon intention est de continuer à découvrir des aspects de moi non acceptés et à apprendre à les aimer. Ainsi *j'apprends à être ce que je suis plutôt que d'entretenir ce que je croyais être.* Plus je deviens moi-même, plus je laisse aller ce que je ne suis pas, c'est-à-dire mes fausses croyances, mes peurs irréelles et plus je fais de la place pour créer seulement du beau dans ma vie. C'est la raison pour laquelle je suis toujours plus énergisée. Enseigner le développement spirituel de l'être humain est un grand privilège.

Un projet que j'entretiens depuis plusieurs années est de prendre vingt-cinq ans pour faire le tour du monde, en bateau de préférence. Je veux avoir assez de temps pour bien connaître et apprécier chaque coin de la planète et ses habitants. Durant ces années, je me vois étudier l'astronomie et l'astrologie au niveau planétaire. Je me vois faire de la peinture, continuer à écrire. Je veux aussi continuer à étudier tout ce qui est considéré mystérieux ou inexplicable. Et naturellement je planifie de continuer à garder un oeil de loin sur l'enseignement et les buts d'Écoute Ton Corps.

Je vois pointer le jour où un de mes enfants sera apte à prendre ma relève pour diriger Écoute Ton Corps. Ainsi Jacques et moi pourrons réaliser ce beau rêve. Quand j'ai commencé à rêver à ce voyage, je me souviens d'avoir longtemps pensé qu'il n'était pas réalisable. Je me disais que je rêvais en couleur. Toutefois, il a toujours continué à être présent en moi. Je l'entretiens, je fais des actions mais je laisse mon **DIEU** intérieur décider si ce désir est bénéfique pour moi. Si non, il m'arrivera quelque chose de mieux. C'est cela savoir que **DIEU** est bien présent en soi, le laisser prendre la décision finale.

Je suis bien heureuse d'être de ce monde présentement et de contribuer à son amélioration. En ce qui concerne l'avenir de la planète, je suis optimiste. Je ne veux voir que le bon côté des choses. Je sens un grand mouvement sur la planète pour aller vers un meilleur monde.

D'ici peu, j'ai bien confiance que ce sera la fin du monde actuel tel que nous l'avons créé. Je ne dis pas la fin de la planète Terre et des humains, mais du monde créé par les humains. Quoiqu'il advienne, je sais et je crois que ce sera pour le mieux; nous pourrons alors vivre l'Ere du Verseau dans l'amour, la paix, la santé et l'abondance dans tout. L'important c'est que chacun de nous fasse sa part et n'oublie pas **DIEU**.

Être **DIEU**, c'est vivre **DIEU** à plein. C'est avoir des buts pour le futur tout en vivant notre moment présent dans la

JE SUIS DIEU WOW!

joie et la reconnaissance. C'est croire qu'il y a toujours un bon côté à ce qui nous arrive et ne pas avoir peur d'affirmer sans cesse:

"JE SUIS DIEU, DIEU JE SUIS!"

CONCLUSION

Je me suis fait un énorme cadeau en écrivant ce livre. J'ai pris plus d'un an à l'écrire. Il a débuté avec cent soixante-dix pages et se termine avec le double. Je suis devenue plus consciente durant cette année que durant les dix années précédentes.

D'avoir à écrire ma vie m'a demandé de fouiller au plus profond de moi pour vérifier ce que je ressentais à chaque fois que je relatais un événement. Ce fut un grand ménage intérieur.

Cette démarche m'a permis de constater à quel point l'homme en moi m'aime. En l'écrivant, j'ai vu combien tous les hommes de ma vie m'ont aimée et m'aiment encore. Tous ces hommes ont été là pour me dire: "Quand verras-tu combien je t'aime?" Ils étaient l'écho de l'homme en moi à qui j'en ai tant demandé depuis que je suis toute jeune. Il a cependant continué à me servir malgré qu'il n'en faisait jamais assez pour m'impressionner.

Je peux maintenant sentir beaucoup d'amour au plus profond de moi. Je sens en moi une nette différence à leur contact. Quel beau cadeau!

Je conclus avec le conseil suivant: fais le bilan de tout ce qui t'a fait réagir ou ce que tu as admiré en moi au cours de ta lecture. Utilise-le pour apprendre à accepter un aspect de toi refoulé ou rejeté. Donne-lui la chance de s'exprimer et tu auras le bonheur de la récolte.

Aime-toi dans tout ce que tu es et donne-toi la permission d'affirmer: **JE SUIS DIEU!**

Lise Bourbeau et le cours Écoute Ton Corps

Le Centre Écoute Ton Corps est devenu un des plus importants centre de croissance personnelle du Québec grâce au dynamisme de sa fondatrice, Lise Bourbeau. Sa vaste expérience du comportement humain, ses recherches personnelles et ses études variées lui ont permis d'élaborer ses propres théories. Elle a établi la philosophie de son cours de base, "Écoute Ton Corps", sur le fait que l'être humain reçoit sans cesse des messages à travers son corps quand il ne sait pas s'aimer et aimer les autres d'un amour inconditionnel et sans attentes. Les malaises, les maladies, le manque d'énergie, les problèmes de poids, d'insomnie, de drogue, d'alcool, les accidents sont quelques-uns de ces messages. En transformant sa façon d'aimer, l'humain transforme sa vie physique, émotionnelle, mentale et spirituelle.

Pour transmettre son enseignement, Lise Bourbeau a formé elle-même ses animateurs et elle a créé un éventail de cours pour vous aider à devenir de plus en plus conscients de ce que vous pouvez créer dans votre vie.

Nous offrons des cours de groupes dans différentes régions du Québec, pour vous permettre d'intégrer cette approche. Prenez rendez-vous!

Nous vous invitons à venir assister SANS FRAIS à un cours d'une durée de 3 heures

---

POUR INFORMATION
(514) 382-7361 sans frais d'interurbain 1-800-361-3834

Pour le grand public: *Écoute ton Corps organise des conférences mensuelles prononcées par Lise Bourbeau, traitant de thèmes très actuels.*

Pour les organismes et associations: *Lise Bourbeau a également une grande variété de sujets de conférences adaptés spécialement aux employés de compagnies ou membres d'associations. Contactez-nous pour obtenir les informations voulues.*

340

Le livre
QUI ES-TU?

En raison de la grande
popularité de son premier
livre et à la demande
générale de ses lecteurs,
LISE BOURBEAU a décidé
d'y donner suite.

Le lecteur désireux de
découvrir QUI IL EST puisera
des trésors d'information
dans ce livre.

Grâce à des exemples
pratiques tirés de la vie
courante, il sera émerveillé
de se reconnaître à travers
ce qu'il dit, pense, voit,
entend ou ressent. Même
l'observation des vêtements
qu'il porte et du lieu où il
réside le renseigneront sur
lui-même.

De plus, ce livre décrit en
détail la signification des formes du corps. Plus de 250 malaises
et maladies sont aussi expliqués dans leur sens méthaphysique,
aidant ainsi à en découvrir les causes profondes. Les résultats visés
sont l'auto-guérison, l'amélioration de la qualité des communications
inter-personnelles et un mieux-être général.

CE LIVRE SE VEUT UN LIVRE DE RÉFÉRENCES QUI NE CESSERA D'ÊTRE UN COMPAGNON DE TOUT INSTANT.

L-02   PRIX: 18.14$ ^(taxes comprises)

Pour commander voir BON DE
COMMANDE page 343

LE NOUVEL AGENDA ÉCOUTE TON CORPS

"Une bonne planification = plus de liberté"

(Affirmation de Lise Bourbeau)

Contrairement à la croyance populaire, l'expérience de Lise Bourbeau confirme qu'une vie bien remplie sous-entend une saine planification et de bons outils de travail. Grâce à ces différents outils de travail, elle a su mener de front, depuis 25 ans, sa vie personnelle, familiale, professionnelle et spirituelle.

Cependant les différents agendas utilisés n'arrivaient pas à combler ses besoins de façon tout à fait satisfaisante. C'est pourquoi elle vous propose avec ce nouvel agenda ses meilleures trouvailles auxquelles elle ajoute une touche bien personnelle.

D'une conception originale et super pratique, il vous sera possible de vous le procurer et de le débuter

Spécial
Jusqu'au 31 décembre 91
14.97$ taxes incluses
à partir du 1er janvier 92
17.28$ taxes incluses

en tout temps de l'année, car c'est un agenda perpétuel. Une journée par page vous permet de planifier vos rendez-vous à des heures précises et, en plus, il y a suffisamment d'espace pour y inscrire vos notes et autres tâches, si minimes soient-elles.

Dans sa philosophie d'efficacité et de développement personnel, une action précise et originale vous est suggérée pour chaque journée, vous offrant la possibilité de découvrir de nouveaux horizons intérieurs. Pour partir votre année du bon pied, vous trouverez au début plusieurs pages explicatives vous permettant d'utiliser cet agenda à son maximun.

Idéalpour vous personne dynamique qui aimez vous donner des moyens pour arriver à vos buts.

Pour commander voir BON DE COMMANDE page 343

342

CONFÉRENCES SUR CASSETTES

(11,56$ Taxes comprises)

(C-01) La peur, L'ennemie de l'abondance
(C-02) Victime ou gagnant
(C-03) Comment se guérir soi-même
(C-04) L'orgueil est-il l'ennemi premier de ton évolution ?
(C-05) Sexualité, sensualité et amour
(C-06) Comment être responsable sans se sentir coupable
(C-07) L'énergie—comment ne pas perdre contact
(C-08) Le grand amour peut-il durer ?
(C-09) Comment s'aimer sans avoir besoin de sucre
(C-10) Comment évoluer à travers les malaises/maladies
(C-11) La peur de la mort
(C-12) La spiritualité et la sexualité
(C-13) Ma douce moitié, la t.v.
(C-14) La réincarnation volet I
(C-15) La réincarnation volet II
(C-16) La spiritualité et l'argent
(C-17) La spiritualité dans la relation parent-enfant
(C-18) Les dons psychiques
(C-19) Être vrai... c'est quoi au juste ?
(C-20) Comment se décider et passer à l'action
(C-21) L'amour de soi
(C-22) La prière, est-ce efficace ?
(C-23) Le contrôle, la maîtrise, le pouvoir
(C-24) Se transformer sans douleur
(C-25) Comment s'estimer sans se comparer
(C-26) Êtes-vous prisonniers de vos dépendances ?
(C-27) Le pouvoir du pardon
(C-28) Comment être à l'écoute de son coeur
(C-29) Être gagnant en utilisant le subconscient
(C-30) Comment réussir à atteindre un but
(C-31) Rejet, abandon, solitude
(C-32) Besoin, désir ou caprice
(C-33) Les cadeaux de la vie
(C-34) Jugement, critique ou accusation?
(C-35) Retrouver sa créativité
(C-36) Qui gagne, vous ou vos émotions?
(C-37) Comment aider les autres
(C-38) Burn-out
(C-39) Les principes masculin et féminin en soi
(C-40) Notre planète Terre et ses messages
(C-41) Sans viande et en parfaite santé
(C-42) Développer la confiance en soi
(C-43) Comment lâcher prise
(C-44) Les croyances inconscientes qui mènent notre vie
(F-01) Comment éviter une séparation...(partie I)
(F-02) Comment éviter une séparation... (partie II)

Commandez par téléphone (514)382-7361 ou sans frais 1-800-361-3834 payez par VISA ou MASTERCARD, ou postez un chèque ou mandat-poste à l'ordre de ÉCOUTE TON CORPS, 9675 Papineau, #380, Mtl. (Qc), H2B'1Z5

No. Carte _____
Date d'expiration _____
Signature _____

Nom: _____
Adresse: _____ App. : _____
Ville et province: _____
Code postal:_____ Tél.( ) _____

COMMANDE DE LIVRES ET DE CASSETTES

Cassette de conférence: 11,56$

Total de votre commande:

Sous-total: _____
Manutention: 3,00
TOTAL: _____

Dans le coût total les taxes sont déjà incluses.

Qté	Code		Qté	Code

Achevé   Imprimerie
d'imprimer Gagné Ltée
au Canada Louiseville